このシールをはがすと本書の動画にアクセスするためのログインIDとパスワードが記載されています。

↙ ここからはがしてください。

本Web動画の利用ライセンスは，本書1冊につき一つ，個人所有者1名に対して与えられるものです。第三者へのログインID，パスワードの提供・開示は固く禁じます。また図書館・図書施設など複数人の利用を前提とする場合には，本Web動画を利用することはできません。

肝胆膵 高難度外科手術

第3版
Web動画付

編集

一般社団法人 日本肝胆膵外科学会

出版責任者

遠藤　格
横浜市立大学教授・消化器・腫瘍外科学

編集委員

海野倫明
東北大学大学院教授・消化器外科学分野

國土典宏
国立国際医療研究センター・理事長

中村雅史
九州大学病院・病院長

永野浩昭
山口大学大学院教授・消化器・腫瘍外科学

山本雅一
宇都宮記念病院・病院長

医学書院

肝胆膵高難度外科手術[Web動画付]

発　行	2010年 6 月 1 日　第 1 版第 1 刷
	2011年12月15日　第 1 版第 3 刷
	2016年11月15日　第 2 版第 1 刷
	2020年 1 月15日　第 2 版第 3 刷
	2023年 6 月15日　第 3 版第 1 刷Ⓒ

編　集　一般社団法人　日本肝胆膵外科学会
発行者　株式会社　医学書院
　　　　代表取締役　金原　俊
　　　　〒113-8719　東京都文京区本郷 1-28-23
　　　　電話　03-3817-5600（社内案内）
印刷・製本　三美印刷

本書の複製権・翻訳権・上映権・譲渡権・貸与権・公衆送信権（送信可能化権を含む）は株式会社医学書院が保有します.

ISBN978-4-260-05111-8

本書を無断で複製する行為（複写，スキャン，デジタルデータ化など）は，「私的使用のための複製」など著作権法上の限られた例外を除き禁じられています．大学，病院，診療所，企業などにおいて，業務上使用する目的（診療，研究活動を含む）で上記の行為を行うことは，その使用範囲が内部的であっても，私的使用には該当せず，違法です．また私的使用に該当する場合であっても，代行業者等の第三者に依頼して上記の行為を行うことは違法となります．

JCOPY　〈出版者著作権管理機構　委託出版物〉
本書の無断複製は著作権法上での例外を除き禁じられています．複製される場合は，そのつど事前に，出版者著作権管理機構（電話 03-5244-5088, FAX 03-5244-5089, info@jcopy.or.jp）の許諾を得てください．

執筆者一覧 (執筆順)

調 憲
群馬大学大学院教授・肝胆膵外科学

力山敏樹
自治医科大学附属さいたま医療センター教授・一般・消化器外科

澤田成朗
新潟県厚生連糸魚川総合病院診療部長・外科

藤井 努
富山大学学術研究部医学系教授・消化器・腫瘍・総合外科

有田淳一
秋田大学大学院教授・消化器外科学

長谷川潔
東京大学大学院教授・肝胆膵・人工臓器移植外科学

池永直樹
九州大学大学院・臨床・腫瘍外科

中村雅史
九州大学病院・病院長

大坪毅人
聖マリアンナ医科大学主任教授・消化器・一般外科

山本雅一
宇都宮記念病院・病院長

田浦康二朗
医学研究所北野病院・消化器外科部長

波多野悦朗
京都大学大学院教授・肝胆膵・移植外科

平野 聡
北海道大学大学院教授・消化器外科学教室Ⅱ

蔵原 弘
鹿児島大学大学院准教授・消化器・乳腺甲状腺外科学

大塚隆生
鹿児島大学大学院教授・消化器・乳腺甲状腺外科学

後藤田直人
国立がん研究センター東病院・肝胆膵外科長

永川裕一
東京医科大学主任教授・消化器・小児外科学

片桐 聡
東京女子医科大学八千代医療センター臨床教授・消化器外科

吉岡龍二
順天堂大学大学院准教授・肝・胆・膵外科学

齋浦明夫
順天堂大学大学院教授・肝・胆・膵外科学

齋藤 裕
徳島大学講師・消化器・移植外科学

森根裕二
徳島大学大学院准教授・消化器・移植外科学

島田光生
徳島大学大学院教授・消化器・移植外科学

小川晃平
愛媛大学大学院准教授・肝臓・胆のう・膵臓・乳腺外科

髙田泰次
愛媛大学大学院教授・肝臓・胆のう・膵臓・乳腺外科

佐野圭二
帝京大学教授・肝胆膵外科

渋谷和人
富山大学学術研究部医学系・消化器・腫瘍・総合外科

上村健一郎
広島大学大学院准教授・外科学

木村康利
札幌医科大学病院教授・消化器・総合，乳腺・内分泌外科学

旭吉雅秀
宮崎大学准教授・肝胆膵外科学

七島篤志
宮崎大学教授・肝胆膵外科学

遠藤　格
横浜市立大学教授・消化器・腫瘍外科学

有泉俊一
東京女子医科大学准教授・肝胆膵外科学

國土典宏
国立国際医療研究センター・理事長

竹村信行
国立国際医療研究センター病院・肝胆膵外科診療科長

田中邦哉
昭和大学藤が丘病院教授・消化器・一般外科学

德光幸生
山口大学大学院・消化器・腫瘍外科学

永野浩昭
山口大学大学院教授・消化器・腫瘍外科学

小暮正晴
杏林大学学内講師・消化器・一般外科学

阪本良弘
杏林大学教授・消化器・一般外科学

江畑智希
名古屋大学大学院教授・腫瘍外科学

水野隆史
名古屋大学大学院准教授・腫瘍外科学

尾上俊介
名古屋大学大学院講師・腫瘍外科学

髙屋敷吏
千葉大学大学院講師・臓器制御外科学

大塚将之
千葉大学大学院教授・臓器制御外科学

井上陽介
がん研有明病院・肝胆膵外科副部長

小野嘉大
がん研有明病院・肝胆膵外科医長

高橋　祐
がん研有明病院・肝胆膵外科部長

伴　大輔
国立がん研究センター中央病院・肝胆膵外科医長

松本逸平
近畿大学教授・外科学肝胆膵部門

坂田　純
新潟大学大学院准教授・消化器・一般外科学分野

若井俊文
新潟大学大学院教授・消化器・一般外科学分野

伊藤孝司
京都大学大学院講師・肝胆膵・移植外科

江口　晋
長崎大学大学院教授・移植・消化器外科学

大塚由一郎
東邦大学教授・一般・消化器外科学分野

森川孝則
宮城県立がんセンター・消化器外科・医療部長

海野倫明
東北大学大学院教授・消化器外科学分野

仲田興平
九州大学大学院・臨床・腫瘍外科

中川顕志
奈良県立医科大学・消化器・総合外科

長井美奈子
奈良県立医科大学・消化器・総合外科

庄　雅之
奈良県立医科大学教授・消化器・総合外科

第 3 版の序

　日本肝胆膵外科学会高度技能専門医制度は，難易度の高い肝胆膵外科手術を日本全国の患者さんに安全に受けていただくことを理念として2011年に立ち上げられました．安全かつ標準的な手術を施行することができる術者とその修練施設を認定するものです．2022年7月現在で修練施設Aは137施設，Bは151施設，高度技能専門医は497名，高度技能指導医は505名を数えます．本制度は，学会の社会に対する責任，という点を重視し，専門医の質を保証するために，書類とビデオによって厳密に審査が行われてきました．合格者数は初年度は12名でしたが，2023年は93名と増加傾向です．これは受験者数が増えているためであり，合格率は50％程度で変化がなく，外科系基盤学会の専門医合格率と比較すると狭き門となっています（外科専門医合格率約95％，消化器外科専門医合格率約75％）．

　本制度の設立は，奇しくもNational Clinical Database（NCD）の設立と同時期であり，この10余年はわが国におけるビッグデータに基づく手術の質と安全性の評価の時期と重なります．本学会でも毎年手術成績を修練施設から報告していただき，手術死亡率が高い施設には監査を続けてきました．その結果，修練施設全体における手術死亡率は2.1％から1.12％に低下していることが明らかになりました．また，NCDデータの分析によって，修練施設の手術死亡率は非修練施設の手術死亡率の0.4〜0.7倍程度に低いことも明らかになっています．設立の理念が実際の臨床成績の改善に結実したといえるのではないでしょうか．

　前述のように，本制度は外科手術手技の質をビデオによって厳しく評価し認定しています．現在でこそ標準的なビデオはよく目にしますが，設立当時は施設間での手術手技や治療方針の違いがみられました．「実技を評価する」という本制度においては，安全かつ標準的な実技を受験者に示すことが必要でした．それが本書の生まれた経緯です．初版発刊は2010年6月でした．第Ⅰ章は外科解剖，第Ⅱ章は基本手技，第Ⅲ章では外科手術では不可避である偶発症についてまとめました．第Ⅳ章では代表的な術式を解説していただきました．また，第Ⅴ章には腹腔鏡下肝膵切除を収載しました．第2版の発刊は2016年11月で，それぞれの記述をアップデートしました．さらにコラムやFOCUSの項を設け，注意事項を取り上げました．

　今回の改訂では，より申請者にわかりやすい内容にすべて改訂しました．審査する側も経験が積み重なることによって，さまざまな問題点に気づいたためです．例えば，「新しい術式を行う際の倫理的留意点」「手術記録の書き方」「ビデオの上手な撮り方」などです．これらは，読者のニーズが高いものであるため，「技術認定取得のための心構え・留意点」として第Ⅰ章に独立させました．第Ⅱ章の「外科解剖」では，シミュレーションなどの新しい知見と，内視鏡外科時代の新しい解剖学的知見についてPAM（precision anatomy for minimally invasive surgery）として収載しました．

そして第Ⅵ章ではいよいよ肝胆膵の領域にも浸透してきたロボット支援下手術の最新の手術手技についての記述を増やしました．本書では，要所要所に動画をつけ，文章を読むだけでは理解しにくい点について，目で見てわかるように工夫しました．

　本制度は，手術の質保証を第一義としてきました．厳しい審査基準をクリアするために日夜手術手技を磨き，術前術後管理に尽力された方が認定される制度です．それゆえ取得した方々にとっては大変価値があるものです．読者の皆さんにとって本書が肝胆膵手術の最新のリファレンスとして役立つとともに，次世代を担うすばらしい肝胆膵外科医が数多く誕生してくれることを切に願っております．

2023年4月

　　　　　　　　　　　　　　　　　　　　　　　　　　　日本肝胆膵外科学会 理事長
　　　　　　　　　　　　　　　　　　　　　　　　　　　　　　遠藤　格

初版の序

― 肝胆膵高難度外科手術の発刊に際して

　日本には，専門医制度は数々あるが，それらは主として知識の有無を問う制度であり，技術度について問われる制度はほとんどみられない．
　一般の国民は，病気にかかった時にどの医師に治療をお願いしたらよいのかと不安になることが多い．特に，難治とされている肝胆膵領域の癌におかされた時に，だれに手術を頼んだらよいかの判断ができない．
　日本外科学会ならびに日本消化器外科学会の専門医制度では，その資格には，いわゆる高難度の肝胆膵外科手術を経験していなくともよいことになっている．
　そこで日本肝胆膵外科学会では，2003年の理事会，評議員会で高難度の肝胆膵外科手術を「安全に，かつ，確実に行うことができる外科医を育成し，認定する制度」をつくるべく作業することを決めた．このような制度が確立され，公開（ホームページなどで）されれば，上記のような病で悩んでいる患者さんや家族が適切な外科医を求めることができよう．
　2008年2月16日の日本肝胆膵外科学会（以下，本学会）の評議員会にて，本学会の専門医制度の発足について承認をうけた．その後，関連の学会との話し合い，ならびに本学会執行部会，理事会において本学会の専門医制度の名称を「日本肝胆膵外科学会高度技能医」とすることが決まった．
　この制度の趣旨は，"高難度の手術をより安全かつ確実に行いえる外科医師を育てる"ことであり，そのためには"指導医のもとで，high volume centerともいえる修練施設で経験を積んで規定数に達した後に学会に申請をし，実際に申請者が執刀した手術のビデオ審査と経験症例ならびに教育プログラムのクレジット数のチェックを行い，合格した者が高度技能医となるシステム"である．
　すなわち，本制度で，高度技能医の資格を得るためには，いくつかのハードルを越えなければならない．
　高度技能医になるためには，まず，基本的に獲得していなければならない資格がある．日本外科学会の専門医資格と日本消化器外科学会の専門医資格である．これで，いわゆる消化器外科医の基礎的資格を有していることが確認される．さらに，肝胆膵の学識の有無については，基本的資格をチェックされ本学会評議員資格を有していることである．さらに，肝胆膵領域の基本的知識や新しいエビデンスを獲得するために学会出席や学会が行う教育セミナー受講がクレジットとして義務づけられている（なお，海外などで修業，診療を続けてから帰国したような場合や，都合により，上記の規定を満たさない人には特別に枠外での申請資格があるので，高度技能医制度規約をご覧いただきたい）．

次に，修練施設ならびに高度技能指導医についてであるが，修練施設は，高難度の肝胆膵外科手術を規定の症例数を年間行っている施設が相当する．修練施設は，毎年，高難度肝胆膵外科手術の経験例を報告し，5年ごとに再申請が必要である．指導医は，高難度肝胆膵外科手術の執刀経験や指導経験を十分に持っている外科医で基本資格を有するものとされる．なお，これも5年ごとに再申請が必要である．

　このような厳しい条件の中で，高度技能医を目指す外科医や，教える立場にある高度技能指導医が経験し，自在に行いうる術技をいわばマニュアル化して示したものが，本書"肝胆膵高難度外科手術"である．また，高度技能医だけでなく，一般外科医，あるいは消化器外科医にとっても手術を熟知し，対応できる書にと考えて企画した．

　皆様が，高度の技能をマスターし，より手術技術を磨き患者さんにフィードバックできるように，本書が役立てば幸いである．

2010年4月

日本肝胆膵外科学会 理事長
高田忠敬

目次

I章 技術認定取得の心構え・留意点　1

1 新しい術式を行う際の倫理的留意点 ……………………………（調 憲）2
- A はじめに …………………………………………………………………………… 2
- B 新しい術式を導入する目的 ……………………………………………………… 3
- C 新規術式とは ……………………………………………………………………… 3
- D 高難度術式とは …………………………………………………………………… 3
- E 資格，術者の技量，外科チームとしての体制 ………………………………… 3
- F インフォームド・コンセントについて ………………………………………… 4
- G 導入プロセスにおけるラーニング・カーブ …………………………………… 4
- H おわりに …………………………………………………………………………… 5

2 手術記録の書き方 ……………………………………………（力山敏樹）6
1）肝臓 …………………………………………………………………………………… 6
- A 手術記録 …………………………………………………………………………… 6
  - Operative Findings　8　/　Operative Procedures　8　❶開腹操作　8，❷リンパ節郭清および胆管切離　8，❸肝門部処理および門脈切離再建　8，❹右葉の脱転操作　9，❺肝切離および左肝管切離　10，❻胆管-空腸吻合　11，❼閉腹操作　11
- B スケッチ …………………………………………………………………………… 12

2）膵臓 ………………………………………………………（澤田成朗，藤井 努）13
- A 手術記録 …………………………………………………………………………… 13
- B スケッチ …………………………………………………………………………… 14

3 ビデオの上手な撮り方【動画】 ……………………（有田淳一，長谷川潔）22
- A 高度技能専門医申請ビデオ撮影の準備 ………………………………………… 22
- B ビデオ撮影に当たっての心構え ………………………………………………… 22
- C ビデオ撮影のコツ ………………………………………………………………… 23
  - コツ❶手術操作部を隠さない　23，コツ❷術野の明るさを保つ　23，コツ❸映像の画角を適切に　24

4 膵癌における適切なリンパ節郭清の範囲 …………(池永直樹，中村雅史）26
- A はじめに …………………………………………………………………………… 26
  - ❶RCTの結果　26，❷ISGPSのコンセンサスステートメント　27

5 安全管理委員会からの提言 ....(大坪毅人,山本雅一) 29
 A 安全管理委員会の取り組みとその効果 29
 B 肝胆膵外科高難度手術の手術関連死亡 31
 C 手術関連死亡を避けるために心がけること 31

II章 肝胆膵の外科解剖　33

1 肝臓 ....(田浦康二朗,波多野悦朗) 34
 A はじめに 34
  肝臓の間膜　34　間膜を切離する際のコツ,注意点　34
 B 肝区域の解剖（肝内門脈の解剖）.. 35
  前区域のセグメンテーション　36　／　後区域のセグメンテーション　37　／
  左葉のセグメンテーション　37　／　尾状葉　38
 C 門脈の解剖（肝外門脈の解剖）.. 38
  門脈後区域枝独立分岐　38　／　P6, P7の独立分岐　39
 D 肝動脈の解剖 39
  Michelsらによる腹腔動脈系の破格の分類　39　❶ 左肝動脈の起始異常　39, ❷ 右肝動脈の起始異常　40　／　臨床的意義の大きい肝動脈の分岐パターン　40　❶ 中肝動脈の起始　40, ❷ 右肝動脈分岐,走行のバリエーション　41
 E 胆管の解剖 43
 F 肝静脈の解剖 43
  肝静脈の走行と支配領域　43　❶ 右肝静脈　43, ❷ 中肝静脈　44, ❸ 左肝静脈　44

2 胆管 ....(平野　聡) 46
 A 胆道の肉眼解剖 46
  標準的胆管走行と肝動脈・門脈との立体構造　46　／　肝内胆管,肝門部領域胆管,遠位胆管　46　／
  プレートシステムとグリソン鞘　47　／　膵内胆管と十二指腸乳頭部胆管　48
 B 胆道系の血流 49
 C 胆管・胆囊の組織解剖 50
  肝内胆管　50　／　肝外胆管　50　／　胆囊　50　／　胆囊管　50
 D 胆道癌手術で把握すべき胆管枝の合流形態 51
  右後区域胆管の合流形態　51　❶ supraportal pattern　51, ❷ infraportal pattern　51, ❸ combined pattern　52　／　左側胆管の左肝管への合流形態　52　／　尾状葉胆管枝の合流形態　52
 E 胆道の発生異常 53
 F 胆道癌切除における肝切除術式別の胆管分離限界点 54

3 膵臓 ....(蔵原　弘,大塚隆生) 56
 A 膵の区域 56
 B 膵周囲の癒合筋膜 56
 C 膵管 57

D 膵の血管 58

動脈 58　❶肝動脈 58，❷後上膵十二指腸動脈（PSPDA）60，❸前上膵十二指腸動脈（ASP-
DA）60，❹下膵十二指腸動脈（IPDA）60，❺脾動脈（SpA）60，❻背側膵動脈（DPA）60 ／
静脈 61　❶胃結腸静脈幹（GCT），前上膵十二指腸静脈（ASPDV），前下膵十二指腸静脈（AIPDV）61，
❷後下膵十二指腸静脈（PIPDV），後上膵十二指腸静脈（PSPDV）61，❸左胃静脈（LGV）62，
❹第1空腸静脈（J1V）62，❺脾静脈（SpV）62，❻下腸間膜静脈（IMV）62，❼CIPV 63

E 膵外神経叢 63

F その他 63

門脈輪状膵 63 ／ 左腎動静脈 65

4 手術計画とシミュレーション

1）PAM の知見（肝臓） ....（後藤田直人） 66

A はじめに 66
B 術前シミュレーション【動画1】 66
C Precision Anatomy for Minimally invasive surgery（PAM）........................ 67

肝門部から行うグリソンアプローチのためのランドマーク 67　❶Rouviere 溝，胆囊板（cystic plate），
肝門板（hilar plate），尾状突起枝（G1c）67，❷アランチウス管，臍静脈板（umbilical plate）【動画2】68 ／
肝静脈根部から肝静脈に沿った系統的肝切除のアプローチ 68

D ICG 蛍光法を利用した腹腔鏡下肝切除【動画3】...................................... 70

2）PAM の知見（膵臓） ....（永川裕一，中村雅史）71

A はじめに 71
B MIPD で知っておくべき動脈・静脈の走行パターン 71

総肝動脈，固有肝動脈，左右肝動脈の走行 71 ／ 下膵十二指腸動脈（IPDA）72 ／ 第1
空腸静脈の走行パターンと近位背側空腸静脈（PDJV）【動画1】72

C MIPD で知っておくべき SMA へのアプローチ法 73
D SMA 右側アプローチで確認すべきランドマーク【動画2，3】................. 74
E MIDP で知っておくべき動脈・静脈の走行パターン 75

脾動脈（SpA）75 ／ 背側膵動脈（DPA）と横行膵動脈 76 ／ 脾静脈（SpV），左胃静脈
（LGV），下腸間膜静脈（IMV）76 ／ 左腎静脈（LRV）77

F MIDP で知っておくべきアプローチ法【動画3】...................................... 77

膵背側の切離ライン 77 ／ 脾温存尾側膵切除で温存すべき血管 78　❶Warshaw 手術 78，
❷脾動静脈温存尾側膵切除術 80

III章 基本手技 81

1 肝門部脈管処理 82

1）グリソン鞘一括処理【動画】 ....（片桐 聡）82

A はじめに 82
B 基本的外科解剖と用語 83
C 手術手順 83
D おわりに 86

2）個別処理 ..... （吉岡龍二，齋浦明夫） 88

A はじめに 88

B 肝門処理の前に 88

解剖と胆管切離ライン 88 ／ 特に知っておくべき破格 88　❶ 肝動脈の破格 88，❷ 門脈の破格 89，❸ 胆管の破格 89 ／ 門脈剝離手技 90

C 肝門処理の実際 91

左肝切除（尾状葉切除なし）91　❶ 視野展開 91，❷ 肝動脈の同定・切離 91，❸ 門脈左枝の同定・切離 91 ／ 左肝切除（尾状葉切除あり）92　❶ 視野展開 92，❷ 肝動脈の同定・切離 92，❸ 門脈左枝の同定・切離 93 ／ 右肝切除 94　❶ 視野展開 94，❷ 肝動脈の同定・切離 94，❸ 門脈右枝の同定・切離 94

2 肝離断における肝血流コントロールおよび肝臓ハンギング法，肝脱転【動画】
..... （齋藤　裕，森根裕二，島田光生）96

A はじめに 97

B 肝離断中の肝血流コントロール 97

Inflow control 97 ／ Outflow control 97

C 肝臓ハンギング法 98

原法と変法 98 ／ Knack and Pitfall 100

D 肝脱転 101

肝頭側の剝離 101 ／ 左肝の授動 102 ／ 右肝の授動 102

3 肝離断（CUSA®，Crush Clamping 法）..... （小川晃平，髙田泰次）105

A はじめに 105

B CUSA® 法の原理 105

肝離断のコツ 106　コツ❶ 広い範囲で均等な深さで切離を行う 106，コツ❷ 索状物の方向を意識する 106，コツ❸ 離断面深部の出血は，まず視野を確保する 107，コツ❹ 温存すべき肝静脈は末梢側を見極める 108，コツ❺ 脈管周囲の剝離の際は，チップを垂直に当てない 108，コツ❻ 肝静脈に穴が開いている場合は，大きさによって対応を変える 109

C Crush Clamping 法 109

4 肝静脈の処理・下大静脈切除再建 ..... （佐野圭二）111

A はじめに 111

❶ 肝細胞癌に対する解剖学的切除における肝区域の境界線 111，❷ 肝切除の安全性に大きく関与する離断中出血の主因 111，❸ 術後残肝機能確保のカギ 111

B 肝静脈の処理 112

離断時における肝静脈露出のポイント 112　❶ 術中超音波検査での露出肝静脈枝確認 112，❷ Pringle 阻血と肝静脈圧コントロール 112，❸ 肝静脈（枝）の露出 113 ／ 肝静脈合併切除と再建 114　❶ 再建に要するグラフトの確保 114，❷ 肝静脈再建 115

C 下大静脈の合併切除・再建 115

下大静脈の合併切除の適応 115 ／ グラフト再建の必要性 116 ／ 下大静脈合併切除・再建の手順 116

5 門脈切除再建【動画】 ....（渋谷和人,藤井 努） 118
A はじめに 118
B 術前の準備 118
画像診断 118 / 機器 118
C 門脈切断 119
D 端々吻合 119
術式 119 / 吻合の実際 120 / 吻合部が翻転できる場合 120 / SMV分枝の形成 120
E グラフト再建 121
F 脾静脈の取り扱い 122
G 吻合の終了，術後管理 123

6 膵-消化管吻合 124
1）膵-胃吻合（膵管-胃粘膜吻合）【動画】 ....（上村健一郎） 124
A はじめに 124
B 膵管-胃粘膜吻合術 124
C 膵切離 126
D 膵-胃吻合時の患者体位 126
E 胃粘膜ポケットの作成 126
F 膵実質-胃漿膜筋層縫合（2層縫合PG） 127
G 膵実質-胃漿膜筋層吻合（1層縫合PG/Blumgart変法PG） 128
H 膵管-胃粘膜吻合 129
I ドレーン留置・管理 130

2）膵-腸吻合【動画】 ....（木村康利） 131
A はじめに 131
B 膵-消化管吻合後のアウトカム 131
C 膵トンネリング 132
D 膵（頸部）切離 132
E Blumgart変法による膵-空腸吻合 132
空腸脚の作成と挙上 132 / 膵実質貫通-空腸漿膜筋層密着縫合① 133 / 膵管-空腸粘膜吻合 133 / 膵実質貫通-空腸漿膜筋層密着縫合② 135
F 合併症を減らすための配慮 135

7 胆道再建【動画】 ....（旭吉雅秀,七島篤志） 137
A はじめに 137
B 胆管の切離 137
C 小腸の作成 138
D 吻合 139
実際の手順 139 ❶結節縫合 139, ❷連続縫合 141
E 胆汁外瘻チューブ 142
F 挙上空腸の固定 143
G 術後管理，合併症 143

IV章 術中偶発症 145

■ 術中偶発症への対処 .... (遠藤　格) 146
A はじめに 146
B さまざま術中偶発症 147
術中大量出血 147 ／ 下大静脈, 肝静脈損傷 148 ／ 門脈損傷 149 ／ 門脈狭窄・門脈血栓 149 ／ 肝動脈損傷 150 ／ 胆管損傷 150
C おわりに 150

V章 基本となる高難度手術術式 153

1 右肝切除 154
1) 前方アプローチ .... (有泉俊一, 山本雅一) 154
A はじめに 154
B 前方アプローチとは 154
手術適応と肝機能 155 ／ 解剖の要点 155 ／ 皮膚切開と開腹法 155 ／ 肝門部肝外グリソン鞘確保 155 ／ 肝門部肝外グリソン鞘のテストクランプと離断 156 ／ 出血制御法 156 ／ 肝実質離断 157 ／ 前方アプローチによる右肝静脈の確保処理 158 ／ 間膜処理から標本摘出 158 ／ 止血, 胆汁漏確認と閉腹 159

2) 標準的アプローチ (右肝授動先行, 右開胸開腹を含む) .... (國土典宏, 竹村信行) 161
A 適応 161
B 皮膚切開と開腹法 162
C 開胸操作の追加 163
D 右胸肋関節脱臼法 164
E 術中超音波検査 165
F 右肝の授動と副腎との剥離, 下大静脈靱帯の切離 165
肝と右副腎の剥離 165 ／ 下大静脈靱帯の切離 166
G 短肝静脈・下右肝静脈の処理 167
下右肝静脈の処理 167 ／ 短肝静脈の処理 167 ／ 右肝静脈のテーピング 168
H 肝門処理 168
右肝動脈の処理 169 ／ 門脈右枝の処理 170 ／ 右肝管の処理 170
I 右肝静脈の処理 171
J 肝実質離断 172
肝離断線のマーキング 172 ／ Pringle 法下の肝離断 172 ／ 中肝静脈の露出と肝離断の方向 173
K 止血, 胆汁リークテスト 174
L 閉胸閉腹 176
M おわりに 176

2 左肝切除 ....（田中邦哉） 178
A 開腹 178
B 肝脱転 178
左肝脱転 179 ／ 右肝脱転 180 ／ 左尾状葉の下大静脈からの脱転 180
C 肝門操作 181
胆管走行 181 ／ 動門脈処理 181 ／ 肝門板の一括テーピング 182
D Hanging maneuver 184
E 肝下部下大静脈テーピング 185
F 肝実質離断面と離断法 186
離断中の肝阻血 186 ／ 離断面の設定 186 ／ 実質離断法 186 ／ 肝門板処理 187 ／ 肝静脈処理 188
G リークテスト 188
H ドレーン挿入，閉腹 188

3 肝区域切除 ....（徳光幸生，永野浩昭） 190
A 肝区域切除術 190
B 開創から肝切除前まで 191
C 前区域切除 191
肝門部脈管処理・脱転 191 ／ 肝離断 192
D 後区域切除 195
肝門処理・脱転 195 ／ 肝離断 195
E 内側区域切除 197
肝門部脈管処理・脱転 197 ／ 肝離断 197
F 中央二区域切除 199
肝門部脈管処理・脱転 199
G 肝離断終了後 201

4 尾状葉切除 ....（小暮正晴，阪本良弘） 202
A 尾状葉の解剖 202
B 病変部位による術式選択 202
Sp の切除 203 ／ CP の切除 203 ／ PC の切除 203 ❶部分切除 203，❷尾状葉単独全切除 204，❸系統的切除を含めた PC の切除 205，❹肝中央切除 205
C 肝中央切除の具体的手順 205
肝授動 205 ／ Surgical window の設定 206 ／ 肝離断のための準備 207 ／ 肝 S4 を surgical window とした場合の肝中央切除 207

5 胆道再建を伴う肝切除，尾状葉切除 210

1）左肝切除（左三区域を含む） .... （江畑智希，水野隆史，尾上俊介） 210

A はじめに 210

B 適応 211

根治性にかかわる因子 211 / ❶胆管浸潤 211，❷主要血管浸潤 211

C 手術手技 211

開腹 211 / 肝十二指腸間膜のリンパ節郭清 212 / ❶総胆管の切離 212，❷総肝動脈，固有肝動脈，門脈のテーピング 213 / 肝門部脈管処理 213 / ❶右肝動脈の剝離 213，❷左門脈の切離 213，❸右門脈の剝離 214，❹右肝動脈肝側の剝離 214 / 肝左葉・尾状葉の授動 215 / ❶左外側区の授動 215，❷アランチウス管の処理 215，❸左尾状葉の授動 216 / 肝切離 216 / ❶左肝切除の場合 216，❷左三区域切除の場合 217 / 肝内胆管切離 218 / ❶左肝切除の場合 218，❷左三区域切除の場合 219 / 胆道再建 220 / ドレナージ，閉創 220

2）右肝切除（右三区域を含む） .... （髙屋敷吏，大塚将之） 222

A 適応 222

B 術前門脈塞栓術 222

C 胆道再建を伴う右肝切除＋尾状葉切除 223

開腹 223 / 門脈浸潤を認める際の門脈合併切除の可否の判断 223 / 十二指腸側胆管切離と肝十二指腸間膜の郭清 223 / 肝門部脈管処理 225 / 尾状葉門脈枝の損傷による出血とその修復 225 / 肝の脱転と尾状葉の下大静脈からの授動 226 / 肝切離 226 / 肝側胆管切離 227 / 標本摘出 228 / 胆道再建 228 / ドレーン留置・閉腹 228

D 胆道再建を伴う右三区域切除＋尾状葉切除 230

肝門部脈管処理 230 / 肝切離 230

6 膵頭十二指腸切除術 .... （井上陽介，小野嘉大，高橋　祐） 232

A 術前の準備 232

症例の選択・手術適応 232 / 術前評価・解剖把握 233

B 手術手技のポイント 233

はじめに 233 / 実際の手術手順 233　開腹・術中診断 233，Section ❶ Kocherization～傍大動脈リンパ節サンプリング【動画1】 234，Section ❷ 大網切離・膵頭部露出【動画2】 235，Section ❸ SMA周囲郭清，空腸切離，空腸起始部神経叢，空腸間膜処理，Treitz靱帯切離【動画3，4】 237，Section ❹ 胃切離～膵上縁・肝門部リンパ節郭清～膵離断【動画5，6】 239，Section ❺ 膵離断 244，Section ❻ 切除最終段階【動画6】 244

7 膵体尾部切除術 .... （伴　大輔） 252

A 膵体尾部切除の適応と切除範囲 252

B 手術の実際 253

膵体尾部切除（DP） 253 / ❶開腹・トロカール配置 253，❷網囊の開放と結腸間膜からの授動 253，❸膵上縁の郭清と脾動脈の確保 254，❹上腸間膜静脈の露出と膵トンネリング 255，❺膵離断 256，❻脾動静脈の切離 257，❼門脈合併切除が必要な場合 257，❽内側から外側へ膵体尾部を後壁から剝離する【動画1】 257，❾ドレーンの留置と術後管理 259

C 腹腔動脈合併尾側膵切除（DP-CAR）【動画2】 260

❶術前準備 260，❷腹腔動脈根部へのアプローチ 260，❸腹腔動脈の切離 262，❹ドレーンの留置と術後管理 262

8 Frey 手術 ....（松本逸平）263
A はじめに 263
B 皮膚切開・開腹 264
C 膵頭十二指腸の授動【動画1】.. 264
D 網嚢開放・膵頭部〜体尾部前面の露出【動画2】...................... 264
E 主膵管の同定と切開【動画3】.. 265
F 胃十二指腸動脈切離と膵頭部の出血予防操作【動画4】............... 266
G 膵頭部の芯抜き【動画4】.. 267
H 膵-空腸吻合【動画5】... 268

9 胆嚢癌に対する肝切除・胆管切除再建 ....（坂田　純, 若井俊文）270
A はじめに 270
B 適応 271
肝切除範囲　271　/　リンパ節郭清範囲　271　/　肝外胆管切除　271
C 胆管切除・再建を伴う肝 S4a+S5 切除 272
開腹　272　/　Kocher 授動術およびステージング　272　/　No. 13a, 8 リンパ節郭清と十二指腸側胆管の切離　273　/　肝十二指腸間膜内リンパ節(No. 12)の郭清　274　/　肝切離　276　/　胆道再建　278　/　ドレーン留置・閉腹　279
D リンパ節郭清を伴う胆嚢床切除 279
リンパ節郭清　279　/　肝切離　279

10 生体肝移植 282
1）ドナー肝切除 ....（伊藤孝司, 波多野悦朗）282
A はじめに 282
B 皮膚切開・開腹, ポート挿入 282
C 腹腔鏡補助下での肝右葉授動 283
D 創の延長 284
E 肝臓の脱転・授動と下大静脈周囲の剝離 284
右肝切除を行う場合　284　/　左肝切除を行う場合　286
F 肝門部操作 287
G 肝実質切離 288
右肝切除を行う場合　289　/　左肝切除を行う場合　290
H グリソン鞘の剝離 291
右肝切除を行う場合　291　/　左肝切除を行う場合　292
I グラフト肝摘出, 閉腹 293

2）レシピエントの手術 ....（江口　晋）295
A はじめに 295
B 手術手技の実際 295
手術の要点　295　/　体位と皮膚切開　296　❶開腹, メルセデスベンツ切開　296, ❷肝授動　296　/　肝門部処理　297　/　左側からの尾状葉剝離, 肝全摘　298　❶左葉グラフトの場合　299,

❷右葉グラフトの場合　300　/　バックテーブル　300　/　肝静脈吻合　300　❶左葉グラフト移植の場合　300,　❷右葉グラフト移植の場合　301　/　門脈吻合　302　/　肝動脈吻合　303　/　胆道再建　304　/　経腸栄養チューブ留置　305　/　ドレーン挿入・閉腹　305

C 術後管理 306

VI章　腹腔鏡下・ロボット支援下肝胆膵手術　307

1 肝切除術【動画】...（大塚由一郎）308

A はじめに 308

B 適応と術式 308

肝非系統的切除（肝部分切除）　309　/　肝系統的切除　309

C 手術器具の準備 309

術野確保　309　/　エネルギーデバイス　309　/　アプローチ　310

D 基本的な手術手技 310

体位　310　/　トロカール配置　311　/　術中超音波検査　312　/　Pringle法　312　/　肝授動　313　❶右肝　313,　❷左肝　313　/　肝門脈管処理　314　❶個別処理　315,　❷グリソン鞘一括処理　318　/　肝実質切離　319　❶術野展開　319,　❷肝切離と脈管処理　320,　❸出血制御　320,　❹大きな脈管の処理　320　/　標本摘出と閉創　321

2 総胆管囊腫切除 ....（森川孝則，海野倫明）322

A はじめに 322

B 適応 322

C 腹腔鏡下総胆管囊腫切除術の手術手技 323

体位・ポート配置　323　/　胆囊剝離　324　/　総肝管切離　324　/　拡張胆管剝離　325　/　膵内胆管剝離，拡張胆管摘出【動画1】325　/　術中胆道造影　326　/　空腸-空腸吻合　327　/　空腸挙上　327　/　肝管-空腸吻合【動画2】327　/　ドレーン留置・閉創　330

D ロボット支援下総胆管囊腫切除術 331

3 膵頭十二指腸切除術 ....（仲田興平，中村雅史）332

A セットアップ 332

B 適応 332

C 手順 333

ポート挿入　333　/　大網切離〜横行結腸授動　334　/　膵頭部授動【動画1】335　❶Kocherの授動　335,　❷膵頭部背側授動（左側からの授動）335　/　膵下縁，胃切離，膵上縁操作，肝十二指腸間膜処理【動画2】338　❶膵下縁操作　338,　❷胃切離〜膵上縁操作〜肝十二指腸間膜処理　338　/　SMA右側アプローチ【動画3】339　❶膵離断まで　339,　❷膵離断から標本摘出まで　340,　❸標本摘出　341　/　再建　341　❶膵-胃吻合　341,　❷胆管-空腸吻合　344,　❸胃-空腸吻合　344　/　閉創，ドレーン挿入　344

4 膵体尾部切除術 ....（中川顕志，長井美奈子，庄　雅之）345

A 適応 345

B 体位と器具の配置 345

腹腔鏡下膵体尾部切除術　345　/　ロボット支援下膵体尾部切除術　345

C ポート配置 346
腹腔鏡下膵体尾部切除術 346 / ロボット支援下膵体尾部切除術 347

D 手術の手順 347
脾合併切除 347 / 脾温存術式（外側アプローチ：膵尾部脱転先行）348 / 脾温存術式（内側アプローチ：膵切離先行）348

E 手術の実際 349
腹腔内検索および洗浄細胞診 349 / 大網切離〜膵上縁の視野展開 349 / 膵上縁の処理（総肝動脈と脾動脈のテーピングおよび門脈の露出）350 / 膵下縁の処理 350 / 膵切離 351 / 尾側膵・脾の切除 352 / 臓器の回収 352 / ドレーン留置・閉創 352

F 膵癌に対する後腹膜一括郭清【動画1〜3】 352

G 脾・脾動静脈温存術式 354

索引 357

装丁・本文デザイン　松岡里美（gocoro/ゴコロ）

I 章

技術認定取得の心構え・留意点

1 新しい術式を行う際の倫理的留意点 2
2 手術記録の書き方 6
　　1）肝臓 6
　　2）膵臓 13
3 ビデオの上手な撮り方【動画】 22
4 膵癌における適切なリンパ節郭清の範囲 26
5 安全管理委員会からの提言 29

1 新しい術式を行う際の倫理的留意点

重要ポイント
- ☐ 高難度新規医療技術の導入に際してはまずその目的，導入によって得られるメリットを明確にする．
- ☐ 当該医療技術の実施に必要とされる施設認定や資格などを満たしているかを確認する．
- ☐ 当該技術を行うのに十分な技量や関連した技術に習熟した術者がチーム内に含まれることが必要である．
- ☐ 導入初期に生じうるラーニング・カーブによる患者への不利益が生じないよう，手術見学，アニマルラボ・カダバー研修によるシミュレーション，プロクター招聘など周到な準備を行う．
- ☐ 通常のインフォームド・コンセントに加え，当該施設においてはじめて実施される高難度術式であることを含めて十分な説明を行い，同意を得る．
- ☐ 各施設に設けられている担当部門における申請を行い，導入後も規定に従いその安全性，遂行性に関する報告を行う．

A はじめに

　大学病院などにおける医療事故に伴い，高難度新規医療技術の導入にあたっての体制は大幅に整備されることになった．2016年6月10日に医療法施行細則が改正され，「高難度新規医療技術導入のプロセス」が定められた[1]．この導入プロセスが円滑に運用されることを目的に厚生労働科学特別研究班(國土典宏班長)が設立され，詳細な検討がなされた[2,3]．高難度新規医療体制の定義，導入プロセスの評価部門の確立，インフォームド・コンセントのあり方，術者の技量や指導体制などについて基本的な考え方が示された．

　こうした背景の中，筆者は社会的な問題となった群馬大学の腹腔鏡下肝切除の医療事故の大学改革として新設された群馬大学肝胆膵外科の責任者として赴任した．医療事故の発端となったのが腹腔鏡下肝切除であったことから，群馬大学では2019年まで部分切除と外側区域切除に限り施行してきた．2019年から亜区域切除以上の肝切除を腹腔鏡で行う適応を拡大し，良好な成績を収めている．社会的背景もあり，適応の拡大には慎重さが求められた．この項ではこうした経験をもとに，われわれの考えや，取り組みを紹介したい．

B 新しい術式を導入する目的

当然のことではあるが，施行される新しい術式は手術を受ける患者にとってメリットがなければならない．新しい術式の導入には，一般の方々にも理解される明瞭なメリットがなければ導入する目的がない．目的が不明瞭であれば導入の意味や正当性が崩れることになる．

C 新規術式とは

医療法施行規則によれば高難度新規医療技術は「当該病院で実施したことのない医療技術(軽微な術式変更等を除く)であって，その実施により患者の死亡その他重大な影響が想定されるものをいう」と定められている．したがって，どのような手術が該当するかは病院や施行する医師によって異なると考えられる．他の施設で一般的に行われている手術であっても，当該病院において初めてであれば該当すると考えられるし，高難度であっても当該病院において豊富な経験を積んでいる場合には新規と考える必要はないであろう．ただし，施設として豊富な経験があっても主要な医師などのメンバー変更がある場合には改めて新規術式と考えるべき場合もある[3]．

D 高難度術式とは

どのような術式を高難度と判断するかに関しては，外科系学会社会保険委員会連合(外保連)試案における技術難易度が参考になるであろう[2,3]．技術難易度Eの区分の術式は特殊技術を有する専門医が行うものとされており，原則として高難度医療技術に該当するものと考えられる．技術難易度Dの術式は原則として高難度手術とは考えられていないが，経験に乏しい術者・施設にとっては，高難度手術と位置づけられると考えられる．

施行予定の手術が保険適用か否かという点は重要である．保険適用外であれば臨床研究という枠組みで行われるべきであろう．保険適用内であっても高難度で新規と考えられれば所定の手続きを経る必要がある．

E 資格，術者の技量，外科チームとしての体制

導入する術式に学会が定めた指針・ガイドラインなどによる基準がある場合には基準に適合することを確認しておく必要がある．また，関連学会などにおいて特定のトレーニングコースや資格を設けている場合は，その研修を終了していることが望ましい．

これらの術者の技量に関する明確な基準がない場合には「当該医療技術を対象とする領域学会の専門的資格(専門医など)を有しており，当該医療技術に関連する手術に関する経験を有する者」が，術者の中に含まれることが必要である．

表1 群馬大学における腹腔鏡下高難度術式導入までの経過

	院内申請	導入準備
1		複数の先行施設への手術見学.
2		日本内視鏡外科学会 技術認定（肝臓）を取得（診療科医師）.
3		腹腔鏡下肝切除（部分・外側区域）100例施行. National Clinical Databaseに基づく全国データとの比較にて良好な成績を確認. 診療科内で腹腔鏡下高難度術式導入で合意.
4	臨床倫理専門委員会，医学部倫理委員会（外部委員含む）における承認. 学長の承認.	
5		プロクターを決定し，プロクターの施設の手術室においてメディカル・スタッフと手術見学.
6		適応拡大に向けたCadaver Surgical Training（CST）研修を実施（実際のプロクターよりの指導）.
7	臨床倫理専門委員会で個別症例の承認. 先端医療開発センターへの15例の報告義務.	亜区域切除から開始.
8		左葉切除を導入（プロクター招聘）.

＊高難度術式：日本肝胆膵外科学会が規定した高難度手技を要する術式．肝切除では亜区域，1区域，葉切除などが該当する．

F インフォームド・コンセントについて

　高難度新規医療技術を提供するにあたっては通常のインフォームド・コンセントに加えて，以下の点に配慮した十分な情報提供が必要とされる．
- 実施する医療機関の過去の実績
- 当該施設の設備・体制の整備状況
- 術者の専門的資格およびこれまでの経験
- 当該医療の有効性ならびに合併症の重篤性，発生の可能性などの安全性（代替治療との比較を含む）

G 導入プロセスにおけるラーニング・カーブ

　外科医が新しい術式に取り組むとき，「ラーニング・カーブ」という言葉が用いられる．新規手術の導入初期には習熟度が低く，経験を積むことにより成績が向上する過程を指している．医療に詳しい報道関係者から，この考え方自体が容認できないといわれたことがある．われわれにはこのようなラーニング・カーブによる不利益が発生しないような取り組みが求められていることを肝に銘じておく必要がある．先行施設への見学や大動物を用いた手術シミュレーション（アニマルラボ），カダバー研修，プロクターの招聘などは重要な取り組みとなるであろう．腹腔鏡下肝切除の適応拡大に際して，われわれはカダバー研修の講師をプロクターとして実際の手術の指導もお願いしたが，大変スムーズに導入することができた（表1）．

H おわりに

　高難度新規医療技術は患者に大きなメリットをもたらす．しかしながら，高度な技術を要する医療である以上，術後合併症発生の可能性は必ずある．したがって導入には明確な目的や安全性の担保を可能とする周到な準備のうえ，外科チームのみならず院内の開かれた議論ののちに患者やその家族に理解できる説明と同意のうえで行われることが必須である．

　「ラーニング・カーブによってもたらされる患者への不利益は容認しがたい」という意見が存在するということも，認識しておく必要があると感じる．高難度新規医療技術がスムーズに導入されることで，患者に福音がもたらされることを心から願っている．

文献

1) 厚生労働省医政局長：医療法施行規則第9条の23 第1項第8号ロの規定に基づき未承認新規医薬品等を用いた医療について厚生労働大臣が定める基準について．医政発0610号第24号．平成28年6月10日
2) 高難度新規医療技術導入プロセスにかかる診療ガイドライン等の評価・工場に関する研究班：高難度新規医療技術の導入にあたっての基本的な考え方．https://jams.med.or.jp/news/043_1.pdf. 平成28年11月10日
3) 河野浩二，他：高難度新規医療技術の導入プロセスが制度化された背景について．医機学 89：51-55, 2019

（調　憲）

2 手術記録の書き方

1）肝臓

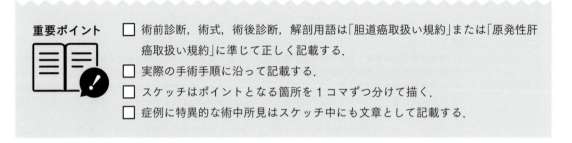

重要ポイント
- ☐ 術前診断，術式，術後診断，解剖用語は「胆道癌取扱い規約」または「原発性肝癌取扱い規約」に準じて正しく記載する．
- ☐ 実際の手術手順に沿って記載する．
- ☐ スケッチはポイントとなる箇所を1コマずつ分けて描く．
- ☐ 症例に特異的な術中所見はスケッチ中にも文章として記載する．

A 手術記録

以下に沿った手術記録（例：肝門部領域胆管癌）を図1に示す．

- **術前診断，手術診断，術式**：「胆道癌取扱い規約」または「原発性肝癌取扱い規約」に沿った記載を行う．
- **手術日，出血量，手術時間**：手術記録内に記載する．
- **記載の順序**：実際に行った手術の流れに沿って手術記録を記載する．
- **解剖学用語**：上記規約を参考に正しい用語を使用する．
- **開腹時の所見**：皮膚切開の位置を記載したあと，開腹時の腹腔内所見として肝転移や腹膜播種の有無，術中腹腔洗浄細胞診提出とその迅速結果を記載する．
- **主腫瘍肉眼所見**：主腫瘍の存在部位，周囲組織との関係を記載する．開腹直後に主腫瘍を確認できない場合には確認できたところで記載する．
- **脈管処理**：切離の位置，使用した糸，結紮方法を記載する．
- **リンパ節郭清**：胆道癌の場合，郭清したリンパ節を記載する．
- **胆管の切離**：胆管癌の場合，切離断端の術中病理診提出とその迅速結果を記載する．
- **脱転操作**：切離した靱帯や間膜，短肝静脈処理などを記載する．
- **肝切離**：使用した器具や肝離断方法，切離ラインの決定や方向，血行遮断などを記載する．
- **胆管-空腸吻合**：胆道再建を伴う場合は吻合口の口数や中隔形成の有無，使用した糸など，詳細を記載する．

手術所見（○年　○月　○日）

ID：
記載者

氏名　　　　　　　　　男・女　　歳　月

臨床診断
#1 Hepatohilar bile duct carcinoma（Bspm）
#2 S/A percutaneous transhepatic portal embolization（PTPE）
#3 Cholecystocholedocholithiasis
#4 Sick sinus syndrome

手術診断　#1, 2, 3, 4 Same as above

手術術式　Extended rt. hepatic lobectomy, caudate lobectomy, resection of the extrahepatic bile duct and portal vein with lt. hepaticojejunostomy (Roux-en Y, retrocolic)

麻　酔

術　者

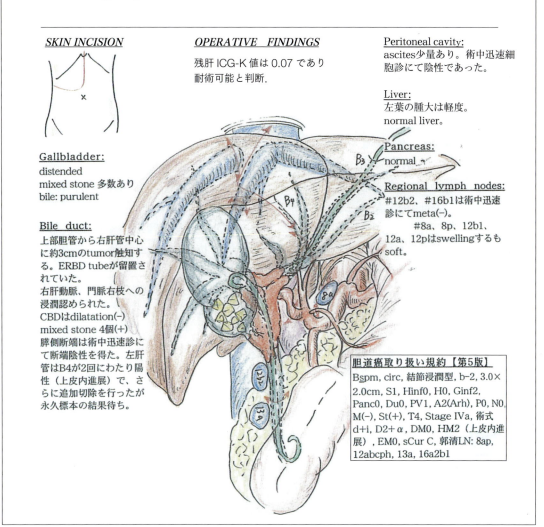

SKIN INCISION

OPERATIVE FINDINGS
残肝 ICG-K 値は 0.07 であり耐術可能と判断.

Peritoneal cavity:
ascites少量あり。術中迅速細胞診にて陰性であった。

Liver:
左葉の腫大は軽度。
normal liver.

Pancreas:
normal

Regional lymph nodes:
#12b2、#16b1は術中迅速診にてmeta(-)。
#8a、8p、12b1、12a、12pはswellingするも soft。

Gallbladder:
distended
mixed stone 多数あり
bile: purulent

Bile duct:
上部胆管から右肝管中心に約3cmのtumor触知する。ERBD tubeが留置されていた。
右肝動脈、門脈右枝への浸潤認められた。
CBDはdilatation(-)
mixed stone 4個(+)
膵側断端は術中迅速診にて断端陰性を得た。左肝管はB4が2回にわたり陽性（上皮内進展）で、さらに追加切除を行ったが永久標本の結果待ち。

胆道癌取り扱い規約【第5版】
Bspm, circ, 結節浸潤型, b-2, 3.0×2.0cm, S1, Hinf0, H0, Ginf2, Panc0, Du0, PV1, A2(Arh), P0, N0, M(-), St(+), T4, Stage IVa, 術式 d+i, D2+α, DM0, HM2（上皮内進展）, EM0, sCur C, 郭清LN: 8ap, 12abcph, 13a, 16a2b1

図1　開腹所見

- ドレーン留置：留置するドレーン先端の位置を記載する．
- 閉腹：閉腹前に癒着防止処置を行った場合には，その手技を記載する．

1 │ Operative Findings

①position：supine
②anesthesia：general & epidural anesthesia
③incision：J-shaped skin incision
④operative findings(図1)

2 │ Operative Procedures

❶ 開腹操作
- J-shaped skin incision にて開腹し，腹腔内，Douglas窩などに dissemination のないことを確認した．
- 肝周囲の腹水を術中迅速細胞診に提出した．結果 negative であった．

❷ リンパ節郭清および胆管切離
- Kocher's maneuver を行い膵頭部を授動，膵後面で serosa を切離し，No. 13a を郭清した．
- 胃十二指腸動脈を露出し，これより総肝動脈，固有肝動脈を求めそれぞれテーピング，No. 8a，8p，No. 12a2，a1 を en bloc に dissect した．さらに左肝動脈，中肝動脈，右肝動脈をそれぞれテーピングし，左肝動脈，中肝動脈は肝門部まで露出，右肝動脈は結紮切離可能な距離のみ剝離した．
- 膵背側上縁で総胆管を露出し，これを膵内に追求，膵内胆管を約2cm剝離し，支持糸をおいて切離した．ERBDチューブを抜去し，刺通二重結紮を施して断端を術中迅速診に提出した．結果 negative であった．
- 門脈本幹を露出し，剝離を肝側に進めたが，右枝から左右分岐部に変色を認めたため，腫瘍浸潤を疑い門脈合併切除を行うことにした．

❸ 肝門部処理および門脈切離再建(図2〜4)
- 右肝動脈を二重結紮切離した．
- 中肝動脈および左肝動脈を臍部まで剝離した．
- 門脈左枝を臍部まで剝離，門脈尾状葉枝を数本結紮切離した．
- 門脈右枝を結紮したあと，本幹および左枝にサテンスキー鉗子をかけそれぞれ切離した．
- 捻れが生じないよう注意しながら，5-0プロノバ糸の連続縫合にて門脈端々吻合を行った．口径差に注意し，後壁は intraluminal，前壁は over and over にて縫合した．門脈血流遮断時間は19分であった．

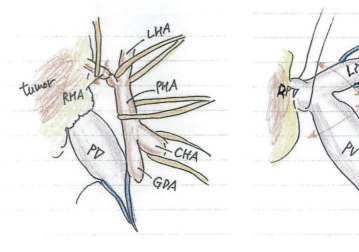

図2　右肝動脈切離　　　　　　　　図3　門脈切離

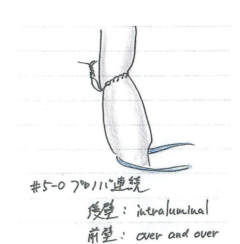

図4　門脈再建

❹ 右葉の脱転操作（図5〜7）

- 肝横隔靱帯，肝腎間膜を切離し，肝右葉の脱転を行った．右副腎前面は結紮後切離した．
- 下大静脈靱帯を切離し，下大静脈前面〜右側の短肝静脈を結紮切離した．太い静脈は刺通二重結紮または連続縫合にて閉鎖した．
- 右肝静脈根部を露出し，テーピングした．
- エンドカッターにて右肝静脈を切離した．
- 右側からの視野にて短肝静脈を下大静脈左側まですべて処理し，左側下大静脈靱帯ならびにアランチウス管も処理して尾状葉を完全に遊離した．

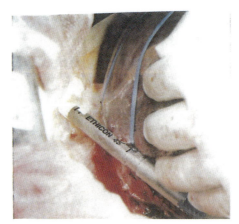

図5　右肝静脈切離

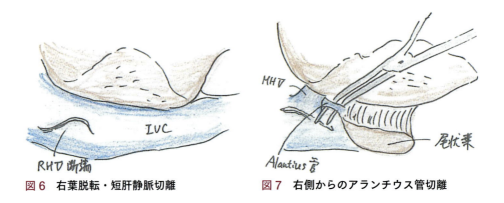

図6　右葉脱転・短肝静脈切離　　図7　右側からのアランチウス管切離

❺ 肝切離および左肝管切離（図8）

- 超音波にて中肝静脈の走行を確認，マーキングした．中肝静脈を温存するラインで，左側血行遮断を行い肝切離を開始した．
- 15分遮断，5分開放を繰り返しながらソノペットにて肝切離を進め，途中グリソン鞘の分枝は結紮切離した．中肝静脈背側で切離面をアランチウス管方向へ変え，切離を終了した．
- B4，B3，B2およびB4下と考えられる細い胆管枝の計4孔で左肝管を切離し標本を摘出，肝拡大右葉尾状葉切除を終了した．B4断端に上皮内進展が認められたため，2 mm程度の追加切除を行ったが，再び上皮内進展陽性であった．さらに3 mm程度の追加切除を行い，B4は2孔となったが，結果は永久標本待ちとした．血行遮断時間は計75分，肝切離時出血量は約570 mL，切除肝重量は1,250 gであった．
- 切離面からの出血を縫合止血した．

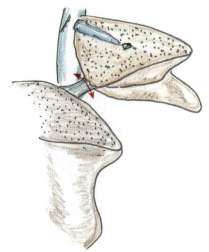
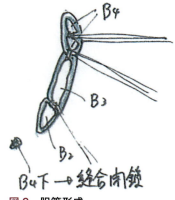

図8　肝切離および左肝管切離　　図9　胆管形成

❻ 胆管-空腸吻合（図9）

- Treitz靱帯より約20 cmの空腸をエンドカッターにて切離し，挙上空腸断端を埋没した．
- 空腸盲端より約20 cmの部位を胆管-空腸吻合予定部とし，それより約40 cm肛側で，空腸-空腸端側吻合をA-L吻合にて行った．
- B4の2孔およびB2，B3を1穴となるよう形成し，B4下の細い胆管枝は縫合閉鎖した．
- 胆管-空腸端側吻合を施行した．すなわち，空腸をretrocolicに挙上したあと，吻合口（断端より約20 cm）を全層で切開した．#4-0 バイオシン糸にて胆管全層空腸全層結節縫合を後壁に約15針施した．φ3.0 mm，2.5 mm，2.0 mmのRTBDチューブを吻合口より刺入し，空腸盲端側から刺出した．チューブはφ3.0 mmをB3，φ2.5 mmをB2，φ2.0 mmをB4に留置し，それぞれ#4-0 rapid vicryl糸にて固定した．次いで前壁に同様の結節縫合を約15針施し，胆管-空腸吻合を終了した．
- PTBDチューブの肝刺入部を#2-0 オペポリックス糸のタバコ縫合にて閉鎖した．
- チューブ刺出部周囲にタバコ縫合を施し，3本まとめてWitzel縫合を約5 cm施した．

❼ 閉腹操作（図10）

- mesenteriumのdefectを修復した．
- 腹腔内を十分洗浄し，bleeding，foreign bodyのないことを確認した．
- RTBDチューブを右季肋部より体外に誘導し，空腸盲端を腹壁に縫合した（図10a）．
- 右横隔膜下およびWinslow孔に12 mmプリーツドレーンを留置した（図10b）．
- 創を2号バイクリルにて正中は2層，側方は3層に閉鎖し，operationを終了した．手術時間は9時間10分，術中出血量は計1,255 mLであり，MAP2E，FFP4E，5％アルブミナー®250 mLを輸血した．

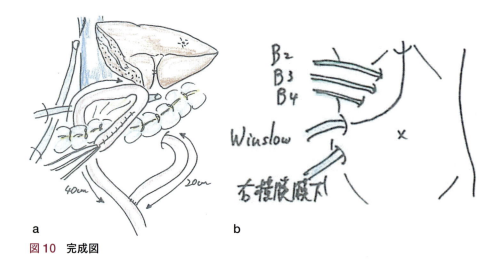

a　　　　　　　　　　b
図10　完成図

B　スケッチ

　肝門部領域胆管癌の手術スケッチを図1～10に示した．
- 1枚目（図1）は見ただけで腹腔内や腫瘍の状態，手術の大まかな内容が理解できるようなスケッチを心がける〔例示した図は「胆道癌取扱い規約第5版」の時代のスケッチである〕．
- 2枚目以降は手術の流れに沿って必要なシーンをスケッチする．
- 術中写真は必ずしも必要としない．
- 術中の症例特有の所見は，スケッチの中にも文章として記載する．
- 胆道再建の有無にかかわらず，ドレーン留置位置を含め，完成図（終了図，図10）を描く．

Dos & Don'ts
- ☐ 手術適応や術式選択が正しく判断されていると理解できる内容を記載する．
- ☐ スケッチは，可能な限り丁寧に描く．
- ☐ 描いた本人を含め，術後の見直しや振り返りに役立つ手術記録を心がける．

（力山敏樹）

2）膵臓

> **重要ポイント**
> - ☐ 術前診断，術式，術後診断，解剖用語は「膵癌取扱い規約」に準じて正しく記載する．
> - ☐ 実際の手術手順に沿って記載する．
> - ☐ スケッチはポイントとなる箇所を1コマずつ分けて描く．
> - ☐ 症例に特異的な術中所見はスケッチ中にも文章として記載する．

A 手術記録[1]

- **術前診断，術式，術後診断**：「膵癌取扱い規約」に沿った記載を行う．特に膵癌で導入が標準治療となった術前化学療法施行症例ではy記号の付記を忘れない．
- **手術日，出血量，手術時間**：手術記録内に記載する．
- **術前病歴要約**：手術記録の記載前に，主訴，現病歴，切除可能性分類，術前治療を含む病歴を，手術適応症例であることがわかるように簡潔に記載する．
- **記載の順序**：未編集の手術動画や，ポイントとなる手術手技の動画の録画時間を記載した書類の提出が必要なため，実際に行った手術の流れに沿って手術記録を記載する．
- **解剖学用語**：「膵癌取扱い規約」を参考に正しい用語を使用する．筆者は略語を使用する際，初回使用時にフルタームを併記したうえで使用している．
- **開腹時の所見**：皮膚切開の位置を記載したあと，開腹時の腹腔内所見として肝転移や腹膜播種の有無，術中腹腔洗浄細胞診提出とその迅速結果を記載する．
- **主腫瘍肉眼所見**：主腫瘍の存在部位，周囲組織との関係を記載する．開腹直後に主腫瘍を確認できない場合には確認できたところで記載する．
- **脈管処理**：切離の位置，使用した糸，結紮方法を記載する〔例）胃結腸静脈幹は上腸間膜静脈流入部で中枢側を3-0シルク糸にて二重結紮し切離した〕．
- **門脈前面のトンネリング**：膵癌症例の場合には，主腫瘍と上腸間膜静脈-門脈（場合によっては脾静脈）との関係を記載する．
- **リンパ節郭清**：郭清したリンパ節の責任脈管の適切な剥離を示して記載する．
- **総肝管の切離**：総肝管切離部位は，胆管癌の場合は肝門部左右肝管合流部との位置関係から，膵癌の場合には右肝動脈の走行との位置関係から記載する．胆管癌の場合にはさらに切離断端の術中病理診提出とその迅速結果を記載する．
- **胃十二指腸動脈の処理**：固有肝動脈との誤認を確認するため，または正中弓状靱帯

圧迫症候群などによる肝動脈血流への影響を確認するため，胃十二指腸動脈結紮切離前のテストクランプした結果を記載する．
- **空腸起始部の処理**：Treitz靱帯からの距離や空腸動脈の位置関係から空腸切離位置を記載する．
- **膵臓の切離**：門脈との位置関係から示す膵臓の切離部位，切離方法，主膵管径，膵臓の硬さを記載する．膵癌の場合には，さらに切離断端の術中病理診提出とその迅速結果を記載する．
- **上腸間膜動脈周囲の処理**：下膵十二指腸動脈を直視下にて結紮切離したこと，上腸間膜動脈周囲の神経の処理方法，膵頭神経叢の処理と上腸間膜動脈リンパ節の郭清について記載する．
- **再建-膵空腸吻合**：空腸断端の挙上ルートと使用した糸も含めた吻合方法を記載する．
- **再建-肝管空腸吻合**：使用した糸を記載する．
- **再建-胃空腸吻合**：胃の引き下げたルート，吻合方法，使用した糸や吻合器について記載する．またBraun吻合併施の有無を記載する．
- **ドレーン留置**：留置するドレーン先端の位置を記載する．
- **閉腹**：閉腹前に癒着防止処置を行った場合にはその手技を記載する．

B スケッチ（図1〜6）[1]

- 見ただけで手術の大まかな手順や内容が理解できるようなスケッチを心がける．
- 術中の症例特有の所見は，スケッチの中にも文章として記載する．
- 1つのスケッチに多くの情報を記載しすぎない．
- 描いた臓器には，各スケッチそれぞれに臓器名を記載する．
- 切離した血管や臓器は，どの位置で切離したかが理解できるようにスケッチする．膵臓に関しては切離面での主膵管径，膵臓の硬さについてもスケッチ内に記載する．
- 再建をすべて終了したあとのスケッチはドレーン留置位置を含め，全体がわかるように描く．

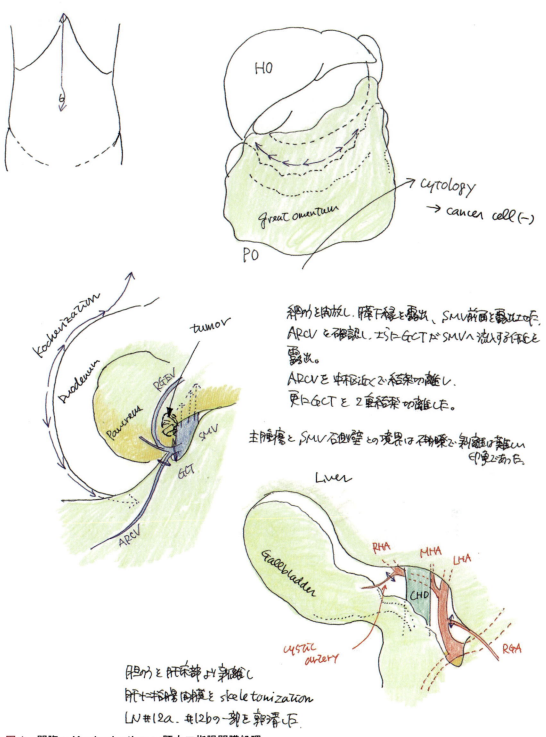

図1 開腹〜Kocherization〜肝十二指腸間膜処理
開腹所見として肝転移や腹膜播種の有無，術中細胞診の提出とその迅速結果を記載する．腫瘍の局在や脈管との位置関係について記載する．肝十二指腸間膜の処理はリンパ節郭清を伴うので，責任脈管の適切な剥離を示す．

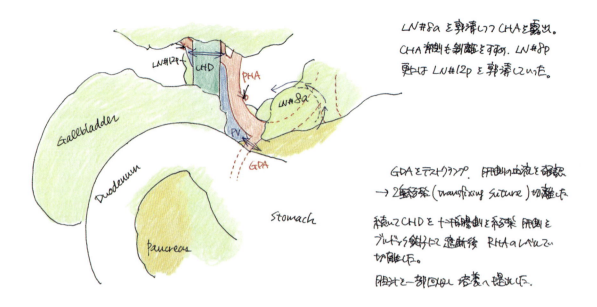

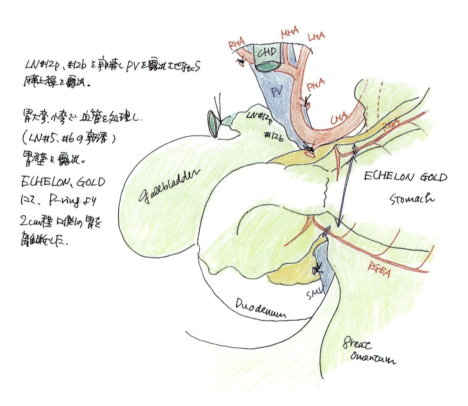

図2　総肝動脈周囲の郭清～総肝管切離～胃十二指腸動脈切離～胃の離断
総肝管切離部位は，胆管癌の場合は肝門部左右肝管合流部との位置関係から，膵癌の場合は右肝動脈の走行との位置関係から記載する．胃十二指腸動脈の結紮切離前にテストクランプした結果を記載する．

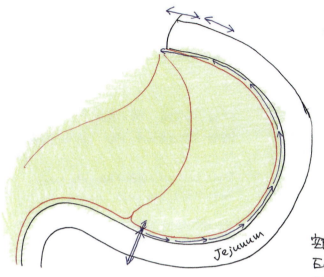

空腸起始部の生理的癒着を剥離.

空腸起始部から15cmのJejunumを Echelon, Blueにて離断. 口側に向かって腸間膜を処理した.

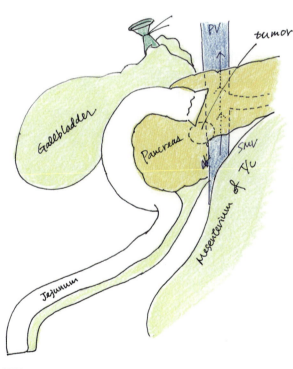

膵下縁からSMV-PV前面を慎重に剥離. 出血することなくトンネリングし, テトロンテープを通した.

図3 空腸起始部の処理
空腸切離位置を, Treitz靱帯からの距離や空腸動脈の位置関係から記載する.

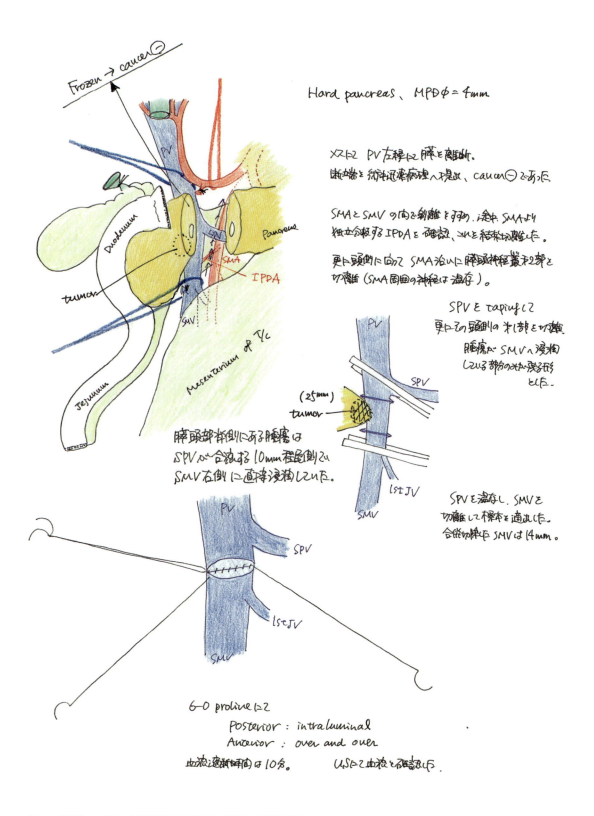

図4 膵臓の切離〜上腸間膜動脈周囲の処理〜門脈再建
下膵十二指腸動脈を直視下にて結紮切離したこと，上腸間膜動脈周囲の神経の処理方法，膵頭神経叢の処理と上腸間膜動脈リンパ節の郭清について記載する．

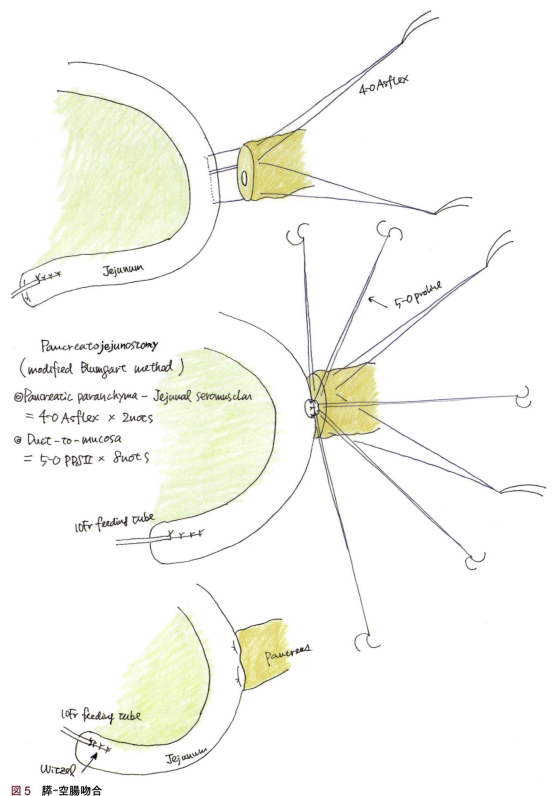

図5　膵-空腸吻合
空腸断端の挙上ルートと使用した糸を含めた吻合方法を記載する．

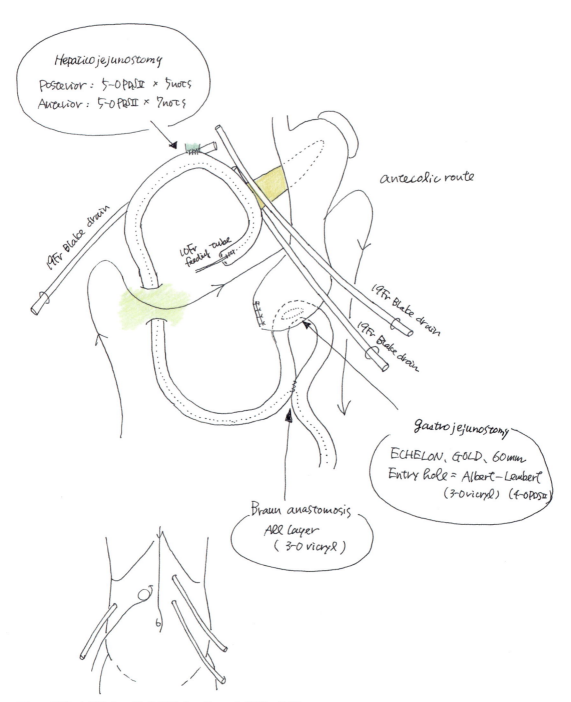

図6　肝管-空腸吻合～胃-空腸吻合～ドレーン留置～閉腹

使用した糸，胃の引き下げたルート，吻合方法や吻合器について記載する．再建方法がわかるよう，再建終了後と留置するドレーン先端の位置を記載する．

> **Dos & Don'ts**
> - ☐ 提出手術記録内に患者個人が特定されるような情報が含まれていないことを確認する．
> - ☐ 全体を通して正しい手術適応の元，手術が施行されたと理解できる内容を記載する．
> - ☐ 図は丁寧に描く．
> - ☐ 保存される手術記録は，医療従事者が術後参照する可能性があることを意識して記載する．

文献

1) 藤井 努：Ⅵ 膵臓の手術．膵頭部癌に対する亜全胃温存膵頭十二指腸切除術．消化器外科 42：836-842, 2019

〈澤田成朗，藤井 努〉

3 ビデオの上手な撮り方

重要ポイント
- ビデオ撮影は申請までに何度も撮影するつもりで臨む．
- 審査に堪えるビデオの条件は，操作部が常に見え，十分に拡大され，画像が明瞭(照度・解像度)なことである．
- 可能であれば，モニター係を1人確保し，常時確認すべし．
- ビデオ撮影前に，日本肝胆膵外科学会のホームページで注意書きをよく確認し準備する．
- 撮影したらグループ全員で反省点を確認し，次の撮影に活かす．

A 高度技能専門医申請ビデオ撮影の準備

　高度技能専門医審査においてはビデオ審査が難関である．本項では手技の詳細は他項に譲り自他の経験からよりよいビデオ撮影を行うためのヒントを記載するが，最初のアドバイスとして「申請を行う1年以上前に日本肝胆膵外科学会のホームページ内にある高度技能専門医申請についての記載を熟読すること」を挙げる．以下に重要な点を羅列する．

- できるだけ申請1年以内に撮影したものを提出する．
- MPEG-4形式でファイルを作成する：自施設の機器が対応しているか確認する．
- 音声を削除する：個人情報が入った音声が残ると問題となる．また不謹慎な会話などがあると心証を悪くしかねない．
- ビデオの記録は「倍速モード」は不可：普段から気をつける．
- 過去に不合格となった具体的事由が箇条書きで記載されているので，よく記憶しておく．

B ビデオ撮影に当たっての心構え

　申請予定時点の1年前から，ビデオ審査対象の症例を担当するときはすべて撮影するつもりでいたい．その理由の1つは初回から申請に適した出来映えになることは難しいこと，もう1つは撮影のコツが意外と多く，よいビデオにするためには経験が必要なためである．最近は(特に2020年にコロナ禍に入ってから)，手術手技に関する研究会などがWebで開催されることも多く，メジャーな学会でも高度技能専門医申請を意識したビデオクリニックがみられるようになった．これらには可及的に参加

し，自分のビデオとそれらチャンピオン症例とを客観的に比較し，手技と映像の詳細のどこが異なっているか，改善点はないかよく考えることが必須であろう．この過程で撮影を繰り返すうちに，よりよいビデオができあがると思われる．特にビデオ撮影の方法についてはチーム全員が共通認識をもって臨むことが必要であり，ビデオを見返しての反省会も行いたい．

日本肝胆膵外科学会ホームページの高度技能専門医の項にも動画の例が示されており，画像の質や画角や映像視野の程度など，大いに参考になる（参考動画：http://www.jshbps.jp/modules/hightec/index.php?content_id=39）．

C ビデオ撮影のコツ

審査結果に影響を及ぼすビデオ撮影のコツについて詳記する．最初のポイントとして審査に適さないビデオは，①手術操作部が隠れてしまう，②手術操作部が暗くて詳細がわかりづらい，③映像の画角が適切でない，のどれかに当たるかを理解する．各々について説明する．

コツ❶　手術操作部を隠さない

隠れてしまう原因は大きく分けて，術者あるいは助手の頭が入る場合と，カメラの視線が臓器で遮られる場合の2つがある．術者や助手の頭や手が入らないようにする1番のコツは，カメラを術者と助手の頭の間に入れ，高さも頭ぎりぎりに置くことである（図1）．こうすると無影灯が術野の直上でない位置にくるため，❷の問題が生じる．また手洗い看護師としてもカメラの存在はかなり邪魔と思われるので，主旨を事前に説明し協力を仰ぐ．

2番目のコツは，映像モニター確認専門のスタッフを1人常駐させることである．明るさや拡大・縮小の調節をすると同時に，術野が一定秒数間，隠れた場合にコールしてもらい，術者と助手に少し頭をずらさせる．幾何学的にカメラが術野に近いほど少し頭を動かすだけで術野が開ける（図1b）．経験上，術野外からの声がけなしで術者と助手が術野を隠さないことはきわめて難しい．

最後に膵頭十二指腸切除ではほとんどないが，肝切除で右肝授動のときには必ずカメラを大きく移動させることである．術者は右からのぞき込むようになるが，そのすぐ背後に置くのである．術者の視線からのわずかなズレしか許容されず，ここが肝切除のビデオ撮影のネックとなっている．同時に無影灯の明かりが入りづらく，次の❷の問題も生じる．

コツ❷　術野の明るさを保つ

前述のように，カメラ位置が無影灯位置よりも優先されるため術野は暗くなりがちである．機械的に無影灯の照度を最大にしてカメラの絞りを最大に開くことも可能だが，できれば術者と助手はヘッドライトを用いたい．二人が使用すると操作部だけに関しては無影灯が不要と思えるほど明るくなる．右肝授動のときもヘッドライトで対応できるが，不可能なときは移動式無影灯で術者の背後から照らす．

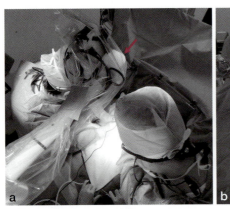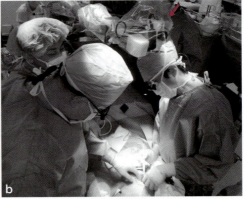

図1 ビデオカメラの位置
a：術者と助手の頭の中間ぐらいに設置（矢印）．このため無影灯は術野の真上に置けない．
b：術者の頭のすぐ上ぐらいの高さに設置（矢印）．カメラが術野に近いほど，頭がかぶったときでも少し頭を動かすだけで術野が開ける．

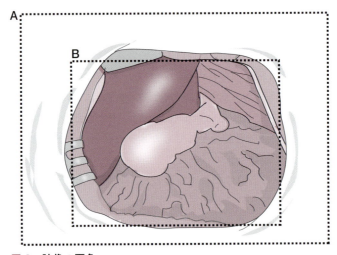

図2 映像の画角
創縁で囲まれた範囲以外のタオルやドレープが大きく入る（点線範囲A）必要はなく，最大でもちょうど創縁が収まる程度とし（点線範囲B），状況によりさらに拡大する．

コツ❸　映像の画角を適切に

　映像を拡大しすぎると周囲臓器との位置関係や助手の術野展開手技がわからなくなるが，他の人たちのビデオを見てきた経験からそのようなことは少なく，カメラが遠すぎて審査のための鑷子やデバイスの動きが確認しづらいことのほうが圧倒的に多い．どれぐらいの視野が画面に収まるのが適当かは，場面により異なる．例えば門脈の小静脈枝を1本1本処理するときは拡大が必要だろうし，右肝授動を始めた段階では広めのほうが動きに追い付きやすいだろう．少なくとも患者の皮膚切開創で囲まれた範囲，すなわち「腹腔内」以外の視野は映像に入っていても何の役にも立たないの

で，皮膚切開創のぎりぎり内側の画角を最大限とし（図2），先に述べたように状況に合わせてさらに拡大させればよい．

Dos & Don'ts
- 腹腔外が映像内にほとんど入らない画角を基本とし，それよりも画角を広げない．
- 一定時間術者の頭が視野に入った場合は声をかけてもらい，視野を調整する．
- 肝切除で右肝授動を行うときは，ビデオカメラの位置を術者の頭近辺に移動する．

（有田淳一，長谷川潔）

4 膵癌における適切なリンパ節郭清の範囲

> **重要ポイント**
> - 膵癌では切除単独での治療成績は十分でなく，外科的切除も集学的治療の一部である．
> - 膵癌における拡大リンパ節郭清の意義はない．
> - D2リンパ節郭清は，ランダム化比較試験で設定された標準郭清の範囲を超えている．
> - R0切除に必要十分な切除を心がける．

A はじめに

生物学的悪性度の高い膵癌では切除単独での治療成績は十分でなく，外科的切除も集学的治療の一部として認識する必要がある．したがって不必要な拡大郭清により周術期死亡や合併症のリスクを高めることは厳に慎むべきである．胃癌や大腸癌では癌の深達度に応じたリンパ節郭清範囲が規定されているが，膵癌診療ガイドラインでは「膵癌に対する予防的拡大リンパ節・神経叢郭清は生存率向上に寄与することはなく，行わないことを推奨する」と述べられており，具体的な郭清範囲について言及されていない．

❶ RCTの結果

これまで膵癌に対する標準手術と拡大手術を比較したランダム化比較試験（RCT）が複数報告されているが（表1），いずれのRCTおいても膵癌生存率向上における拡大

表1 膵癌に対する標準手術と拡大手術を比較したRCTの郭清リンパ節

報告者	年，国	標準郭清群	拡大郭清群
Pedrazzoli, et al[1]	1998年，イタリア（n=81）	5, 6, 8, 12b, 13, 17, 18	標準＋9, 12, 14, 16
Yeo, et al[2]	2002年，米国（n=294）	13, 17, 12下側，14右側	標準＋5, 9, 12, 16
Nimura, et al[3]	2012年，日本（n=101）	13, 17	標準＋8, 9, 12, 14, 16
Jang, et al[4]	2014年，韓国（n=167）	13, 17,（12c）	標準＋8, 9, 12, 14, 16

- 8は8a, 8pを含む
- 12は12a, 12b, 12pを含む
- 13は13a, 13bを含む
- 14は14p, 14dを含む
- 16は16a2, 16b1を含む（イタリアの報告は16a1も含む）
- 17は17a, 17bを含む

	膵頭十二指腸切除	膵体尾部切除
1群リンパ節	8, 13, 17	10, 11, 18
2群リンパ節	5, 6, 12, 14	7, 8, 9, 14

- 8 は 8a, 8p を含む
- 12 は 12a, 12b, 12p を含む
- 13 は 13a, 13b を含む
- 14 は 14p, 14d を含む
- 17 は 17a, 17b を含む

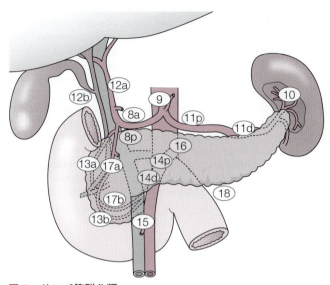

図1　リンパ節群分類
〔膵癌取扱い規約（第7版）より抜粋〕

郭清の意義は否定されている[1-4]．表1に示す通り，わが国と韓国のRCTは膵周囲リンパ節（No. 13, 17）の郭清が標準郭清群と設定され，拡大郭清と比べ生存率に差がないことが証明されている[3,4]．膵癌診療ガイドライン（日本膵臓学会編）でも拡大郭清は予防的に行わないことが推奨されている[5]．膵体尾部切除術に関しては標準郭清と拡大郭清を比較したRCTは存在しない．

❷ ISGPS のコンセンサスステートメント

2014年にInternational Study Group on Pancreatic Surgery（ISGPS）は標準的な郭清範囲のコンセンサスステートメントを報告したが，膵頭十二指腸切除術ではNo. 5, 6, 8a, 12b, 12c, 13, 14の右側，17，膵体尾部切除術ではNo. 9（体部癌のみ），10, 11, 18としており，「膵癌取扱い規約」が定めるD2リンパ節郭清（図1）より縮小した範囲となっている．

以上より，膵癌の根治切除として一律のD2リンパ節郭清は行うべきではなく，転移が疑われるものや，R0切除のため必要である範囲に限定すべきと考える．

Dos & Don'ts

☐ 一律の D2 リンパ節郭清は控える．
☐ 癌とのマージンはしっかり取る．

文献

1) Pedrazzoli S, et al：Standard versus extended lymphadenectomy associated with pancreatoduodenectomy in the surgical treatment of adenocarcinoma of the head of the pancreas：a multicenter, prospective, randomized study. Lymphadenectomy Study Group. Ann Surg 228：508-517, 1998
2) Yeo CJ, et al：Pancreaticoduodenectomy with or without distal gastrectomy and extended retroperitoneal lymphadenectomy for periampullary adenocarcinoma, part 2：randomized controlled trial evaluating survival, morbidity, and mortality. Ann Surg 236：355-366, 2002
3) Nimura Y, et al：Standard versus extended lymphadenectomy in radical pancreatoduodenectomy for ductal adenocarcinoma of the head of the pancreas：long-term results of a Japanese multicenter randomized controlled trial. J Hepatobiliary Pancreat Sci 19：230-241, 2012
4) Jang JY, et al：A prospective randomized controlled study comparing outcomes of standard resection and extended resection, including dissection of the nerve plexus and various lymph nodes, in patients with pancreatic head cancer. Ann Surg 259：656-664, 2014
5) 日本膵臓学会（編）：膵癌診療ガイドライン 2019 年版．金原出版，2019

〔池永直樹，中村雅史〕

5 　安全管理委員会からの提言

重要ポイント
- ☐ 併存症を考慮した厳格な手術適応判定を行う．
- ☐ 自分の手術技量を把握し，無理をしない．
- ☐ 合併症が起こったときに遅滞なく対応できる体制を整える．

A　安全管理委員会の取り組みとその効果

　日本肝胆膵外科学会（以下，学会）では高難度肝胆膵外科手術を安全に施行する外科医を育成するために，高度技能専門医制度を設立した[1]．具体的には，学会認定施設に対し毎年，手術症例調査書の提出を義務づけている．学会ではこれを集計・分析し，結果をフィードバックしている．また，入院死亡率が高い施設に対してはケースレポートの提出を求め，必要に応じて施設への視察（サイトビジット）を行っている．

図1　高難度肝胆膵外科手術後の30日以内死亡率と90日死亡率の推移
〔Otsubo T, et al：A nationwide certification system to increase the safety of highly advanced hepatobiliary-pancreatic surgery. J Hepatobiliary Pancreat Sci 30：60-71, 2023 より〕

表1 肝胆膵外科高難度手術の成績

		手術数	30日以内		31日〜90日		90日	
			死亡数	死亡率	死亡数	死亡率	死亡数	死亡率
肝胆道系手術								
胆道再建なし	肝右三区域切除	133	0	0.00%	4	3.01%	4	3.01%
	(拡大)肝右肝切除	2,848	21	0.74%	27	0.95%	48	1.69%
	肝左三区域切除	98	2	2.04%	3	3.06%	5	5.10%
	(拡大)肝左肝切除	3,296	11	0.33%	6	0.18%	17	0.52%
	肝中央二区域切除	458	2	0.44%	5	1.09%	7	1.53%
	肝区域切除(外側区域を除く)	5,010	18	0.36%	16	0.32%	34	0.68%
	肝亜区域切除(S4を除く)	3,234	3	0.09%	10	0.31%	13	0.40%
	生体肝移植ドナーの肝切除	906	0	0.00%	0	0.00%	0	0.00%
胆道再建あり	肝右三区域切除	114	2	1.75%	2	1.75%	4	3.51%
	(拡大)肝右肝切除	1,309	36	2.75%	32	2.44%	68	5.19%
	肝左三区域切除	212	4	1.89%	8	3.77%	12	5.66%
	(拡大)肝左肝切除	1,128	17	1.51%	16	1.42%	33	2.93%
	肝中央二区域切除	65	1	1.54%	2	3.08%	3	4.62%
	肝区域切除(外側区域を除く)	76	0	0.00%	2	2.63%	2	2.63%
	肝S4a+S5切除	352	1	0.28%	1	0.28%	2	0.57%
	胆嚢胆管切除+胆管-消化管吻合(先天性胆道拡張症に対するもののみ)	612	0	0.00%	0	0.00%	0	0.00%
	肝移植レシピエントの移植手術	1,008	27	2.68%	28	2.78%	55	5.46%
膵臓系手術								
	膵全摘術(残膵全摘を含む)	1,284	12	0.93%	12	0.93%	24	1.87%
	膵頭十二指腸切除(幽門輪温存を含む)	20,572	84	0.41%	91	0.44%	175	0.85%
	膵体尾部切除(D2リンパ節郭清を伴った膵癌に限る)	6,348	8	0.13%	18	0.28%	26	0.41%
	膵中央切除	344	0	0.00%	0	0.00%	0	0.00%
	十二指腸温存膵頭部切除	32	0	0.00%	0	0.00%	0	0.00%
	膵頭温存十二指腸切除	44	1	2.27%	2	4.55%	3	6.82%
	Ventral pancreatectomy	0	0	0.00%	0	0.00%	0	0.00%
	下膵頭切除	7	0	0.00%	0	0.00%	0	0.00%
	Beger手術	3	0	0.00%	0	0.00%	0	0.00%
	膵移植レシピエント手術	83	0	0.00%	1	1.20%	1	1.20%
	生体膵移植ドナーの膵切除	38	0	0.00%	0	0.00%	0	0.00%
肝膵同時切除								
	肝右三区域切除+膵頭十二指腸切除	7	0	0.00%	0	0.00%	0	0.00%
	肝左三区域切除+膵頭十二指腸切除	21	0	0.00%	1	4.76%	1	4.76%
	(拡大)右肝切除+膵頭十二指腸切除	177	9	5.08%	6	3.39%	15	8.47%
	(拡大)左肝切除+膵頭十二指腸切除	172	4	2.33%	3	1.74%	7	4.07%
	肝中央二区域切除(尾状葉切除を含む)+膵頭十二指腸切除	4	1	25.00%	0	0.00%	1	25.00%
	肝葉以上の肝切除+膵頭十二指腸切除	381	14	3.67%	10	2.62%	24	6.30%
	左あるいは右肝切除未満+膵頭十二指腸切除	122	1	0.82%	2	1.64%	3	2.46%
	肝切除+膵頭十二指腸切除	503	15	2.98%	12	2.39%	27	5.37%
	肝切除+膵体尾部切除	71	0	0.00%	0	0.00%	0	0.00%
その他の高難度手術								
	門脈切除再建手術	25	2	8.00%	0	0.00%	2	8.00%
	肝部下大静脈再建手術	45	0	0.00%	0	0.00%	0	0.00%
	肝静脈切除再建手術	33	1	3.03%	0	0.00%	1	3.03%
	上腸間膜動脈切除再建手術	3	0	0.00%	0	0.00%	0	0.00%
	肝動脈切除再建手術	24	0	0.00%	0	0.00%	0	0.00%

〔Otsubo T, et al:A nationwide certification system to increase the safety of highly advanced hepatobiliary-pancreatic surgery. J Hepatobiliary Pancreat Sci 30:60-71, 2023 より〕

こうした取り組みの結果，30日以内死亡率は2012〜2019年まで0.92%から0.52%に，90日死亡率は2.1%から0.98%に漸減している(図1)[2]．

B 肝胆膵外科高難度手術の手術関連死亡

2017年以降は胆道再建の有無別で手術調査を開始した．よって，2017〜2019年におけるすべての肝胆膵高難度手術術式の手術件数，30日以内，31日以上90日以内，90日の死亡数および死亡率について集計結果を示す(表1)．胆道再建を伴う2区域以上の肝切除や膵頭十二指腸切除を伴う肝膵同時切除は，いまだに死亡率の比較的高い術式であり，今後も死亡率の低下に向けての取り組みが必要である．

C 手術関連死亡を避けるために心がけること

提出されたケースレポートを分析すると，手術後の死亡に影響を及ぼすものとして以下の4項目が挙げられる．①手術適応，②手術手技，③合併症への対応を含む術後管理，④避けることの困難な偶発症である．

手術適応に関しては病変の進展度のみならず併存疾患の扱いが重要である．併存疾患を有する症例では，表1で示した死亡率を上回る危険性が予測されるので，できるだけ手術侵襲を軽減するように手術時間を短縮し，出血量の少ない手術を実施することが重要である．

また，術後管理については，緊急手術，緊急IVR処置などができる体制を整備しておくことも重要である．

文献
1) Takada T：Preface I：Highly advanced surgery in the hepatobiliary and pancreatic field. J Hepatobiliary Pancreat Sci 19：1, 2012
2) Otsubo T, et al：A nationwide certification system to increase the safety of highly advanced hepatobiliary-pancreatic surgery. J Hepatobiliary Pancreat Sci 30：60-71, 2023

（大坪毅人，山本雅一）

肝胆膵の外科解剖

- **1** 肝臓 34
- **2** 胆管 46
- **3** 膵臓 56
- **4** 手術計画とシミュレーション 66
  - 1）PAM の知見（肝臓）【動画】............. 66
  - 2）PAM の知見（膵臓）【動画】............. 71

1 肝臓

重要ポイント
- □ 肝臓を固定する間膜を理解し，切離する際のコツ，注意点を会得する．
- □ Couinaud の肝区域を理解する．ただし S5/S8 境界，S6/S7 境界などはあいまいなところもあり，患者個々の解剖を把握したうえでの議論が必要である．
- □ 門脈，肝動脈，胆管，肝静脈の一般解剖と，頻度の高い破格について理解しておく．それぞれの破格がどのような術式の場合に問題となるかを理解する．
- □ 分岐/合流形態の破格以外に走行経路の破格があり，門脈，肝動脈，時には胆管をも含んだフュージョン画像の作成が破格の把握に有用である．

A はじめに

肝臓の解剖を，手術において重要となる点やピットフォールとなる点とともに，概説する．

肝臓の間膜

肝臓の手術の際に，肝臓を固定している（肝臓に付着している）間膜（図1）を切離する場合がある．切除しようとしている肝臓の区域に付着している膜は必然的に切離する必要がある．例えば肝左葉切除をする際の左冠状間膜，左三角間膜などである．これ以外にも，肝臓の固定を外し授動することにより切離をしやすくする目的で間膜を切離することがある．例えば肝 S8（右前上区域）部分切除を施行する際の右冠状間膜，右三角間膜の切離などである．

間膜を切離する際のコツ，注意点

a）肝鎌状間膜の切離

特に右葉切除などの際には，切除後に固定が外れた左葉を再固定するために有用である．このため，肝臓側と横隔膜側の双方に縫い代を残すように両者の付着部位の中央付近を切離するとよい．

b）無漿膜野の剥離

肝鎌状間膜の切離を頭側に進めると左右の冠状間膜に分かれる．冠状間膜の頭背側は無漿膜野であり，下大静脈および肝静脈の下大静脈への流入部へとつながる．肝静

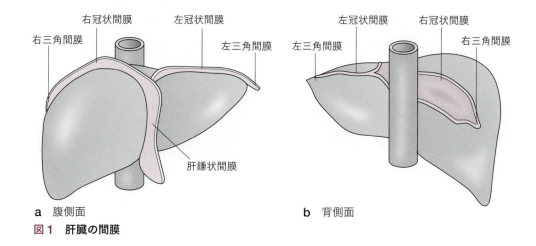

a　腹側面　　　　　　　　　　　　　　　b　背側面
図1　肝臓の間膜

脈根部を明らかにしておくことは，葉切除や区域切除の際に切離の"終着点"を見誤らないために重要である．無漿膜野の剝離操作を行う際には，不意に肝静脈根部や下大静脈に切り込んで損傷しないように注意をする．

c）右冠状間膜，三角間膜の切離

　開腹手術の場合，助手は両手で肝臓の把持に専念したほうが術野が安定する．のぞき込んだり，片方のみで肝臓を把持してもう一方の手で鑷子や吸引を持ったりすると理想的な"引き具合"が崩れてしまいがちである．見ることは術者にまかせて術者の指示のもとに動くほうがよい．腹腔鏡下手術では体位と重力を利用して適切な牽引をかけながら切離する．頭側になるほどやりづらくなる．体格によっては一時的にカメラポートを肋骨弓下のいずれかのポートから挿入し，安定した視野が得られるようにする．

d）左冠状間膜切離

　間膜の背側にガーゼを敷き込んでその上を電気メスで切離するようにすると，助手の助けを借りずに安全に切離可能である．外側区域の背側にガーゼを敷き込むのではなく，左冠状間膜付着部の背側にガーゼを置くつもりで行うとよい．時に左三角間膜に連続して appendix fibrosa hepatis が形成されていることがある．これは左葉が退縮して形成されたもので，segment Ⅱ の脈管に連続していることがあり注意が必要である．

B　肝区域の解剖（肝内門脈の解剖）

　肝臓の区域は肝臓の中の部位，領域を特定するために必要であり，いわば肝臓にとっての"住所"に相当する．肝臓外科においては Couinaud の肝区域分類が一般的に用いられており，肝臓は S1〜S8 までの8つの区域に分けられている（図2）．Couinaud の肝区域は肝内における門脈の枝分かれによって区域を規定するというコンセプトである．門脈はまず左枝と右枝に分かれ，それぞれが支配する領域が左葉と右葉

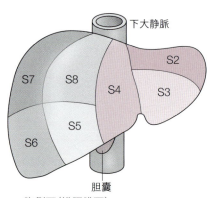
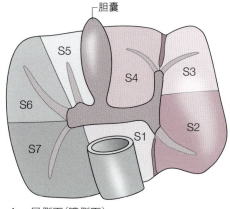

a　腹側面(横隔膜面)　　　　b　尾側面(臓側面)

図2　Couinaudの肝区域分類

である．右枝は次に前区域枝と後区域枝に分岐し，そのそれぞれが支配する領域が前区域と後区域である．ここまでは比較的バリエーションは少ないが，これ以下の分岐形態はバリエーションに富んでいる．

1　前区域のセグメンテーション

　前区域はS5(前下区域)とS8(前上区域)によって構成される．S5とS8の区分けについては，「門脈前区域枝が頭側尾側2本に分岐し，尾側の枝によって支配される領域がS5，頭側の枝によって支配される領域がS8」と明確に定まることもあるが(図3a)，そうでないことも多い．

　Kurimotoらによる370名の患者のCTの3次元再構成画像の解析では，門脈前区域枝がまず頭側尾側方向に枝分かれをする"Cranio-caudal type"は50％，腹側と背側方向に枝分かれをする"Ventro-dorsal type"は26％，頭腹側，頭背側，尾側方向に3～4分岐する"multiple type"が24％であった[1]．このように前区域枝の分岐形態は多様である．

　Cranio-caudal typeであればS5とS8の領域については共通認識をもちやすいが，Ventro-dorsal typeの場合は見る人によってS5とS8の区域分けについて異なる解釈が生じうるため，注意が必要である．そもそもこのような場合にS5とS8という区域分けが意味をもつのかどうかも疑問であるが，Couinaudの肝区域分類がここまで浸透した現在，それを無視したセグメンテーションを行うことのほうが混乱を招くであろう．よって現実的には，前区域の分枝のうち，比較的中枢から尾側に向かう枝(複数本ある場合がある)をP5とし，P5によって支配される領域の集合をS5と認識している(図3b)．しかし時には，ある門脈枝をP5(のうちの1本)とみなすのか，P8からの枝とみなすのかが決定しがたく，S5/S8の区域分けについて共通認識をもちにくい症例も存在する(図3c)．すなわち，"住所"が与えられてもその住所が示す領域が一意に定まらないことがある．このような症例で術式などのディスカッションを行う際には"言葉"("住所")だけではなく，"画像"("地図")を見ながら議論をすべきである．

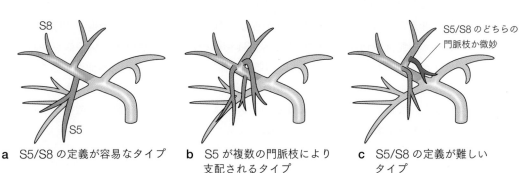

a　S5/S8の定義が容易なタイプ　　b　S5が複数の門脈枝により支配されるタイプ　　c　S5/S8の定義が難しいタイプ

A　門脈前区域枝

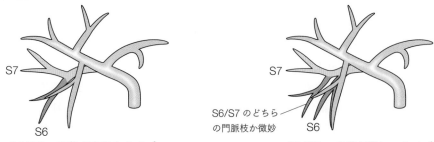

d　S6/S7の定義が容易なタイプ　　e　S6/S7の定義が難しいタイプ

B　門脈後区域枝

図3　門脈前区域枝と後区域枝の分岐パターン

2 | 後区域のセグメンテーション

　後区域はS6(後下区域)とS7(後上区域)によって構成される．S6/S7の境界についても前区域と同様の問題がある．後区域枝がほぼ同等の大きさの2本に分岐する場合S6，S7の認識は共有しやすい(図3d)．しかし前区域の場合と同様，尾側に向かう枝が複数本存在し，どの枝までをP6とみなすのか一意に決めがたい症例も多く存在する(図3e)．Minamiらによる100名の患者のCTの3次元再構成画像の解析では，門脈後区域枝が同程度の大きさに2分岐する"bifurcation type"は45%，複数本のP6枝が分岐する"bow-shaped type"は50%であった[2]．

3 | 左葉のセグメンテーション

　左葉はS2(後外側区域)，S3(前外側区域)，S4(内側区域)からなるが，左門脈はまずP2を分岐して門脈臍部を形成したあと，P3とP4に分かれる．したがって門脈分岐に基づいたセグメンテーションの観点からはS2とS34をそれぞれ1つの独立した区域とみなし，S2を右葉における後区域のカウンターパート，S34を前区域のカウンターパートとみなすほうが合理的ではある．実際，Ryuらはこのような区域分類を提唱し[3]，これに基づいたS34切除などの術式も報告されている．

　しかしながら，肝臓外科においてはS23を外側区域，S4を内側区域としてそれぞれ1つの独立した区域として扱うことが一般的である．外側区域S23と内側区域S4の間には外観上明確なランドマーク(肝鎌状間膜や門脈臍部)が存在することがその理由

と考えられる．外科手術の観点からも，例えばS3に存在する腫瘍を切除するにあたり，外側区域切除(S23切除)よりもS34切除のほうが門脈支配領域の観点からは合理性があるかもしれないが，実際問題は外側区域切除のほうが切離面が小さく直線的で容易であるため，あえてS34切除を選択することはほとんどないと考えられる．しかし，腫瘍の位置によっては必要とあらばS34切除などの術式を選択できる引き出しをもっておくことは有用である．

4 | 尾状葉

　門脈2次分枝(前区域枝，後区域枝，P2)が分岐するよりも中枢側で，門脈本幹や1次分枝(左枝および右枝)から直接細い枝が分岐している．これらが門脈尾状葉枝であり，これらにより支配される領域が尾状葉である．尾状葉は肝門部の背側で下大静脈を取り囲むように存在する．尾状葉は左尾状葉(Spiegel葉)と右尾状葉(肝部下大静脈部および尾状葉突起)に細分されるが，ここでも常に各部位が門脈枝と1対1の関係を形成しているわけではない．Spiegel葉は外観上その範囲を認識しやすいが，肝部下大静脈部および尾状葉突起は後区域や前区域との境界が不明瞭である．このことが外科手術上問題となるのは，肝門部胆管癌に対する左三区域尾状葉全切除のときである．胆管後区域枝を尾状葉枝合流部の末梢側で切離しているにもかかわらず，尾状葉肝実質の切除が不十分で尾状葉実質が多く残ってしまうと，残存尾状葉からの孤立性胆汁漏を生じるおそれがある．もともとは小さな領域ではあるが，大量肝切除に伴う残肝の肥大が生じるため軽視してはならない．

C 門脈の解剖（肝外門脈の解剖）

　通常の門脈分岐パターンは既述の通りであるが(図4a)，分岐パターンには破格も存在する．Coveyらは3D-CTを用いて門脈分岐形態の破格を分類している[4]．

1 | 門脈後区域枝独立分岐

　門脈後区域枝が独立して早期に分岐する破格(図4b)が13％，前後区域枝がほぼ同時に分岐(3分岐)する破格(図4c)が9％に認められた[4]．ただし実際には正常型も含めいずれに分類すべきか悩ましい微妙な症例も存在する．これら肝外門脈の破格は，肝門部のリンパ節郭清を行う際や，脈管を肝外で個別処理をする際などに留意する必要がある．生体肝移植ドナー手術で右葉グラフトを採取する場合，門脈が2本となるためバックテーブルで一穴化を行う必要が出てくる．また，後区域枝単独早期分岐型においては後区域の容積割合が大きい傾向にあることが報告されており[5]，術式選択の判断材料の1つにもなりうる．

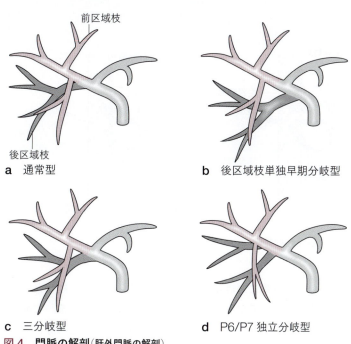

図4 門脈の解剖（肝外門脈の解剖）
a 通常型　　b 後区域枝単独早期分岐型
c 三分岐型　　d P6/P7独立分岐型

〔Covey AM, et al：Incidence, patterns, and clinical relevance of variant portal vein anatomy. AJR Am J Roentgenol 183：1055-1064, 2004 より〕

2 ｜ P6，P7 の独立分岐

　P6 と P7 が共通幹（後区域枝）を形成せず独立に分岐する破格（図4d）が7％に認められた[4]．後区域グリソンの一括確保，肝門部胆管癌の左三区域切除，生体肝移植ドナー後区域グラフト採取の際などに注意を払う必要がある．

D 肝動脈の解剖

　肝動脈は通常，腹腔動脈→総肝動脈→固有肝動脈が肝十二指腸靱帯内で左右の肝動脈に分かれ，肝内へ入る（図5a）．肝内では門脈，胆管とグリソンを形成し一体となって走行するが，肝外では破格が多い．よく遭遇する破格のタイプと，臨床的意義を理解しておくことが肝要である．

1 ｜ Michels らによる腹腔動脈系の破格の分類

　その後の研究においてもしばしばこの分類が用いられている[6]．

❶ 左肝動脈の起始異常

　比較的多い破格が左肝動脈が左胃動脈より分岐するタイプであり，約10％の頻度でみられる（図5b）[6]．この場合左肝動脈は小網の中を走行する．このため，Pringle法を行うためには，肝十二指腸靱帯に加え左肝動脈を別個にクランプする必要があ

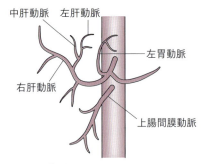
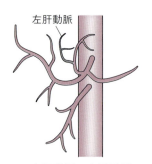

a　正常型　　　　　　　　　　b　左肝動脈が左胃動脈　　　　c　右肝動脈が上腸間膜動脈
　　　　　　　　　　　　　　　　より起始　　　　　　　　　　より起始

図5　左右肝動脈の起始異常

る．胆管癌における肝右葉尾状葉切除の際に，尾状葉の授動を左から行うときに小網内を走行する左肝動脈を損傷しないよう注意する．肝臓の手術以外においても小網を切離する必要がある手術，例えば胃切除術などの際にこの破格の存在を意識しておかねばならない．

❷ 右肝動脈の起始異常

右肝動脈が上腸間膜動脈より分岐する破格も約10%にみられる(図5c)[6]．この場合，右肝動脈は肝十二指腸靱帯の背側よりを走行するため，前述のようなPringle法を行う際の問題はない．肝十二指腸靱帯内の低位で胆管と近接して走行していることが多いため，胆管切除を伴う手術の際に注意が必要である．肝臓の手術以外では，膵頭十二指腸切除術の際に損傷の危険性があり，念頭に置く必要がある．

2 │ 臨床的意義の大きい肝動脈の分岐パターン

上記のMichelらが分類した破格以外にも，肝動脈の分岐パターンのバリエーションには特定の術式において臨床的意義の大きいものが存在する．

❶ 中肝動脈の起始

中肝動脈は肝臓の内側区域を栄養する動脈である．中肝動脈は左肝動脈より分岐することもあれば，右肝動脈より分岐することもある．Wangらは，145名の患者のCT所見を解析し，中肝動脈の起始について検討している[7]．145名中42名(29%)では，肝十二指腸靱帯内で明瞭な中肝動脈が認められず，左肝動脈が肝内に入ってから内側区域に枝を出していた(図6a)．38名(26%)では肝十二指腸靱帯内で左肝動脈より分岐(図6b)，58名(40%)では右肝動脈より分岐していた(図6c)．その他，固有肝動脈から分岐するタイプや右肝動脈前区域枝から分岐するタイプなどが少数ながらみられた．総じて左肝動脈より分岐するタイプと右肝動脈より分岐するタイプが同様の頻度でみられる．そのためどちらを正常型(または破格)とするか，についてコンセンサスが

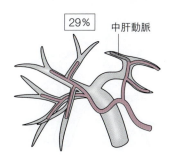 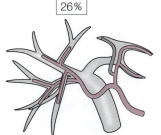 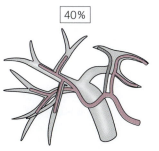

図6 中肝動脈の起始についてのバリエーション
a 肝内で左肝動脈より分岐するタイプ　b 肝外で左肝動脈より分岐するタイプ　c 右肝動脈より分岐するタイプ
〔Wang S, et al：Characterization of the middle hepatic artery and its relevance to living donor liver transplantation. Liver Transpl 16：736-741, 2010 より〕

ない。このことがこれらのバリエーションについての認識の甘さにつながっている。
　中肝動脈の起始が右肝動脈の場合，左葉切除個別脈管処理の際に切離すべき動脈が2本存在することになるのは当然である。肝門部胆管癌の右葉切除の際には温存すべき動脈が2本となり，右肝動脈の切離部位がより胆管に近接することになる。生体肝移植ドナー手術左葉グラフト採取の際にも，2本の動脈を温存することになる。これらのケースでは，実際にはどちらか一方の動脈を再建（温存）すれば肝門板内部の交通枝によってもう一方の動脈が支配する領域も栄養されることが多いが，それを術前に判定することは困難であるため，意識して手術に臨む必要はある。
　また，中肝動脈が右肝動脈より分岐しているように見えるケースで，実は左肝動脈と中肝動脈がそれぞれA23とA4ではなく，A2とA34であることもある。さらにはA2，A3，A4がそれぞれ個別に分岐するケースもまれながらある。生体肝移植外側区域グラフトや肝門部胆管癌の右三区域切除の際に，再建や温存すべき動脈を間違えないようにする必要がある。これらの破格はなんとなくCTを見ているだけでは気がつくことが困難であり，動門脈の3D画像をフュージョンさせた画像の作成が有用である。

❷ 右肝動脈分岐，走行のバリエーション

　右肝動脈は通常肝十二指腸靱帯内，総胆管の左側で左肝動脈や中肝動脈を分岐したのち，胆管の背側を走行して胆管の右側に出る。そこで前区域枝，後区域枝に分岐し，以後門脈や胆管とグリソンを形成し肝内へと入る（図7a）。

a）A6，A7独立分岐タイプ

　しばしばみられるバリエーションは，A6とA7が共通幹（後区域枝）を形成せず，それぞれ別個に分岐するタイプである。われわれの3D-CT 500例の解析では，正常型の門脈分岐形態で，かつきわめて例外的な動脈分岐形態（例えば固有肝動脈から直接A6やA7が分岐するような破格）であるものを除外した424例中，A6とA7が別個に分岐するものは72例（17%）存在した（図7b）[8]。このような症例は，生体肝移植後区域グラフトの際に温存，再建すべき動脈が2本存在することとなり，技術的に非常に難易度

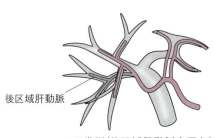
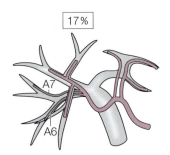

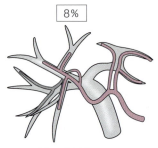
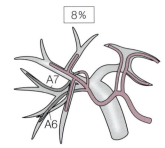

図7　右肝動脈の分岐，走行のバリエーション
〔Kusakabe J, et al：Association of Early Bifurcation of Hepatic Artery with Arterial Injury in Right-Sided Living-Donor Hepatectomy：Retrospective Analysis of 500 Cases. Ann Surg 2021. より〕

が高く，適応は相当慎重になるべきであろう．肝門部胆管癌の左三区域切除や，動門脈個別処理で後区域切除や前区域切除を行う際にも，切離すべき動脈を間違えないよう細心の注意を要する．

b）後区域肝動脈北回りタイプ

　手術をする際には門脈や動脈を個別に扱うわけではなく，それらが相互に絡み合って走行する中で剝離，同定操作を進める必要がある．このため，分岐形態が正常ではあるがその走行が"普段と違う"ことで思いがけず難渋したり，損傷をきたしたりする可能性がある．その代表が"後区域肝動脈北回り"である．

　右肝動脈が前後区域枝に分岐したあと，後区域枝はそのまま門脈の腹尾側を走行して肝内に入るのが一般的である(図7a)．しかし一部の症例では右肝動脈より分岐した後区域枝が右門脈を乗り越え("北回り")，門脈前区域枝の背側を走行し，以後門脈後区域枝に伴走する．前述のわれわれの検討では424例中32例(8％)に"北回り後区域枝"がみられた(図7c)．また，A6，A7個別分岐症例ではA7が"北回り"する症例が36例(8％)にみられた(図7d)．合わせると68例(16％)で何らかの北回り後区域枝が存在することになる．

　北回り後区域枝症例で特に注意を要するのは，肝門部胆管癌の左三区域切除や生体肝移植後区域グラフト採取術である．胆管を切離するべきラインまで肝動脈を剝離する必要があるが，この操作がきわめて困難となる．肝切離を先行し，後区域グリソン

(胆管)を切離しながら温存すべき肝動脈後区域枝を同定しなければならないことがある．事前に意識しておかねば胆管切離の際に動脈損傷を起こす可能性が高い，非常に危険なバリエーションといえる．

このような走行位置の異常は動脈だけを見ていても気がつきにくい．胆管の北回り（後述）と同様，後区域枝が"上に凸"のカーブを形成していると北回りである可能性が示唆されるが，最終的には門脈との関係を見なければ確実とはいえない．そのためには動門脈の3D画像をフュージョンさせた画像の作成がたいへん有用であるが，施設によってはそのようなソフトが利用できないことがある．そのような場合，適切なタイミングで撮影された造影CTで丹念に動脈と門脈の走行を追っていくことが大切である．

E 胆管の解剖

胆管の解剖についての詳細は次項に譲る．ここでも動脈の場合と同様，分岐（合流）形態の破格のほか，走行経路についても気をとどめるべきである．後区域枝は動脈の場合"南回り"が標準，"北回り"が破格であるのに対し，胆管の場合は逆に"北回り"が標準，"南回り"が破格であることに注意する．このような破格は胆管像のみを見ていても気がつきにくく，動門脈に加えて胆管の3D画像もフュージョンさせた"all-in-one 3D画像"が有用である．

F 肝静脈の解剖

肝静脈には左肝静脈，中肝静脈，右肝静脈の3本の主肝静脈があり，肝臓の頭側で下大静脈に合流する（図8a）．左肝静脈と中肝静脈は下大静脈合流直前で合流して共通幹を形成することが多い．中肝静脈と右肝静脈の下大静脈合流部の間には比較的幅の広いスペースが存在し，肝授動の際にここをしっかり同定することが葉切除や区域切除の際の目標地点を見誤らないために重要である．3本の主肝静脈以外に，尾状葉から下大静脈へ直接流入する短い肝静脈が何本か存在し，これを短肝静脈という．肝臓を下大静脈より授動する際には，この短肝静脈を丁寧に切離してゆく必要がある．時に後区域からのドレナージ静脈が右肝静脈合流部より尾側で下大静脈へ直接流入していることがあり，下右肝静脈とよばれる（図8b）．

肝静脈の走行と支配領域

❶ 右肝静脈

右肝静脈は前区域と後区域の境界面を走行し，後区域のほぼすべてと前区域の背側の領域からの血液をドレナージしている．このため右肝静脈は前後区域境界面に沿って切離する術式，すなわち後区域切除や左三区域切除の際の切離面のメルクマールとなる．しかしながら下右肝静脈が存在するような症例では，S5/S6境界面には右肝静脈は走行しておらず，メルクマール静脈が存在しない（図8b）．また，一部の症例で

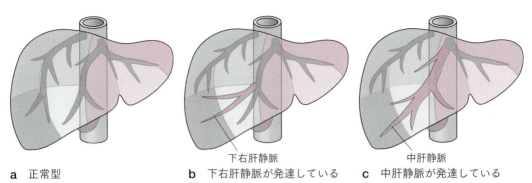

a 正常型
b 下右肝静脈が発達している　下右肝静脈
c 中肝静脈が発達している　中肝静脈
図8　肝静脈の解剖

は中肝静脈の支配領域が大きく，S5/S6境界面まで中肝静脈の枝が張り出しS6の一部をドレナージしている．このような症例では後区域切除や左三区域切除の際に注意が必要で，肝切離序盤に切離面に現れた静脈枝を右肝静脈の枝と思って追跡してしまうとあらぬ方向に肝切離が進んでしまうこととなる（図8c）．

❷ 中肝静脈

中肝静脈は中枢側では左肝と右肝の境界面（すなわち内側区域とS8の境界面）を走行し，末梢でS5からの枝（V5）とS4からの枝（V4）に分かれ，「人」の字型になっている（図8a）．前区域の腹側と内側区域の大部分の領域からの血液をドレナージしている．このため中肝静脈は左肝切除や右肝切除，前区域切除や内側区域切除，さらにはS8亜区域切除の際に切離面に露出され，切離方向を判断するためのよいメルクマールとなる．

前区域は中肝静脈と右肝静脈によってドレナージされるのであるが，どちらの静脈によってドレナージされる領域がどれぐらいの割合か，は個人差がある．このことが臨床上重要な意義をもつのは，生体肝移植右葉グラフトの場合である．ドナーの安全性を考慮し，中肝静脈本幹をドナー側に残しながら切離を進めるため，前区域の腹側領域のドレナージ静脈（V8，V5）を数本切離することとなる．これら静脈により支配される領域の機能を100％発揮させるためには，右肝静脈に加えてこれらの静脈枝も再建する必要がある．われわれはCT volumetryにより各静脈枝の支配領域の大きさを計算し，グラフトの10％以上の領域を支配する静脈枝を再建対象としている．

❸ 左肝静脈

左肝静脈は外側区域と内側区域の境界面を走行せず，S2とS3の境界面近くを走行する．このことからも，S23とS4ではなくS2とS34をそれぞれ1つの独立した区域として扱うほうが合理的かもしれないということは肝区域の解剖の項目で述べた通りである．左肝静脈が切離面のメルクマールとなる術式としてはS2亜区域切除やS3亜区域切除がある．しかし，一般的に外側区域切除が容易な術式であり肝切除量もそれほど大きくないことから，これらの術式が採られることはあまり多くない．しかし，肝硬変が進行し右葉が萎縮，外側区域が肥大しているような症例でこれらの術式

が適切である場合があるため，術式のレパートリーには加えておきたい．また，新生児に対する肝移植において外側区域グラフトでも過大グラフトとなる場合，S3 を切除しグラフトの減量をはかる場合がある．この際にも左肝静脈が切離面のメルクマールとなる．

文献

1) Kurimoto A, et al：Parenchyma-preserving hepatectomy based on portal ramification and perfusion of the right anterior section：preserving the ventral or dorsal area. J Hepatobiliary Pancreat Sci 23：158-166, 2016
2) Minami T, et al：Study on the Segmentation of the Right Posterior Sector of the Liver. World J Surg 44：896-901, 2020
3) Ryu M, et al：New Liver Anatomy. Springer, 2009
4) Covey AM, et al：Incidence, patterns, and clinical relevance of variant portal vein anatomy. AJR Am J Roentgenol 183：1055-1064, 2004
5) Watanabe N, et al：Anatomic features of independent right posterior portal vein variants：Implications for left hepatic trisectionectomy. Surgery 161：347-354, 2017
6) Michels NA：Blood supply and anatomy of the upper abdominal organs with a descriptive atlas. Lippincott, Philadelphia, 1995
7) Wang S, et al：Characterization of the middle hepatic artery and its relevance to living donor liver transplantation. Liver Transpl 16：736-741, 2010
8) Kusakabe J, et al：Association of Early Bifurcation of Hepatic Artery with Arterial Injury in Right-Sided Living-Donor Hepatectomy：Retrospective Analysis of 500 Cases. Ann Surg 277：e353-e358, 2023.

〔田浦康二朗，波多野悦朗〕

2 胆管

重要ポイント
- ☐ 肝内胆管の合流形態を動脈・門脈との関連を含め，術前に確実に把握しておく．
- ☐ 肝門板などのプレートシステムとグリソン鞘の関係を理解する．
- ☐ 胆管癌に対する各種肝切除術式における胆管分離限界点を画像上で指摘できるようにする．

A 胆道の肉眼解剖

1 標準的胆管走行と肝動脈・門脈との立体構造（図1）

　胆管は胆囊，十二指腸乳頭とともに胆道を構成し，肝で産生される胆汁を十二指腸に流出する排泄経路である．肝内各領域の末梢胆管は，合流を繰り返しながら肝門部に至り，左右肝管が合流して総肝管を形成する．肝十二指腸間膜内では胆囊管と合流して総胆管を形成後，膵内を通過して十二指腸乳頭に達する．肝門部近くの肝十二指腸間膜内では，胆管は右肝動脈が背側を走行することが一般的であるが，胆管の腹側を走行する例を1割程度認める．また，右肝動脈が上腸間膜動脈や胃十二指腸動脈から分枝する場合，右肝動脈は胆管に並行して肝門部に向かって上行するため注意が必要である．

2 肝内胆管，肝門部領域胆管，遠位胆管

　「胆道癌取扱い規約」による肝内胆管と肝外胆管の境界は，門脈をランドマークとして決定され，左側は門脈臍部(U-point)の右縁まで，右側は門脈右前後枝分岐部(P-point)の左縁までとしている．ただし，門脈右後枝が独立先行分岐する場合は左側の肝門部領域の距離と同等の距離をとって右側の肝門部領域とする（図2）[1]．同規約では肝門部領域より下流を遠位胆管とし，より上流を肝内胆管と定義する．ただし，「肝癌取扱い規約」では肝内胆管の二次分枝分岐部より上流を肝内胆管と定義しており，胆道癌と肝癌の規約は一致していない．
　肝門部領域胆管と遠位胆管の境界は，左右肝管合流部下縁から十二指腸壁に貫入するまでの距離を二等分した部位である．

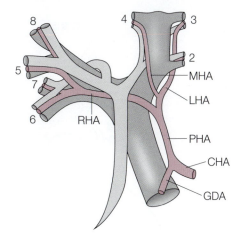

図1 基本的な肝十二指腸間膜内での胆管の走行と肝動脈・門脈との関係
胆管は肝門部付近で肝動脈，門脈の腹側を走行するが，肝動脈に破格があれば胆管との位置関係はそれぞれ異なる．
CHA：総肝動脈，GDA：胃十二指腸動脈，LHA：左肝動脈，MHA：中肝動脈，PHA：固有肝動脈，RHA：右肝動脈，2〜8：Couinaud の肝区域番号．

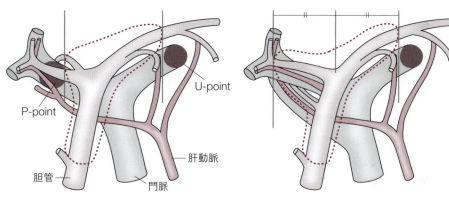

a　門脈正常分岐　　　　　　　　　　　b　門脈右後枝独立先行分岐

図2 肝門部領域の目安
左側は門脈臍部(U-point)の右縁まで，右側は門脈右前後枝分岐部(P-point)の左縁までとしている．ただし，門脈右後枝が独立先行分岐する場合は左側の肝門部領域の距離と同等の距離をもって右側の肝門部領域とする．
〔日本肝胆膵外科学会：胆道癌取扱い規約(第7版)．p18, 金原出版, 2021より〕

3 プレートシステムとグリソン鞘(図3)

　肝外胆管は肝十二指腸間膜内では粗な結合織に囲まれ，その周囲を腹膜に覆われている．肝外から肝内に移行する部位にはプレートシステムとよばれる厚い線維性結合織の板状構造があり，各脈管はこれを貫き，各プレートから移行したグリソン鞘によって覆われた内脈三つ組(portal triad：胆管，門脈，肝動脈)として肝内に移行する．各脈管が肝門で左右に分岐する部位には肝門板(hilar plate)があり，右側では胆囊板(cystic plate)，左側では臍静脈板(umbilical plate)，さらにアランチウス板(Arantian plate)に連続している．尾状葉枝は肝門板から分岐し，左葉の主要な区域，亜区域枝は臍静

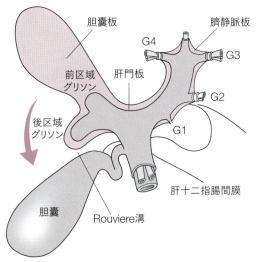

図3　プレートシステム
肝門部で各脈管が左右に分岐する部位には肝門板があり，右側では胆嚢板，左側では臍静脈板がさらにアランチウス板に連続している．各グリソン枝はプレートから連続して肝内に分布する．
〔石山秀一，他：肝門部胆管の外科解剖．胆と膵 20：811-820, 1999 より改変〕

脈板から連続したグリソン鞘に包まれて分岐する．一方，右葉の前区域枝は胆嚢板と肝門板の移行部を貫き，後区域枝は肝門板の最外側から Rouviere 溝を通じて肝内へ移行する[2]．

胆管は肝門部で肝門板を形成する厚い膠原組織に囲まれて存在し，肝門板との分離は不可能であるため，肝門部での胆管切離は肝門板と胆管を同時に切離していることになる．一方，プレートシステムと肝実質の間には Laennec 被膜が存在し，分離が可能である．

4│膵内胆管と十二指腸乳頭部胆管

膵内胆管はその背側で膵実質に覆われているが，その程度はさまざまである．十二指腸乳頭部に近づくにつれ膵実質の厚みは増すが，通常数 mm の実質を切離することで十二指腸貫入部まで胆管を露出し切離することが可能である[3]．

乳頭部近傍での主膵管との合流形態は共通管を形成するものが最も一般的であるが，開口部まで隔壁が存在するもの，別々に開口するものなどがある．長い共通管を形成し十二指腸壁外で合流するため Oddi 括約筋の作用が合流部に及ばないものを膵・胆管合流異常と定義している．また，共通管長が 6 mm 以上であるが合流部に Oddi 括約筋が作用しているものを膵胆管高位合流と定義し，合流異常と類似の病態が起こりうるとされている．

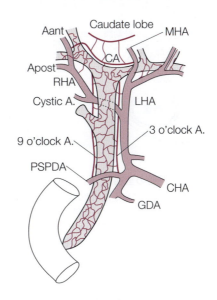

図4 胆管の動脈支配
肝外胆管は後上膵十二指腸動脈（PSPDA）から分枝し，胆管の3時および9時を併走する辺縁動脈が上行しながら血管叢を形成する．辺縁動脈は胆管上流側では左右肝動脈や胆嚢動脈と吻合し，肝門板内を走行する左右肝動脈の吻合枝とも連絡する．PSPDAから乳頭動脈が分枝する．
Aant：肝動脈右前区域枝，Apost：肝動脈右後区域枝，CA：Caudate arcade（尾状葉アーケード），Caudate lobe：尾状葉，CHA：総肝動脈，Cystic A.：胆嚢動脈，GDA：胃十二指腸動脈，LHA：左肝動脈，MHA：中肝動脈，9 o'clock A.：総胆管辺縁動脈（9時），3 o'clock A.：総胆管辺縁動脈（3時），PSPDA：後上膵十二指腸動脈，RHA：右肝動脈．

B 胆道系の血流[4]

　肝内大型胆管の動脈は併走する肝動脈由来の胆管周囲血管叢（peribiliary plexus）が貫通し，壁内および上皮下に分布している．小葉間胆管や細胆管は胆管周囲血管叢由来の毛細血管により栄養されている．周囲血管叢は肝外胆管周囲の血管叢（epicholedochal plexus）と吻合している．

　肝外胆管は後上膵十二指腸動脈（PSPDA）から分枝し，胆管の3時および9時を併走する辺縁動脈が上行しながら血管叢を形成する．辺縁動脈は胆管上流側では左右肝動脈や胆嚢動脈と吻合し，肝門板内を走行する左右肝動脈の吻合枝（caudate arcade）とも連絡する（図4）．まれではあるが，辺縁動脈が1本の場合や辺縁動脈を形成しない例も存在する．十二指腸乳頭にはPSPDAから乳頭動脈が分枝する．

　肝内胆管の静脈血は胆管周囲血管叢の門脈との交通枝から併走する門脈枝に還流する．肝外胆管の静脈血は血管叢を形成し，さらに動脈同様の3時および9時の辺縁静脈を形成しつつ右胃静脈，PSPDA，胃結腸静脈幹などに還流する．胆嚢の静脈は主に9時の辺縁静脈に沿って上行するが，体部底部の静脈は胆嚢床から肝内に入り肝内門脈枝に流入する．

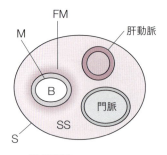 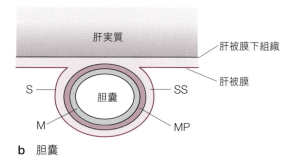

a 肝外胆管　　b 胆囊

図5　肝外胆管・胆囊の壁構造

a：肝外胆管は粘膜および線維筋層により管腔構造が形成される．粘膜筋板および粘膜下層が存在しない．漿膜は肝十二指腸間膜であり，肝動脈，門脈が同じ漿膜下層内に存在する．

b：胆囊は固有筋層，漿膜下層，漿膜からなり，胆管同様，粘膜筋板や粘膜下層を欠く．肝臓付着部では漿膜を欠き，肝表面の結合織（Laennec 被膜）を介して肝実質と接する．

M：粘膜層，FM：線維筋層，SS：漿膜下層，S：漿膜，MP：固有筋層．

C 胆管・胆囊の組織解剖

1 肝内胆管

大型胆管（領域胆管，区域胆管），小型胆管（小葉間胆管，隔壁胆管），細胆管に分類され，細胆管は門脈域の辺縁に存在するが，それ以外はグリソン鞘内で肝動脈枝，門脈枝とともに門脈域を形成する．

肝内胆管内腔は1層の胆管上皮で覆われ，細胆管，小葉間胆管は立方〜低円柱上皮，その他の胆管は円柱上皮からなり，基底膜が存在する．

2 肝外胆管

単層の円柱上皮からなる粘膜および線維筋層により管腔構造が形成される．粘膜筋板を欠くため粘膜下層が存在しない．漿膜下層には比較的太いリンパ管や静脈が出現し，さらに神経線維やリンパ節が存在する．漿膜は肝十二指腸間膜であり，肝動脈，門脈が同じ漿膜下層内に存在することになる（図5a）．

3 胆囊

粘膜層は単層円柱上皮で覆われ，固有筋層，漿膜下層，漿膜からなり，胆管同様，粘膜筋板や粘膜下層を欠く．肝臓付着部では漿膜を欠き，肝表面の結合織（Laennec 被膜）を介して肝実質と接する（図5b）．

4 胆囊管

基本的に胆囊と同一の構造であるが，固有筋層は線維性結合織が豊富であり，胆管の線維筋層に類似している．

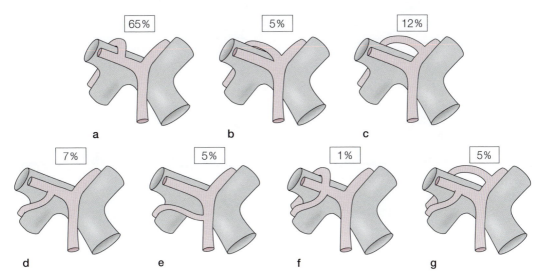

図6 右後区域胆管の合流形態
門脈との位置関係により3パターンに分類される.
① supraportal pattern：右後区域胆管が門脈右枝の頭側を回り込んで右前区域胆管に合流する(**a**)，左右肝管合流部に流入する(**b**)，左肝管に合流する形態(**c**).
② infraportal pattern：右後区域胆管が門脈右枝の尾側を走行し右前区域胆管に合流して右肝管を形成する(**d**)，前区域胆管には合流せずに総肝管に合流する形態(**e**).
③ combined pattern：右後区域胆管が2本に分かれ右門脈枝の頭側と尾側を回り，両者が右肝管に合流する(**f**)，頭側の胆管枝が左肝管に合流する形態(**g**).

D 胆道癌手術で把握すべき胆管枝の合流形態

肝門部領域の胆管枝の合流形態にはバリエーションが多く，標準的形態とともに代表的な形態を把握しておくことが術前診断のみならず術中判断においても重要である.

1 | 右後区域胆管の合流形態[5]（図6）

門脈との位置関係によりいわゆる北回りの supraportal pattern（82%），南回りの infraportal pattern（12%），およびそれらの combined pattern（6%）に分類される.

❶ supraportal pattern

右後区域胆管が門脈右枝の頭側を回り込んで右前区域胆管に合流する形態が65%と最も多い（図6a）．この亜型として，右前上背側枝（B8c）が後区域枝に合流する例を17%に認める．また，後区域枝が左右肝管合流部に流入する形態（図6b）や左肝管に合流する形態（図6c）がある.

❷ infraportal pattern

右後区域枝胆管が門脈右枝の尾側を走行し右前区域枝に合流して右肝管を形成する形態（図6d）と，前区域枝には合流せずに総肝管に合流する形態（図6e）に分類される.

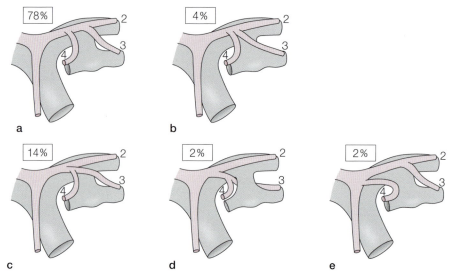

図7 左側胆管の左肝管への合流形態
a：B2＋3 に B4 が合流する最も標準的な合流形態．
b：B2，B3，B4 が同時に合流．
c：B3＋4 に B2 が合流．
d：B3 が門脈臍部を南回りで走行する infraportal pattern の破格．
e：B4 と B2＋3 が同時に右肝管と合流し左肝管を形成しない形態．

❸ combined pattern

まれであるが，右後区域枝胆管が 2 本に分かれて右門脈枝の頭側と尾側を回って合流する形態である（図6f, g）．

2 | 左側胆管の左肝管への合流形態[5]（図7）

左外側後枝胆管（B2），同前枝胆管（B3），内側区域枝胆管（B4）の合流形態はさまざまあり，さらにそれぞれが複数本に分かれて異なる走行をする場合があるためその形態は多岐にわたる．

最も標準的な合流は B2＋3 に B4 が合流する形態（図7a）であり，78% の頻度である．次に高頻度の形態は B3＋4 に B2 が合流するもの（図7c）で 14% に認め，この2形態以外の合流形態（図7b, d, e）は 8% と比較的まれである．ただし，B3 が門脈臍部を覆ういわゆる bridge 内を南回りで走行する infraportal pattern の破格（図7d）は，術前に診断できなければ右側肝切除時に認知できない可能性があり注意が必要である．

3 | 尾状葉胆管枝の合流形態[6]（図8）

尾状葉枝の基本的な合流の形態は，右後区域胆管および左肝管に supraportal pattern で各尾状葉胆管が合流（図8a）するが，破格として左尾状葉枝が infraportal pattern を呈して左肝管に合流する場合（図8b, c）や，左外側後枝胆管（B2）に合流して in-

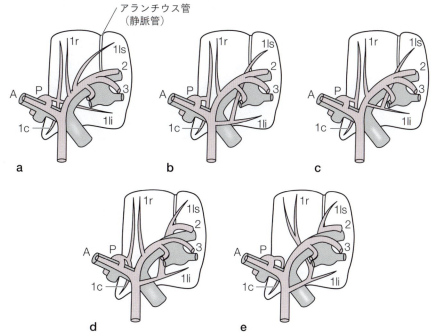

図8　尾状葉胆管枝の合流形態
a：尾状葉枝の基本的な合流の形態で，右後区域胆管に右尾状葉枝（1r），左下尾状葉枝（1li）および尾状葉突起枝（1c）が合流し，左肝管に左上尾状葉枝（1ls）がいずれも supraportal pattern で合流する．
b：左尾状葉枝（1ls＋1li）が infraportal pattern を呈して総肝管に合流する破格．
c：左尾状葉枝（1ls＋1li）が同様に左肝管に合流する破格．
d：左尾状葉枝（1ls および 1li）が左外側後枝胆管（B2）に合流し，infraportal pattern で左肝管に流入する破格．
e：尾状葉突起枝（1c）以外の左右尾状葉枝（1r, 1ls, 1li）がそれぞれ B2 に合流し，infraportal pattern で左肝管に流入する破格．

fraportal pattern で左肝管や総肝管に合流する場合（図 8d, e）があり，それぞれ右側肝切除に際して胆汁漏の原因となる可能性や，B2 胆管の吻合がなされない可能性があり注意が必要である．

E 胆道の発生異常

　胆道には多種の形成異常を認めるが，胆道外科の臨床で問題になるものとして重複胆囊，重複胆管がある．特に後者は重複した胆管が胃や十二指腸に異所性に開口し，消化液の逆流を生じた場合，さまざまな臨床症状を呈することがある．
　臍静脈の形成異常である右側肝円索は，胆道のみならず肝動脈，門脈の走行が通常とは著しく異なり，またその形態も複数存在するため，胆管癌の診断および手術治療においては細心の注意が必要である．

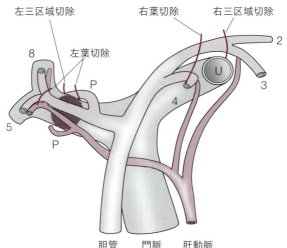

図9 胆道癌切除における肝切除術式別の胆管分離限界点

右葉切除では門脈臍部の右縁から中央付近，右三区域切除では門脈臍部の左縁が分離限界点となる．左葉切除では右後区域枝胆管が門脈右枝を乗り越えた点，右前区域枝胆管は右肝動脈前区枝が右前下枝（A5）と右前上枝（A8）に分岐する付近が分離限界点となる．左三区域切除では後区域枝胆管は，左葉切除における同胆管の分離限界点よりさらに7mm程度頭背側の位置で切離が可能である．
P：P-point，U：U-point

F 胆道癌切除における肝切除術式別の胆管分離限界点（図9）

　胆道癌の各肝切除術式において，解剖学的に切除可能な最も上流側の胆管部位を「胆管分離限界点」と呼称する．具体的には肝内胆管が末梢で肝動脈・門脈と固着し剝離が困難になる点，もしくは胆管枝が温存すべき門脈枝により追求することが不可能になる点が分離限界点である．切除胆管断端を癌陰性にするためにはこの分離限界点を同定し，腫瘍の先進部との関係を明らかにする必要がある．

　右葉切除においては，門脈右枝を結紮切離後に尾状葉枝やアランチウス管を切離すれば門脈臍部の基部まで授動が可能であり，通常は臍部の右縁から中央付近に位置する．右三区域切除の場合には，門脈内側区域枝（P4）を切離することにより門脈臍部そのものを左側に脱転できるため，臍部の左縁が分離限界点となる．

　左葉切除では，右後区域枝胆管は門脈右枝を乗り越え門脈後区域枝とともに背側に回り込むため，門脈右枝を乗り越えた点が分離限界点となる．右前区域枝胆管は右肝動脈前区枝が右前下枝（A5）と右前上枝（A8）に分岐する付近で胆管との剝離が困難となり，この点が分離限界点となる．左三区域切除では，門脈右前区域枝（P5+8）が切離されるため，後区域枝胆管は左葉切除における後区域枝の分離限界点よりさらに7mm程度頭背側での切離が可能となる．

　B3や右後区域枝胆管に南回りの変異がある場合には，通常の合流形態の場合より切離線を上流に設定することができる．

Dos & Don'ts

☐ 最近は，肝門部領域胆管癌の術前でも詳細な直接造影検査が得られる症例は少ないが，MDCTやERCP像などを駆使し，動脈・門脈とともに3次元で脈管構造をとらえ，術前には脈管構造全体の立体的スケッチ作成を習慣とするべきである．

☐ 肝門部領域胆管癌手術で胆管を切離する際には，術前の読影を鵜呑みにしない（未読影の胆管枝の存在を常に疑い，綿密に胆管断端の観察を行う）．

文献

1) 日本肝胆膵外科学会：胆道癌取扱い規約（第7版）．p 18，金原出版，2021
2) 石山秀一，他：肝門部胆管の外科解剖．胆と膵 20：811-820, 1999
3) Noji T, et al：Surgical technique and results of intrapancreatic bile duct resection for hilar malignancy（with video）．HPB（Oxford）20：1145-1149, 2018
4) Ramesh Babu CS, et al：Biliary tract anatomy and its relationship with venous drainage. J Clin Exp Hepatol 4：S18-26, 2014
5) Ohkubo M, et al：Surgical anatomy of the bile ducts at the hepatic hilum as applied to living donor liver transplantation. Ann Surg 239：82-86, 2004
6) Sugiura T, et al：Infraportal bile duct of the caudate lobe：a troublesome anatomic variation in right-sided hepatectomy for perihilar cholangiocarcinoma. Ann Surg 246：794-798, 2007

〔平野　聡〕

3 膵臓

重要ポイント
- ☐ 膵の動脈・静脈は癒合筋膜と膵実質の間に存在する．
- ☐ 胃十二指腸動脈を切離する前に動脈アーケードを介した上腸間膜動脈から肝動脈への血流を確認する必要がある．
- ☐ 肝動脈と下膵十二指腸動脈の分岐形態と走行はバリエーションに富む．
- ☐ 第1空腸静脈は上腸間膜動脈の背側を走行するものと腹側を走行するものがある．
- ☐ 門脈輪状膵は術後膵液瘻のリスクになる．

A 膵の区域

「膵癌取扱い規約（第7版）」[1]では，膵臓を解剖学的に膵頭部，膵体部，膵尾部の3つの部位に分けており，頭部と体部の境界は上腸間膜静脈（superior mesenteric vein：SMV）・門脈（portal vein：PV）の左側縁，体部と尾部の境界は腹部大動脈（Ao）左側縁としている（図1）．SMV・PVの前面部分の膵頭部と膵頭部下方から突出してSMVの後方に位置する鉤状突起（UP）は膵頭部に含まれる．

Groove領域（Gr）は膵頭部，下部総胆管，十二指腸下行脚に囲まれた溝のことを指し，groove pancreatitisの発生部位として重要である．Groove領域は本来膵の特定の区域を示す用語ではないが，groove領域に発生する膵癌はgroove膵炎と鑑別困難な画像所見を呈し，groove膵癌と呼称されることもある．

B 膵周囲の癒合筋膜

胎生期に腹側膵と背側膵が回転して癒合することで膵臓が形成される．腹側膵は鉤状突起と膵頭下部を形成し，背側膵は膵頭部の前上部と体尾部を形成する．本来の膵固有の腹膜が後方の壁側腹膜と癒合し，膵頭部と十二指腸は右膵後筋膜（Treitzの癒合筋膜：Tr）を形成し，膵体尾部は左膵後筋膜（Toldtの癒合筋膜，To）を形成する（図2）．

膵頭十二指腸前面下部の腹膜は上行結腸間膜と癒合し，膵前筋膜を形成する[2]．癒合筋膜は2つの異なる血管系を分離する隔壁を形成しており，原則として両血管系をつなぐ連絡血管は存在しない．膵頭部背側の血管はすべてTreitzの癒合筋膜の腹側にあり，膵頭十二指腸切除術におけるKocher授動ではTreitzの癒合筋膜の背側で膵頭部を授動する．膵体尾部においては脾静脈（splenic vein：SpV）もToldtの癒合

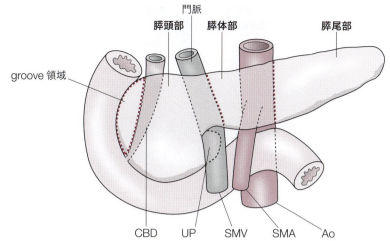

図1 膵区域分類と groove 領域
Ao：腹部大動脈，CBD：総胆管，SMA：上腸間膜動脈，SMV：上腸間膜静脈，UP：膵鉤状突起．

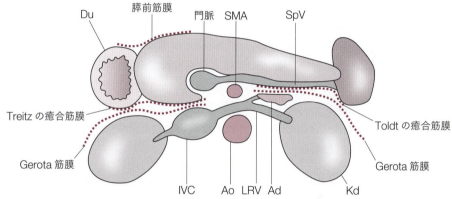

図2 膵周囲の膜構造
Ad：副腎，Ao：腹部大動脈，Du：十二指腸，Kd：腎臓，IVC：下大静脈，LRV：左腎静脈，SMA：上腸間膜動脈，SpV：脾静脈．

筋膜の腹側にある．膵後筋膜の背側には，腎筋膜前葉(Gerota 筋膜)と後葉に包まれた左腎・副腎がある．腎筋膜の前後両葉は副腎の上方で合わさり横隔膜下に達する．副腎と腎との間には腎筋膜の分葉が入り込み，両者を分ける中隔を形成する．腎筋膜は腎を緩やかに包んでおり，両者の間には腎周囲脂肪が介在する．膵体尾部癌に対する手術では後方進展の程度により，Toldt の癒合筋膜を切除する層，Gerota 筋膜を切除する層，腎前筋膜と左副腎を切除する層，左副腎・左腎切除(部分切除，全摘)する層を選択する．

C 膵管

腹側膵と背側膵の主導管が癒合して形成される．腹側膵の主導管と癒合した部位より上流の背側膵の主導管が主膵管となる[3]．背側膵の主導管の腹側膵との癒合部より

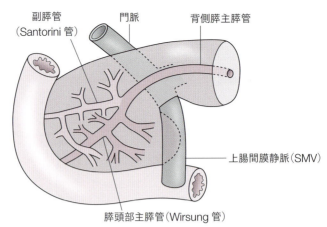

図3　膵管解剖

下流側は，副膵管(Santorini管)と呼称され，発生過程において退行する例も多い．主膵管は尾部と体部ではほぼ中央やや背側寄りを走行し，膵頸部でやや下後方に向かい，膵頭部に入った付近でSantorini管が合流する．Santorini管との合流部より下流の主膵管(Wirsung管)は膵実質の後面で総胆管と合流し，大十二指腸乳頭(Vater乳頭)を経て十二指腸に開口する．Santorini管は主膵管との合流部から副乳頭に向かってほぼ水平に走行し，主膵管よりも口側で小十二指腸乳頭を経て十二指腸に開口する(図3)．Wirsung管とSantorini管の癒合不全症(pancreatic divisum)は，背側膵の膵炎の原因となる．

D　膵の血管

1　動脈

膵臓は腹腔動脈と上腸間膜動脈(superior mesenteric artery：SMA)の間に位置し，その両者から血流を受ける．頭部では腹腔動脈とSMAの分枝が吻合して前後のアーケードを形成している．体尾部には主として腹腔動脈からの枝が分布する(図4)．

❶　肝動脈

肝動脈走行の破格は膵頭十二指腸切除術の際に注意が必要である．Hiattらの報告では，肝動脈通常分岐型が76％，左肝動脈が左胃動脈(left gastric artery：LGA)から分岐するもの(replaced LHA)が9.7％，右肝動脈がSMAから分岐するもの(replaced RHA)が10.6％，右肝動脈がSMAから分岐し(replaced RHA)，左肝動脈がLGAから分岐するもの(replaced LHA)が2.3％，総肝動脈(common hepatic artery：CHA)がSMAから分岐するものが1.5％であった(図5)[4]．Replaced RHAは膵頭部背側を走行するものが最も多いため，手術の際には損傷しないように注意する．

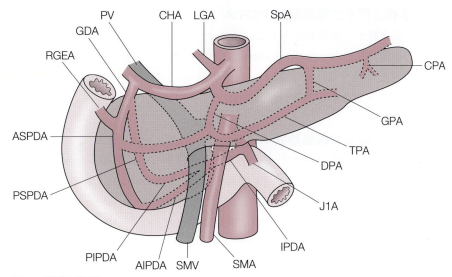

図4　膵臓の動脈
AIPDA：前下膵十二指腸動脈，ASPDA：前上膵十二指腸動脈，CHA：総肝動脈，CPA：膵尾動脈，DPA：背側膵動脈，GDA：胃十二指腸動脈，GPA：大膵動脈，IPDA：下膵十二指腸動脈，J1A：第1空腸動脈，LGA：左胃動脈，PIPDA：後下膵十二指腸動脈，PSPDA：後上膵十二指腸動脈，PV：門脈，RGEA：右胃大網動脈，SMA：上腸間膜動脈，SMV：上腸間膜静脈，SpA：脾動脈，TPA：横行膵動脈．

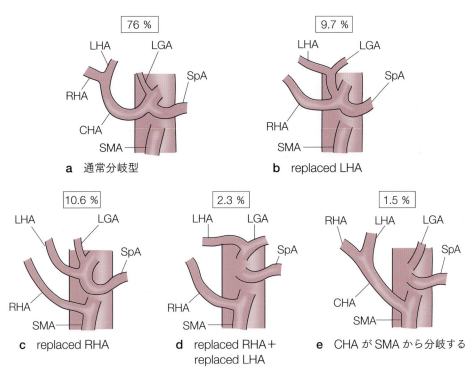

図5　肝動脈の走行
CHA：総肝動脈，LHA：左肝動脈，LGA：左胃動脈，RHA：右肝動脈，SMA：上腸間膜動脈，SpA：脾動脈．
〔Hiatt JR, et al：Surgical anatomy of the hepatic arteries in 1,000 cases. Ann Surg 220：50-52, 1994 より〕

❷ 後上膵十二指腸動脈（PSPDA）

後上膵十二指腸動脈（posterior superior pancreaticoduodenal artery：PSPDA）は，胃十二指腸動脈（gastroduodenal artery：GDA）がCHAから分岐したあと，膵後面・上縁あたりで分岐する．後下膵十二指腸動脈（posterior inferior pancreaticoduodenal artery：PIPDA）と吻合する（後膵十二指腸動脈アーケード）．

❸ 前上膵十二指腸動脈（ASPDA）

GDAはPSPDAを分枝したあと，前上膵十二指腸動脈（anterior superior pancreaticoduodenal artery：ASPDA）として膵の前面を左下に向かって膨らむように走行し，右胃大網動脈を分枝する．前下膵十二指腸動脈（anterior inferior pancreaticoduodenal artery：AIPDA）と吻合する（前膵十二指腸動脈アーケード）．正中弓状靱帯圧迫症候群などによる腹腔動脈狭窄例では，肝動脈の血流がSMAから膵十二指腸アーケードを介してまかなわれていることがあるため，膵頭十二指腸切除術においてはGDAを切離する前にクランプテストを行い，肝動脈の血流を確認する．固有肝動脈の血流が不十分の場合には正中弓状靱帯を切離する．

❹ 下膵十二指腸動脈（IPDA）

SMAから分岐し，SMAの後面を右側に向かって走行し，AIPDAとPIPDAに分岐する．Murakamiらの検討[5]では，下膵十二指腸動脈（inferior pancreaticoduodenal artery：IPDA）は80％に存在し，IPDAが第1空腸動脈（J1A）と共通幹を作ってSMAから分岐するものが約56％，IPDAが直接SMAから分岐しているものが約24％，AIPDAとPIPDAが独立して分岐するものが約20％であった（図6）．また，replaced RHAからIPDAが分岐することも多く，手術の際には注意を要する．

❺ 脾動脈（SpA）

脾動脈（splenic artery：SpA）は通常，腹腔動脈から分岐し前下方に走行したあと，膵体尾部の後上縁を走行して脾臓に入る．SpAから膵臓へ分岐する主な動脈には背側膵動脈，大膵動脈（great pancreatic artery：GP），膵尾動脈（cauda pancreatic artery：CPA）がある．SpAの走行や分岐形態はバリエーションが多く，術前に確認しておく必要がある．

❻ 背側膵動脈（DPA）

背側膵動脈（dorsal pancreatic artery：DPA）は，主に膵体部背側に流入する動脈である．その起始部はさまざまであり，SpA，CHA，SMA，腹腔動脈などから分岐する．GDAとDPAの間には横行膵動脈で吻合するアーケードが存在する．

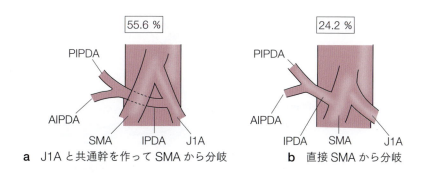

a　J1Aと共通幹を作ってSMAから分岐　　b　直接SMAから分岐

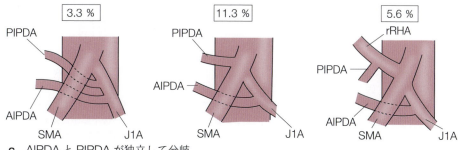

c　AIPDAとPIPDAが独立して分岐

図6　下膵十二指腸動脈の走行
AIPDA：前下膵十二指腸動脈，IPDA：下膵十二指腸動脈，J1A：第1空腸動脈，PIPDA：後下膵十二指腸動脈，rRHA：replaced 右肝動脈，SMA：上腸間膜動脈．
〔Murakami G, et al：Vascular anatomy of the pancreaticoduodenal region：A review. J Hepatobiliary Pancreat Surg 6：55-68, 1999 より〕

2　静脈

❶ 胃結腸静脈幹(GCT)，前上膵十二指腸静脈(ASPDV)，前下膵十二指腸静脈(AIPDV)

　膵頭十二指腸切除術を行う際に，胃結腸静脈幹(gastrocolic trunk：GCT)の解剖を把握しておくことは重要である．Henleが1868年に上右結腸静脈(SRCV)と右胃大網静脈(RGEV)が共通幹を形成していることを報告しており，Henleの胃結腸静脈幹と呼称されている．GCTは約60％に存在し，GCTに前上膵十二指腸静脈(anterior superior pancreaticoduodenal vein：ASPDV)が合流し，3つの静脈の共通幹ができる．ASPDVは十二指腸に向かって膵前面を走行し，前下膵十二指腸静脈(anterior inferior pancreaticoduodenal vein：AIPDV)とアーケードを形成する(図7)．回結腸静脈が流入する部位からGCTが流入する部位までのSMVの範囲を外科的静脈幹(surgical trunk)と呼称する．

❷ 後下膵十二指腸静脈(PIPDV)，後上膵十二指腸静脈(PSPDV)

　後下膵十二指腸静脈(posterior inferior pancreaticoduodenal vein：PIPDV)はVater乳頭部から膵後面をほぼ水平に左側に向かって走行し，第1空腸静脈に流入する．後上膵十二指腸静脈(posterior superior pancreaticoduodenal vein：PSPDV)はVater乳頭部から左上方に向かって走行し，PVに流入する．膵頭十二指腸切除術の際にGCTや

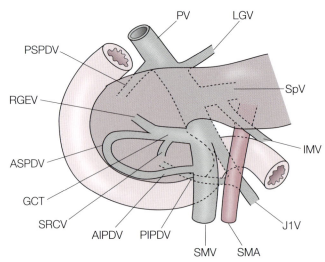

図7 膵臓の静脈
AIPDV：前下膵十二指腸静脈，ASPDV：前上膵十二指腸動脈，GCT：胃結腸静脈幹，IMV：下腸間膜静脈，LGV：左胃静脈，J1V：第1空腸静脈，PIPDV：後下膵十二指腸静脈，PSPDV：後上膵十二指腸静脈，PV：門脈，RGEV：右大網静脈，SMA：上腸間膜動脈，SMV：上腸間膜静脈，SpV：脾静脈，SRCV：上右結腸静脈．

IPDVを先に切離する場合には，膵頭部のdrainage veinとして流入動脈を処理するまでPSPDVを温存することで膵頭部のうっ血による出血を予防する．

❸ 左胃静脈（LGV）

左胃静脈（left gastric vein：LGV）はPV（39.0〜65.0%），SpV（30.3〜46.3%），もしくはPVとSpVの合流部（4.7〜39.7%）に流入する[6]．膵頭十二指腸切除術でPVを合併切除してSpVを再建しない場合には，LGVを温存することで左側門脈圧亢進症を予防する．

❹ 第1空腸静脈（J1V）

第1空腸静脈は70%がSMAの背側を走行し，30%が腹側を走行する．J1VがSMAの腹側を走行する場合はその静脈還流の範囲が広範囲になることが多く，膵頭十二指腸切除の際には可及的に温存して挙上空腸のうっ血を予防する．

❺ 脾静脈（SpV）

SpVは大部分が膵背側を走行しているが，膵尾部では膵上縁を走行していることが多く，膵上縁から確保することが可能である．

❻ 下腸間膜静脈（IMV）

下腸間膜静脈（inferior mesenteric vein：IMV）はSpV（34.0〜71.7%），SMV（18.9〜42.0%），もしくはSpVとSMVの合流部（7.6〜32.7%）に流入する[6]．IMVがSpVに合流している例では，膵頭十二指腸切除術でPVを合併切除してSpVを再建しない場合にも脾静脈血がIMVへ迂回できるため，左側門脈圧亢進症をきたしにくい．

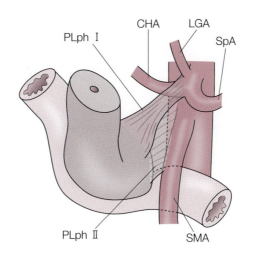

図8 膵頭神経叢
CHA：総肝動脈, LGA：左胃動脈, PLphⅠ：膵頭神経叢第Ⅰ部, PLphⅡ：膵頭神経叢第Ⅱ部, SMA：上腸間膜動脈, SpA：脾動脈.

7 CIPV

CIPV(centro-inferior pancreatic vein)は膵体部下縁を走行し, SpV(9.7〜59.0%), SMV(17.3〜41.9%), IMV(30.0〜78.2%)などに流入する静脈である[6]. 膵トンネリングや尾側方向に膵下縁を切離する際に出血の原因となることがあり, 注意を要する.

E 膵外神経叢

「膵癌取扱い規約(第7版)」[1]では, 7つの神経叢(膵頭神経叢第Ⅰ部：PLphⅠ, 膵頭神経叢第Ⅱ部：PLphⅡ, 上腸間膜動脈神経叢：PLsma, 総肝動脈神経叢：PLcha, 肝十二指腸間膜内神経叢：PLhdl, 脾動脈神経叢：PLspa, 腹腔動脈神経叢：PLce)を再検討し記載している.

膵頭部に入る神経線維束が膵頭神経叢であり, 右側腹腔神経節から出て鉤状突起の上内側縁に入るものを第Ⅰ部, PLsmaから出て鉤状突起の内縁全長にわたって入る幅の広い線維束を第Ⅱ部としている(図8). 実際にはPLphⅠ・Ⅱは神経線維だけではなく, 線維組織, 脈管, 脂肪組織を含む厚みをもった領域である.

F その他

1 門脈輪状膵

門脈輪状膵は膵鉤状突起がPVあるいはSMVを全周性に取り囲んで膵体部の背側に癒合する膵形態異常であり, 1.1〜2.5%に認められる. 主膵管の走行(Joseph分類)とSpVとの位置関係(Karasaki分類)で分類される(図9). 主膵管がPV腹側を走行し, 膵癒合部がSpVの頭側に存在するタイプが最多である.

主膵管がPV背側を走行するⅠ型とⅡ型では, 膵頭十二指腸切除術の際に膵切離面が2か所になると膵液瘻のリスクが高くなり, 注意を要する. 膵切離線を尾側に設

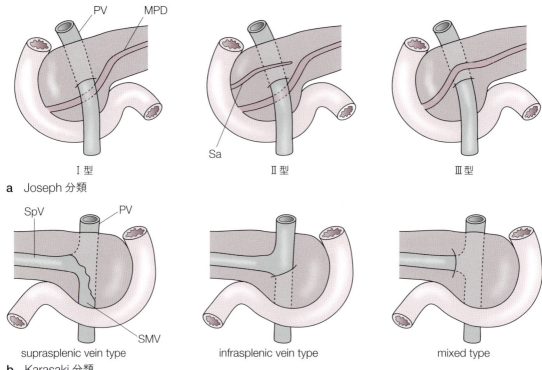

a Joseph 分類

suprasplenic vein type　　infrasplenic vein type　　mixed type

b Karasaki 分類

図 9　門脈輪状膵

MPD：主膵管，PV：門脈，Sa：Santorini 管，SpV：脾静脈，SMV：上腸間膜静脈．

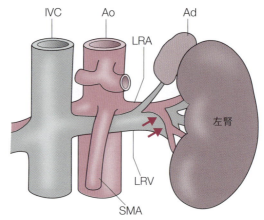

図 10　左腎動静脈

左腎動脈下極枝（矢印）が左腎静脈腹側を走行する破格が 43.1％ あるため，左腎静脈露出中の損傷に注意する．

Ad：左副腎，Ao：腹部大動脈，IVC：下大静脈，LRA：左腎動脈，LRV：左腎静脈，SMA：上腸間膜動脈．

定し，膵切離面を1か所にすることで膵液瘻のリスクは減少するが，残存膵組織の減少による術後糖尿病発症リスクの上昇には留意する必要がある．一方Ⅲ型であれば，PV背側の癒合膵をステイプラーで切離することが可能である．

2 | 左腎動静脈

　左腎動静脈の走行位置は，膵癌に対する尾側膵切除の際に重要な指標となる．膵実質の足側（82.4%）の場合には，背側（17.6%）よりも結腸間膜越しに空腸起始部近傍から左腎静脈を露出する操作が容易となる．また左腎動脈下極枝（図10，矢印）が左腎静脈腹側を走行する破格が43.1%にあり[6]，左腎静脈露出中の損傷に注意する（図10）．

文献

1) 日本膵臓学会（編）：膵癌取扱い規約（第7版）．p 12, pp 15-17, 金原出版, 2016
2) 佐藤達夫：臓側筋膜の局所解剖――層構造の基本と各部位における分化．日臨外医会誌 56：2253-2272, 1995
3) 易　勤：膵臓の発生と構造．胆と膵 40：1031-1037, 2019
4) Hiatt JR, et al：Surgical anatomy of the hepatic arteries in 1,000 cases. Ann Surg 220：50-52, 1994
5) Murakami G, et al：Vascular anatomy of the pancreaticoduodenal region：A review. J Hepatobiliary Pancreat Surg 6：55-68, 1999
6) Nishino H, et al：Precision vascular anatomy for minimally invasive distal pancreatectomy：A systematic review. J Hepatobiliary Pancreat Sci 29：136-150, 2022

〈蔵原　弘，大塚隆生〉

4 　手術計画とシミュレーション

1）PAMの知見（肝臓）

- 画像解析ソフトを活用した術前シミュレーション
- 高解像度映像によって認識される肝臓の解剖
- ICG蛍光法を利用した系統的肝切除

A　はじめに

　第34回日本肝胆膵外科学会学術集会(2021年2月)にて，腹腔鏡の拡大視効果によって明らかとなった手術に有用な精緻な解剖と，その解剖に基づく安全な手術手技について国際コンセンサス会議(Precision Anatomy for Minimally Invasive HBP Surgery Project：PAM-HBP Surgery)が企画，開催された．このエキスパートによるコンセンサス会議で得られた知見を本項では解説する．

B　術前シミュレーション

　肝臓の手術において，術前から肝臓内を走行する門脈，肝動脈，肝内胆管，肝静脈といった重要な脈管と腫瘍との位置関係を3次元的に正確にイメージすることは，若手外科医にとっては最初の難関となっている．
　そこで，昔から術前シミュレーション，イメージトレーニングの一環として，肝内脈管と腫瘍との位置関係を術前CT，MRI画像から立体的にスケッチで描出してから手術に臨むことが勧められてきた．スケッチは脳内でのイメージをクリアに構築していくためには欠かせず，今でも重要な術前の準備作業であることは間違いないが，この術前シミュレーションのイメージ作りを飛躍的に向上させたものが画像解析ソフトである．この解析ソフトを用いることで術前CT画像から簡便に3D画像が作成でき，さらに画面上，上下左右にその画像を回転させることができるのであらゆる角度から事前に観察でき，肝臓内の脈管と腫瘍との位置関係がかなり理解しやすくなった

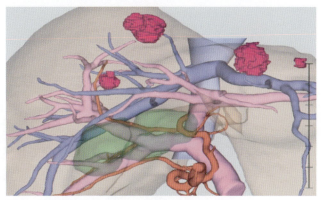

図1 画像解析ソフトによる術前シミュレーション
術前CT画像から簡便に3D画像が作成できる．画像を自由に回転させてあらゆる角度からシミュレーションが可能である．

動画1

(図1)．特に複数個ある腫瘍に対して複数箇所の肝切除が必要な場合に，この3D画像を活用することでどのように切除するか，切離すべき脈管と温存可能な脈管など綿密にシミュレーションすることができる【動画1】．

また1つのある門脈枝を選択すれば，その門脈枝が支配している流域の肝臓体積も算出(volumetry)することができる．これにより全肝に対する切除肝の割合なども正確に把握することができるようになり，肝機能に照らし合わせて耐術可能かどうかの判断も的確に行えるようになっている．

C Precision Anatomy for Minimally invasive surgery(PAM)

現在，世界的に肝臓外科領域も含めさまざまな外科領域で内視鏡下手術が広く行われている．この内視鏡下手術の普及に伴い，高解像度の映像，拡大視効果によりこれまではあまり認識されていなかった精緻な外科解剖(Precision Anatomy)が明らかになってきている．このような解剖を手術中に認識することで予期しない出血事象を回避し，安全な手術の遂行が期待できる．また，内視鏡下手術は逆に俯瞰的視野の欠損から方向感覚の喪失(disorientation)が弱点の1つとされているが，手術中にこの精緻な外科解剖を認識しながら手術を行えばそういった弱点も回避できると考えられている[1]．

この項では肝臓外科手術において注視したい外科解剖，ランドマークとそこに向かうアプローチ法について述べる．

1 | 肝門部から行うグリソンアプローチのためのランドマーク

❶ Rouviere溝，胆囊板(cystic plate)，肝門板(hilar plate)，尾状突起枝(G1c)

肝前区域枝，後区域枝を認識するうえではこれらの解剖を術中に認識して操作していくことが必須である(図2a)．前区域枝は肝門板から右側へ肝実質との間の剝離を進めて胆囊板の背側に存在しており，後区域枝の存在はRouviere溝が教えてくれる．

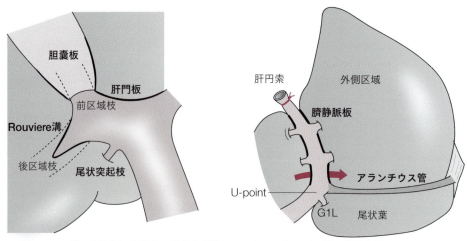

a　Rouviere溝，胆嚢板，肝門板，尾状突起枝　　b　アランチウス管，臍静脈板

図2　肝門部から行うグリソンアプローチのためのランドマーク
a：主に右側のグリソン（前区域グリソン，後区域グリソン）を認識するために重要である．
b：左側のグリソンを認識するために重要である．

また後区域グリソンのテーピングの際には尾状突起枝の存在に注意を払い，その末梢側で行うようにする．

動画2

❷ **アランチウス管，臍静脈板（umbilical plate）**

　左肝切除の際には門脈左枝臍部で，また門脈臍部と左肝静脈根部につながるアランチウス管を背側に落としながら図2bの矢印のところでグリソン一括でテーピングを行うと右枝を巻き込む恐れがなく安全とされている【動画2】．

2│肝静脈根部から肝静脈に沿った系統的肝切除のアプローチ

　肝門部からグリソン枝の追求が難しい肝S7やS8といった領域での系統的肝切除の際には，区域間に位置する肝静脈をランドマークとすることも有用とされている[2]．横隔膜に走行している下横隔静脈を根部のほうに追っていくと肝静脈根部を容易に見つけることができる（図3）．特に右の下横隔静脈は90%が下大静脈に，8%が右肝静脈根部に流入するとされている[3]．またこのような肝静脈根部へのアプローチは3つに分類され，それぞれ呼称も定義されている（図4）[4]．

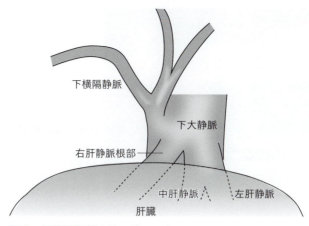

図3　肝静脈根部のランドマーク
右，中，左といった主肝静脈は区域切除といった系統的肝切除を行ううえでは重要なランドマークであるが，その位置を確認するためには下横隔静脈が重要である．

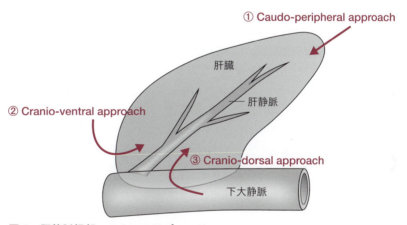

図4　肝静脈根部への3つのアプローチ
①Caudo-peripheral approach：開腹手術で一般的なアプローチ．足側末梢側から肝切離を進めていく．
②Cranio-ventral approach：腹腔鏡手術で主にS8切除などを企図したときにS4, S8境界を中肝静脈根部から切離を進めていくときのアプローチ．
③Cranio-dorsal approach：腹腔鏡手術で主にS7切除などを企図したときに右肝を授動後，S7, S8境界を右肝静脈根部から切離を進めていくときのアプローチ．

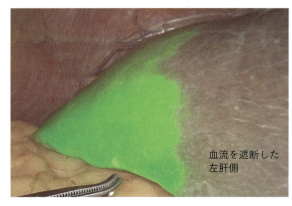

図5 ICG蛍光法
術中にICGを静注することにより区域間の境界が認識しやすくなる．写真は左肝切除の際，左肝への流入血行を遮断後にICGを静注，血流が保持された右肝部分と阻血された左肝部分の境界が明白となっている．

D ICG蛍光法を利用した腹腔鏡下肝切除

　肝臓外科分野では肝機能検査の1つとしてなじみのあるICG（インドシアニングリーン）の，「血漿蛋白と結合することで近赤外光を照射すると蛍光を発する」という特性を生かしたICG蛍光システムの活用が腹腔鏡下肝切除において注目されている．

　腫瘍の同定や区域の同定に用いられる[5]が，特に切除予定のグリソンの血流を遮断後，ICG蛍光システムによるnegative staining法で区域の同定は容易になっている（図5）．動画では肝S6亜区域切除でS6グリソン血流遮断後にICGを静注，S6とS7の境界が明瞭となり，切除後には残肝側の切離面に血流のよいところが残っていることが確認される【動画3】．このように術中にICGを静注することで区域間の境界が認識しやすくなり，系統的肝切除も正確に行えるようになっている．

動画3

Dos & Don'ts
- ☐ 綿密な術前シミュレーションで切離ラインを設定する．
- ☐ 術中は注目すべきランドマークを確認しながら手術を進める．
- ☐ ICG蛍光法も活用しながらより正確な系統的切除を遂行する．

文献

1) Wakabayashi G, et al：The Tokyo 2020 terminology of liver anatomy and resections：Updates of the Brisbane 2000 system. J Hepatobiliary Pancreat Sci 29：6-15, 2022
2) Monden K, et al：Consideration of cranial approach to major hepatic veins in laparoscopic anatomic liver resection of segment 8. J Am Coll Surg 231：498-499, 2020
3) Loukas M, et al：An anatomical classification of the variations of the inferior phrenic vein. Surg Radiol Anat 27：566-574, 2005
4) Gotohda N, et al：Expert consensus guidelines：How to safely perform minimally invasive anatomic liver resection. J Hepatobiliary Pancreat Sci 29：16-32, 2022
5) Funamizu N, et al：Evaluation of accuracy of laparoscopic liver mono-segmentectomy using the Glissonian approach with indocyanine green fluorescence negative staining by comparing estimated and actual resection volumes：A single-center retrospective cohort study. J Hepatobiliary Pancreat Sci 28：1060-1068, 2021

〈後藤田直人〉

2）PAMの知見（膵臓）

> **重要ポイント**
> ☐ 各動脈と静脈の走行パターンを知っておく．
> ☐ 各アプローチ法を理解しておく．
> ☐ それぞれのアプローチで重要となるランドマークを知っておく．
> ☐ 解剖構造に基づいた，適切な切離ラインを理解しておく．

A はじめに

　日本肝胆膵外科学会のプロジェクト研究として，解剖に基づく安全確実な低侵襲手術（minimally invasive surgery：MIS）を追求すべく，MISのエキスパートによる国際コンセンセンサス会議（Precision Anatomy for Minimally Invasive HBP Surgery Project：PAM-HBP Surgery）が，第34回日本肝胆膵外科学会学術集会（2021年2月）にて開催された．膵臓セッションでは，低侵襲膵頭十二指腸切除術（MIPD）および低侵襲尾側膵切除術（MIDP）を安全に行ううえで，認識すべき解剖構造や有用なアプローチ法についてディスカッションされ，システマティックレビュー[1-4]ならびにエキスパートオピニオンに基づき，16の推奨文が作成された[5,6]．このエキスパートコンセンサス会議において得られた知見をもとに，MISを導入する外科医が知っておくべきと考える解剖構造やアプローチ法について解説する．

B MIPDで知っておくべき動脈・静脈の走行パターン

1 総肝動脈，固有肝動脈，左右肝動脈の走行

　総肝動脈（CHA），固有肝動脈（PHA），左右肝動脈（LHA, RHA）の走行は5つのタイプに分類されることが報告されている（図1）[1]．最も典型的なType I の頻度は70%前後であり，この場合，固有肝動脈より分岐する右肝動脈（RHA）は通常，胆管の背側を走行するが，1.4～10%の頻度で胆管の前面を走行する．RHAがSMAより分岐するreplaced RHAや，CHAがSMAから分岐するreplaced CHAは12.9～20.7%の頻度で存在する．それらの動脈は門脈背側に存在し，右腹腔神経叢より膵上縁に広がる神経線維内に存在するため，動脈周囲を剥離する際には高度な技術を必要とする．MIPDでは，血管を損傷させないように，あらかじめ肝門側で動脈をテーピングしておき，SMA側で動脈根部を確認後，テーピングされた末梢に向け丁寧にisolationするのが望ましい．

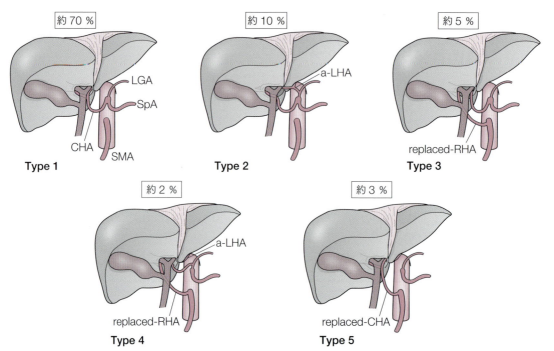

図1 総肝動脈(CHA), 固有肝動脈(PHA), 左右肝動脈(LHA, RHA)の走行
LGA:左胃動脈, SpA:脾動脈, SMA:上腸間膜動脈.

2 | 下膵十二指腸動脈(IPDA)

　IPDAの走行パターンにおいて, 第1空腸動脈(J1A)とIPDAが共通幹を形成する頻度は55.6〜83.3%であり, IPDAが独立して分岐する頻度は9.3〜35.8%であると報告されている. 共通幹を形成する症例においては, IPDA根部で処理する場合は, 空腸間膜切離の際にJ1Aを末梢で切離する必要がある. IPDA共通幹は, SMAの5〜7時の位置で分岐することが多いことから, SMA右側からのアプローチでIPDA根部処理の際, 剝離鉗子の軸に合わせるためSMAを右に回転させ, IPDAが9時方向になるような展開をする必要がある.

　膵頭部をSMAより分離する際に, 膵のうっ血による出血を回避するため, IPDAなどの膵頭部への流入動脈を切離するまで, 後上膵十二指腸静脈(PSPDV)のようなdrainage veinは温存しておくことが大切である. 一方, IPDAは神経・線維組織からなる密な結合組織で覆われているため, 術中にその位置を確認することは難しい. このためIPDAの走行パターンを術前画像検査にて評価しておく必要がある.

3 | 第1空腸静脈の走行パターンと近位背側空腸静脈(PDJV)(図2)

　第1空腸静脈(J1V)は, SMVから最初に分岐する空腸静脈であり, SMV背側から分岐しSMA後面を通り空腸間膜に広がる背部型(dorsal type)と, SMV左側より分岐しSMA前面を通り空腸間膜に広がる前部型(ventral type)の2種類に分類される.

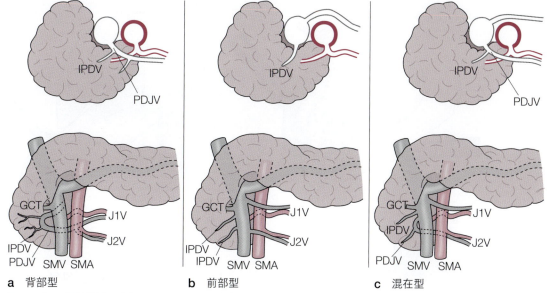

図2 第1空腸静脈の走行パターンと近位背側空腸静脈（PDJV）
IPDV：下膵十二指腸静脈，GCT：胃結腸静脈幹．

動画1

dorsal type が63.0〜87.2%，ventral type が5.8〜41.0% と dorsal type が多い．

dorsal type は SMV 背側から分岐後，膵鉤部に接しながら走行し，膵実質へ数本の下膵十二指腸静脈（IPDV）を分岐しながら空腸間膜に広がる．一方で J1V が ventral type でも，図2c のように第2空腸静脈（J2V）が SMV の背側から分岐し IPDV を分岐する混在型（mix type）もあることから，SMV の近位背側から分岐し膵鉤部へ IPDV を分岐する空腸静脈を近位背側空腸静脈（posterior-dorsal jejunal vein：PDJV）と呼ぶこともある．PDJV を膵鉤部から剝離する際は，IPDV を出血させないように丁寧にシーリングしながら切離していく必要がある【動画1】．MIPD を行ううえで最も出血しやすい部位であり，その走行を十分に理解しておく必要がある．

C MIPD で知っておくべき SMA へのアプローチ法

現在まで報告されている MIPD における SMA へのアプローチ法は，①右側アプローチ，②左側アプローチ，③前方アプローチ，④後方アプローチの4つに分類される（図3）[2]．報告の多くは右側アプローチであるが，いずれの報告も症例数の少ない単一施設の後ろ向き研究であり，十分なエビデンスのもと各アプローチ法の有用性を示した報告はない．

MIPD の熟練者へのアンケート調査では[5]，多くの熟練者は，チーム内における SMA へのアプローチ法を統一することは望ましいと考えているが，患者の体格や解剖学的構造，腫瘍の種類・進行度などのさまざまな要因が手術の進行に影響を与えるため，1つのアプローチ法のみを標準化するのではなく，さまざまなアプローチ法を知っておくことが望ましいと考えている．特に MIPD の基本となる右側アプローチ

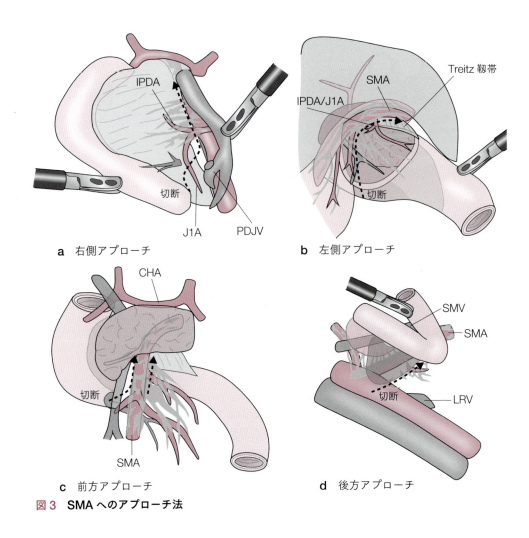

図3 SMA へのアプローチ法
a 右側アプローチ
b 左側アプローチ
c 前方アプローチ
d 後方アプローチ

での適切な展開方法を熟知すべきであり，ランドマークとなる解剖構造を確認のうえ切離ラインを設定することを推奨している．

D SMA右側アプローチで確認すべきランドマーク

SMA 右側アプローチにおける静脈に基づく切離ラインとして，3つのラインに分けられる（図4）[5]．
- 切離ライン A：膵鉤部に沿って切離（IPDV 末梢で切離）．
- 切離ライン B：SMV 背側から分岐する空腸静脈（PDJV）に沿って切離し，IPDV 根部で切離．
- 切離ライン C：PDJV 根部で切離．

動画2

郭清を伴う MIPD では，多くの膵 MIS 熟練者は切離ライン B を選択しており，エキスパートオピニオンとして SMA 周囲の郭清をする際は SMV 背側から分岐する PDJV ならびに IPDV の位置を確認することを推奨している【動画2】．

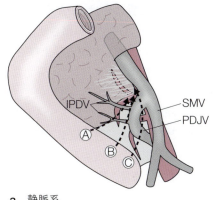 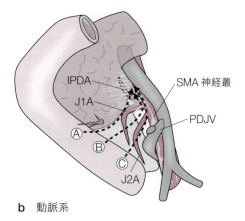

a 静脈系　　　　　　　　　　　　　　b 動脈系

図4　SMA 右側からのアプローチ法

a：切離ライン A：膵鉤部に沿って切離(IPDV 末梢で切離).
　　切離ライン B：SMV 背側から分岐する近位背側空腸静脈(PDJV)に沿って切離し，PDV 根部で切離.
　　切離ライン C：PDJV 根部で切離.
b：切離ライン A：膵鉤部に沿って切離(IPDA 末梢で切離).
　　切離ライン B：SMA 神経叢に沿って膵外神経叢を切離，IPDA/J1A 共通幹根部で切離.
　　切離ライン C：SMA 神経叢に沿って膵外神経叢を切離し，IPDA/J1A 共通幹根部と第 2 空腸動脈根部で切離.

　SMA 右側アプローチにおける動脈に基づく切離ラインとして，3 つのラインに分けられる(図4)[5].

- 切離ライン A：膵鉤部に沿って切離(IPDA 末梢で切離).
- 切離ライン B：SMA 神経叢に沿って膵外神経叢を切離し，IPDA/J1A 共通幹根部で切離.
- 切離ライン C：SMA 神経叢に沿って膵外神経叢を切離し，IPDA/J1A 共通幹根部と第 2 空腸動脈根部(J2A)で切離.

　郭清を伴う MIPD では，多くの熟練者は切離ライン B を選択し郭清している【動画2】．エキスパートオピニオンとして，SMA 周囲の郭清を行う際は，SMA を損傷しないようあらかじめ SMA 神経叢の位置を確認することが推奨されている．SMA 神経叢から膵頭部へ分岐する多くの神経線維があり，SMA 神経叢の位置を確認するのが難しい．ここで SMA と PDJV と交差している部位では SMA 神経叢は末梢に神経線維を分岐せず，SMA 神経叢が束となっており，SMA 神経叢の位置を確認しやすい．PDJV を膵鉤部より分離することで，PDJV と交差する SMA 神経叢を容易に確認することができる【動画3】．

動画3

E　MIDP で知っておくべき動脈・静脈の走行パターン

1　脾動脈(SpA)

　SpA はさまざまな分枝(図5A)と走行パターン(図5B)があり，術前にその走行を理解しておくことは大切である．SpA 根部では，約 6 割の頻度で一部の動脈が膵実質

に入り込んでおり，SpA根部近傍から膵実質に向けDPAが分岐していることが多い[3]．このため根部でエンサークルする際，DPAを損傷させないように注意が必要である．SpAの走行パターンは，動脈が屈曲しながら膵上縁を走行するパターン（Type 1）と，SpAが屈曲せず膵背側を走行するパターン（Type 2）に大きく分けられる（図5Bのd）．

　脾門部ではSpAは通常2～3本に分岐し，脾上極に流入する枝は脾動脈上極枝，脾下極に流入する動脈は脾動脈下極枝と呼ばれる．脾上極や下極で脾臓を脱転する際は，剝離層が脾門部に入るとこれらの枝を損傷し出血するおそれがあるため注意が必要である．また脾門部でのSpA分岐部では通常，脾静脈（SpV）が交差し複雑なため，脾動静脈温存手術の際は血管損傷のないように注意が必要である．SpV腹側でSpAが分岐する頻度は66％であり，SpV背側でSpAが分岐する頻度は34％と報告されている．

2 | 背側膵動脈（DPA）と横行膵動脈

　腹腔動脈周囲より膵実質に分岐する動脈は背側膵動脈（DPA）と呼ばれている．DPAはSpAより分岐することが最も多いがCHA，CA，SMAからも分岐するため，これらの動脈周囲を剝離する際は注意が必要である．膵尾部の中央よりSpAから膵実質へ分岐する動脈は大膵動脈と呼ばれている．解剖学的にDPAと大膵動脈の区別は難しく，実際の手術を行ううえで分けて考える必要はないが，SpAより実質へ分岐する動脈が数本あることを認識しておく必要がある．脾門部近傍でSpAから膵実質へ分岐する枝は尾側膵動脈と呼ばれる．DPAは通常，膵実質内で左右の枝に分岐し，右枝は膵十二指腸動脈アーケードに合流する．左枝は横行膵動脈として膵実質内を走行し，大膵動脈，尾側膵動脈と合流する．自動縫合機で膵切離を行う際は切離断端部より横行膵動脈からの出血を伴うことがあり，膵切離後はしっかりと止血を確認しておく必要がある．

3 | 脾静脈（SpV），左胃静脈（LGV），下腸間膜静脈（IMV）

　SpV剝離の際は，SpVより膵実質へ分岐する枝を損傷しないように注意する必要がある．特に膵尾部でのSpVからの枝は細く，分岐後は膵実質にすぐに流入するため，損傷しないように注意が必要である．左胃静脈（LGV）は39.0～65.0％の頻度で門脈に流入し，30.3～46.3％の頻度でSpVに流入するほか，4.7～39.7％で門脈と脾静脈の合流部に流入することが報告されている．加えてLGVは49.4％の頻度でCHA背側を通り，22.2％の頻度でCHA腹側，21.0％の頻度でSpA腹側，2.5％の頻度でSpA背側を通ると報告されている．MIDPを行う際は，LGVを損傷させないように術中に注意深く確認する必要がある．膵下縁において，膵実質からSMV左縁もしくは下腸間膜静脈に流入する静脈はcentro-inferior pancreatic veinと呼ばれ，横行膵静脈に合流する．膵下縁でSMVを露出する際は，この静脈を損傷しないように注意する必要がある．

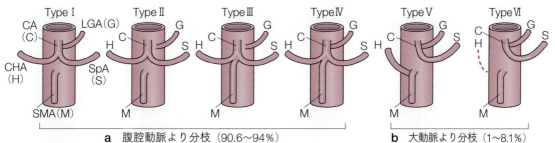

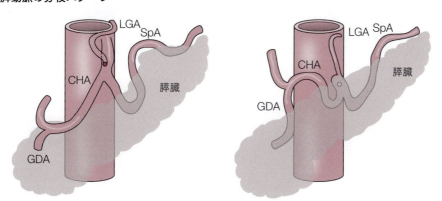

c　Type 1(38%)：屈曲しながら膵上縁を走行　　d　Type 2(62%)：屈曲せず膵背側を走行

B　脾動脈の走行パターン

図5　脾動脈の分枝と走行パターン

CA：腹腔動脈，LGA：左胃動脈，SpA：脾動脈，SMA：上腸間膜動脈，CHA：総肝動脈．

4｜左腎静脈(LRV)

　膵体尾部癌で後方郭清を行う場合，左腎静脈(LRV)，左副腎，左腎は重要なランドマークとなる．多くの膵MIS熟練者は，膵後方のサージカルマージン確保のためLRV前面を広く露出させている．膵下縁でGerota筋膜を切開し，脂肪織に包まれた中からLRVを探すことになるが，LRVの位置は症例により異なるため術前画像にて位置を確認しておくことが望ましい．LRVは通常，膵下縁より足側に存在するが17.6％の頻度で膵背側または膵の頭側に存在する(図6Aのb)．腎門部近くでは左腎動脈(LRA)が分岐し，43.1％の頻度でLRA下枝が腎静脈の前面を露出する(図6Bのd)．このためLRV露出の際は，この動脈枝を傷つけないよう注意する必要がある．

F　MIDPで知っておくべきアプローチ法

1｜膵背側の切離ライン

　MISにおける膵体尾部背側の視野は開腹と比較して良好であり，解剖構造に基づく緻密な剥離が可能となる．膵MIS熟練者に行ったアンケート調査では，郭清を伴わない良性・低悪性度膵腫瘍では，通常，Gerota筋膜前面を剥離層(切離ラインA)と

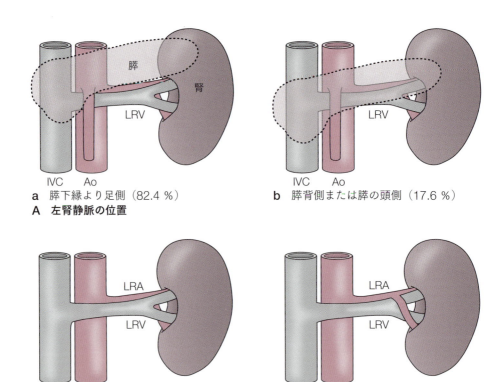

図6 左腎静脈(LRV)の位置と左腎動脈下枝の走行パターン
a 膵下縁より足側 (82.4 %)
b 膵背側または膵の頭側 (17.6 %)
A 左腎静脈の位置
c LRVの背側 (56.9 %)
d LRVの前面 (43.1 %)
B 左腎動脈下枝の走行パターン

していることが多い．膵癌では後方のサージカルマージン確保のため，左腎静脈の前面，左腎前面，左副腎の前面を露出する層(切離ラインB)で郭清し，左副腎浸潤がある場合は副腎合併切除(切離ラインC)としている(図7)．左腎静脈を露出する方法として，横行結腸間膜を開放後にTreitz靱帯を右腹側に牽引し，その背側にある後腹膜と脂肪織を切離すると左腎静脈が確認しやすいと報告されている．左副腎においても，その周囲は脂肪組織に包まれることから，露出困難なケースが存在する．左副腎を露出する際は，左副腎に流入する左副腎静脈がよいランドマークとなる．左腎静脈を露出させたあとに分岐する左副腎静脈前面を露出させ，その静脈を追っていくと左副腎前面が確認しやすくなる[4, 6]【動画3】．

動画3

2 脾温存尾側膵切除で温存すべき血管

❶ Warshaw手術(図8)

脾動静脈を切離し脾臓を温存するWarshaw手術の大きな問題点は，術後脾梗塞の発生である．その防止のため，側副動脈血行路を温存することが重要である．脾臓に流入する動脈は脾動脈以外に短胃動脈や左胃大網動脈があり，これらの血管を温存する必要がある．左側門脈圧亢進症や胃静脈瘤の発生を防止するため，側副静脈血行路を温存することが大切である．

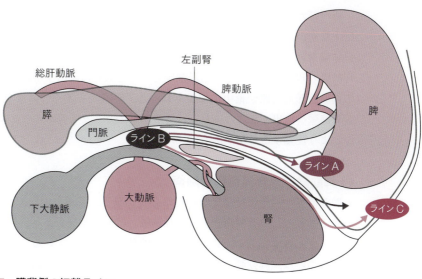

図7 膵背側の切離ライン

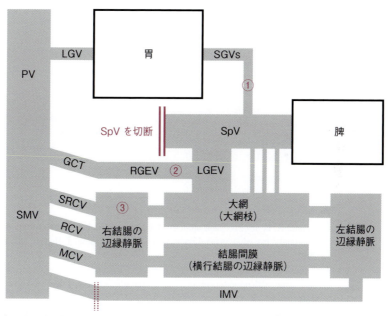

図8 脾温存尾側膵切除（Warshaw手術）で知っておくべき側副静脈血行路
① 短胃静脈から胃内を介して門脈系へ流出する経路
② 脾門部から分岐するLGEVからRGEV，GCTよりSMVに流出する経路
③ LGEVから大網枝に流出し，横行結腸の辺縁静脈を通り，結腸静脈を介しSMVに流出する経路
SGV：短胃静脈，LGEV：左胃大網静脈，RGEV：右胃大網静脈，GCT：胃結腸静脈幹，MCV：中結腸静脈，RCV：右結腸静脈，SRCV：回結腸静脈．
〔Nishino H, et al：Precision vascular anatomy for minimally invasive distal pancreatectomy：A systematic review. J Hepato-Biliary-Pancreat Sci 29：136-150, 2022 を一部改変〕

脾門部から門脈系への側副静脈路として，①短胃静脈から胃内を介し門脈系へ流出する経路，②脾門部から分岐する左胃大網静脈（LGEV）から右胃大網静脈（RGEV），胃結腸静脈幹（GCT）よりSMVに流出する経路，③LGEVから大網枝に流出し，横行結腸の辺縁静脈を通り，結腸静脈を介しSMVに流出する経路が存在する．②，③の側副静脈血行路が術中に切離されると，脾臓から多くの血流が①の血行路である短胃静脈へ流出することになり，胃静脈瘤のリスクを高めることになるため，損傷しないよう注意する必要がある（図8）[4,6]．

❷ 脾動静脈温存尾側膵切除術

脾動静脈の温存には高度な技術が必要となる．前述のように，SAから膵実質に分岐する動脈として背側膵動脈，大膵動脈，尾側膵動脈があり，損傷しないよう丁寧にクリップし切離していく必要がある．脾動脈は蛇行していることが多く，膵実質からの剝離の際は，脾動脈を直線化させエネルギーデバイスや剝離鉗子の軸に合わせるようにする．SVを膵実質から剝離する際，脾門部近傍ではSAとSVが複雑に交差しているため，注意が必要である．SVから膵実質に多くの分枝があり，損傷しないように体部から尾部に向け，SVの方向をエネルギーデバイスの軸に合わせるように展開しながら，慎重に剝離する必要がある[4,6]．

Dos & Don'ts
- 安全確実な手術を行うには正確な解剖を理解することが重要である．
- 各ランドマークを確認しないで手術を進行することは，きわめて危険である．

文献

1) Nakata K, et al：Precision anatomy for safe approach to pancreatoduodenectomy for both open and minimally invasive procedure：A systematic review. J Hepato-Biliary-Pancreat Sci 29：99-113, 2022
2) Nagakawa Y, et al：Surgical approaches to the superior mesenteric artery during minimally invasive pancreaticoduodenectomy：A systematic review. J Hepato-Biliary-Pancreat Sci 29：114-123, 2022
3) Nishino H, et al：Precision vascular anatomy for minimally invasive distal pancreatectomy：A systematic review. J Hepato-Biliary-Pancreat Sci 29：136-150, 2022
4) Ban D, et al：Surgical approaches for minimally invasive distal pancreatectomy：A systematic review. J Hepato-Biliary-Pancreat Sci 29：151-160, 2022
5) Nagakawa Y, et al：International expert consensus on precision anatomy for minimally invasive pancreatoduodenectomy：PAM-HBP surgery project. J Hepato-Biliary-Pancreat Sci 29：124-135, 2022
6) Ban D, et al：International Expert Consensus on Precision Anatomy for minimally invasive distal pancreatectomy：PAM-HBP Surgery Project. J Hepato-Biliary-Pancreatic Sci 29：161-173, 2022.

〈永川裕一，中村雅史〉

基本手技

1 肝門部脈管処理 82
　1）グリソン鞘一括処理【動画】................................ 82
　2）個別処理 88
2 肝離断における肝血流コントロールおよび
　肝臓ハンギング法，肝脱転【動画】........................... 96
3 肝離断（CUSA®，Crush Clamping法）.................. 105
4 肝静脈の処理・下大静脈切除再建 111
5 門脈切除再建【動画】... 118
6 膵-消化管吻合 124
　1）膵-胃吻合（膵管-胃粘膜吻合）【動画】................. 124
　2）膵-腸吻合【動画】... 131
7 胆道再建【動画】... 137

1　肝門部脈管処理

1）グリソン鞘一括処理

重要ポイント

- □ 胆囊摘出後にCalot三角背側の結合織処理を行うと，前区域グリソン鞘の腹側面が明瞭に見え，肝実質内に進入する形態が確認できる．
- □ グリソン鞘を線維性索状物として意識し鈍的剝離を行い，背側の剝離は可能な限り目視で行う．
- □ 数本の一次分枝から直接肝内に侵入する細いグリソン鞘の切離により，肝門部の緊張がとれて視野が展開し，二次分枝の剝離が容易となる．
- □ テーピングしたネラトンチューブを膵側に牽引し，さらに肝内に向かってグリソン鞘を剝離し頸を長くする．
- □ グリソン鞘の結紮はできるだけ肝側で二重結紮，刺通結紮を行う．

A　はじめに

　Couinaudは，その著書『肝臓の外科解剖』[1]の中で，肝門板より分岐したグリソン鞘茎を遮断することの重要性を指摘している．肝門板より肝側のグリソン鞘茎の処理は，その茎が支配する領域以外への脈管を含んでいないことから，脈管のバリエーションを考慮することなく，安全に肝切除を施行することが可能であると強調している[1]．また，1985年にはSurgery誌にこの方法を用いた左肝切除を報告した[2]．高崎らは同様の方法が右肝領域でも可能であることを示した[3,4]．Lin TY（台湾）[5]，Tung TT（ベトナム）[6]，岡本ら（兵庫医大）[7]は肝実質を離断して門脈茎に到達する方法を示している．

　Couinaudはこの門脈茎に到達する経路を3つ示した[1]．鞘内到達法（hilar access），鞘外到達法（extrafascial approach），肝離断先行鞘外到達法（fissural approach）である．Couinaud，高崎らが示したのは鞘外到達法であり，Lin，Tung，岡本らが示したのは肝離断先行鞘外到達法で，それまでに行われていた鞘内到達法と比較すると，格段に肝切除術の簡便さや安全性が向上した．いずれも約40年前に開発された術式で，彼らがこの手術のパイオニアであることは間違いない．

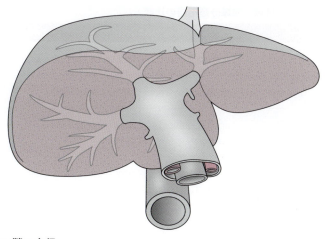

図1 グリソン鞘の走行
グリソン鞘を1つの単位とすると，肝は3つの領域(左肝，前区域，後区域)に分けることができる．

本項では，高崎らが考察した肝門部グリソン鞘一括処理による血行処理先行の肝切除，鞘外到達法について述べる．

B 基本的外科解剖と用語

肝門部の左側から左肝のグリソン鞘が，右側から右傍正中領域および右外側領域のグリソン鞘が分岐する．グリソン鞘はこの3分岐形態が基本形であり，実際に肝門から剝離することで，このグリソン鞘に容易にアプローチすることが可能である．このグリソン鞘はさらに肝内末梢に向かって7～8本の三次分枝を出している．

このようにグリソン鞘を1つの単位として肝区域を考察すると，肝は3つの領域に分けることができる(図1)．高崎らは，この3つの領域を左区域，中区域，右区域と命名した．左区域は左肝，中区域は前区域または右傍正中領域，右区域は後区域または右外側領域に当たる．肝臓の用語(terminology)については，Couinaud分類，原発性肝癌取扱い規約などいずれも異なる言葉が使われてきたが，IHPBA Brisbane 2000で統一化についての提唱があり，現在はこの分類が使われることが多くなっている(表1)．

C 手術手順

① 胆囊壁に沿った胆囊摘出を行う．肝十二指腸間膜には極力切り込まない．切り込み挫滅すると，グリソン鞘の剝離，露出が困難となる．
② Calot三角背側の結合織を処理する．確実に行えば前区域グリソン鞘の腹側面が明瞭に見えてきて，肝実質内に進入する形態が確認できる．
③ 前区域グリソン鞘を剝離する．グリソン鞘を線維性索状物として意識し鈍的剝離を行う．Laennec被膜を意識することで確実な層に入ることが可能になる(図2)．
④ グリソン鞘1次分枝から直接肝内に進入する細いグリソン鞘を数本認める．4-0

表1　区域・領域分類用語の比較

	right liver		left liver			
Takasaki	right segment	middle segment	left segment			caudate area
Healey	posterior segment	anterior segment	medial segment	lateral segment		caudate lobe
Brisben 2000	right posterior section	right anterior section	left medial section	left lateral section		segment 1
Couinaud	right lateral section	right paramedian section	left paramedian sector		left lateral sector	dorsal liver
Couinaud segment	7	6	8	5	4	3	2	1

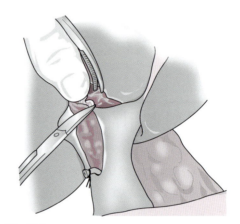

図2　前区域グリソン鞘の露出
肝門部にて肝実質から鈍的に前区域グリソン鞘の基部を露出する．

糸の結紮切離により肝門部の緊張が取れ視野が展開し，2次分枝の剥離が容易となる．

⑤ 術野展開：第2助手は肝円索を垂直に引き上げる．第1助手は肝十二指腸間膜を左手第2指と第3指で挟むか，Pringle鉗子を膵臓側に牽引する．肝皮膜とグリソン鞘の境界に適度な緊張が加わり，剥離層の確認が容易になる．第1助手は右手に吸引器を持ち，剥離した肝とグリソン鞘の狭い空間からの出血を随時吸引して視野を確保する．

⑥ グリソン鞘背側の剥離は可能な限り目視で行う．鉗子に抵抗を感じたときは決して無理せず剥離をやり直す．テーピングには6号ネラトンチューブを用いる（図3）．

⑦ 後区域グリソン鞘の確保には，直達法と引き算法の2種類の方法がある．

- **直達法**：Rouviere溝を確認する．すでに後区域グリソン鞘腹側面が確認でき，直接的な剥離が可能となる．尾状葉突起への細いグリソン鞘枝を確認し温存する．後区域グリソン鞘は肝門部二分岐支配が多く，直達法で後区域グリソン鞘を剥離把持したつもりでもS6の3次分枝グリソン鞘のみの場合がある．必ずテストクランプ

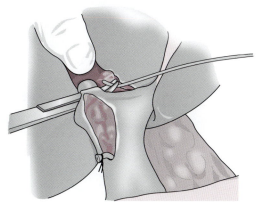

図3　前区域グリソン鞘のテーピング
6号ネラトンチューブを用いることが多い．

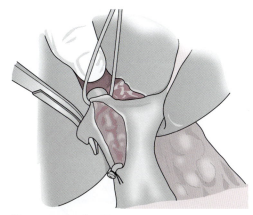

図4　後区域グリソン鞘のテーピング（直達法）
尾状葉突起への細いグリソン鞘枝を確認し温存する．

をして，グリソン鞘の支配領域を確認する．テーピングした脈管がS6枝の場合は，このグリソン鞘を結紮切離し，その裏にある頭背側へ向かう結合織がS7グリソン鞘である（図4）．

- **引き算法**：右1次分枝をテーピングしたあとに前区域枝を差し引いて後区域枝をテーピングする（図5）．

⑧ 左グリソン鞘の処理は，第2助手が肝円索を垂直に腹側へ引き上げて左側肝門に緊張をかける．小網は切離せず，アランチウス管の腹側で左側剝離を行う．S2グリソン鞘根部が目標となる．背側の剝離は目視で行う必要があり，成人男性の親指が左グリソン鞘の太さの目安になる．左グリソン鞘の背側には中肝静脈が走行しているため注意する（図6）．

⑨ 左グリソン鞘，前区域グリソン鞘，後区域グリソン鞘ともテーピングしたネラトンチューブを膵側に牽引し，さらに肝内に向かってグリソン鞘を剝離，露出させて頸を長くする．グリソン鞘の結紮は，できるだけ肝側で1号糸の単純結紮と針付2号糸の刺通結紮を行う．器械吻合器を使用してもよいが，さらに頸を長くし

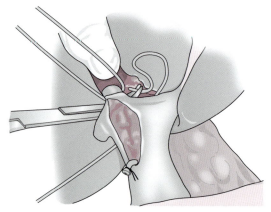

図5　後区域グリソン鞘のテーピング(引き算法)
右1次分枝から前区域枝を差し引いてテーピングする．

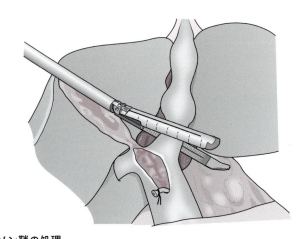

図6　左グリソン鞘の処理
左側では小網は切離せずにアランチウス管の腹側で剥離を行う．

ておく必要がある(図7)．
⑩ グリソン鞘離断は，肝実質切除を先行し肝門部が展開されたあとに行ったほうが頸を長く取れるためやりやすい．離断前にも肝内に向かいグリソン鞘をさらに剥離すると縫い代分が十分に確保でき，糸の脱落を防ぐことができる．

D おわりに

　　肝門部グリソン鞘一括処理による血行処理先行の肝切除，鞘外到達法について述べた．この術式を応用し肝実質内までグリソン鞘を追求することで，さらに小さな領域の系統的，解剖学的切除，いわゆる亜区域切除が可能となる．手術の簡便さや安全性向上を前提に40年前に開発された術式であるが，現在は腹腔鏡下肝切除によりさらに見直されている．まさに先人たちのSDGs (Sustainable Development Goals：持続可能な開発目標)は見事に達成されたといえる．

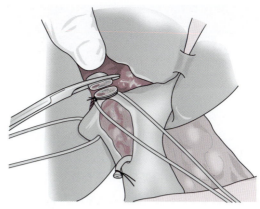

図7 グリソン鞘の結紮と切離
テープを膵側に十分に牽引し,できるだけ肝側で行う.

Dos & Don'ts

- グリソン鞘の背側剝離においては,無理に鉗子を挿入しないこと.
- 右グリソン鞘1次分枝での結紮切離は対側脈管の損傷を引き起こす可能性がある.左グリソン鞘もSpiegel枝より中枢側で処理した場合は,やはり対側脈管の損傷が危惧される.
- グリソン鞘の確保が困難なときは,無理をせずに肝離断先行鞘外到達法,あるいは鞘内到達法(肝門個別処理)に変更する.特に,腫瘍局在が肝門部近傍や,腫瘍によるグリソン鞘の変形があるときは注意を要する.
- 肝門部の細い脈管は丁寧に結紮する.出血で視野が悪くなるだけでなく,術後胆汁漏の原因になりうる.

文献

1) Couinaud C : Surgical anatomy of the liver revisited. Self-printed, Paris, 1989
2) Couinaud C : A simplified method for controlled left hepatectomy. Surgery 97 : 358-361, 1985
3) Takasaki K, et al : New developed systematized hepatectomy by Glissonean pedicle transection method(in Japanese). Shujutsu 40 : 7-14, 1986
4) Takasaki K, et al : Highly anatomically systematized hepatic resection with Glissonean sheath code transection at the hepatic hilus. Int Surg 75 : 73-77, 1990
5) Lin TY : A simplified technique for hepatic resection : The crush method. Ann Surg 180 : 285-290, 1974
6) Tung TT, et al : A new technique for operating on the liver. Lancet 26 : 192-193, 1963
7) Okamoto E : Hepatic resection for primary hepatocellular carcinoma : New trials for controlled anatomic subsegmentectomy by an initial suprahilar Glissonian pedicular ligation method(in Japanese). Gastrointestinal surgical seminar 23. Health Pub : 230-241, 1986

(片桐 聡)

2）個別処理

> **重要ポイント**
> - ☐ 解剖破格も含め術前画像で脈管走行を正確に把握しておく．
> - ☐ 残肝側胆管の損傷を避けるため，1次分枝（特に左右肝管合流部近傍）で胆管を切離する際は胆道造影などを考慮する．
> - ☐ 門脈確保の際，門脈背側の剥離は尾状葉枝の損傷に注意する．

A　はじめに

　肝切除における肝門処理にはグリソン一括処理と個別処理がある．それぞれ利点があり，腫瘍条件に応じて適切に使い分けられるよう，肝胆膵外科医としてはどちらの手技にも習熟することが望ましい．血栓や腫瘍栓を門脈1次ないし2次分枝近傍まで認める場合など，動門脈の切離ラインをコントロールしないといけない場合は個別処理のよい適応となる．

B　肝門処理の前に

1 | 解剖と胆管切離ライン

　肝門の解剖詳細は別項に譲る．典型的な肝門の脈管模式図を図1に示す[1]．図1aは肝動脈を外している．左肝切除・右肝切除ともに門脈処理の際に尾状葉枝損傷に注意する．肝動脈を追加（図1b），肝十二指腸間膜を追加（図1c）して実際の肝門解剖が完成する（胆嚢は割愛している）．本項では①左肝切除（尾状葉切除なし），②左肝切除（尾状葉切除あり），③右肝切除の肝門個別処理について説明する．それぞれの胆管切離ラインは図1dの通りである．

2 | 特に知っておくべき破格

❶ 肝動脈の破格
　①左肝動脈が左胃動脈から分岐するタイプ（12％），②右肝動脈が上腸間膜動脈から分岐するタイプ（11％）である[2]．

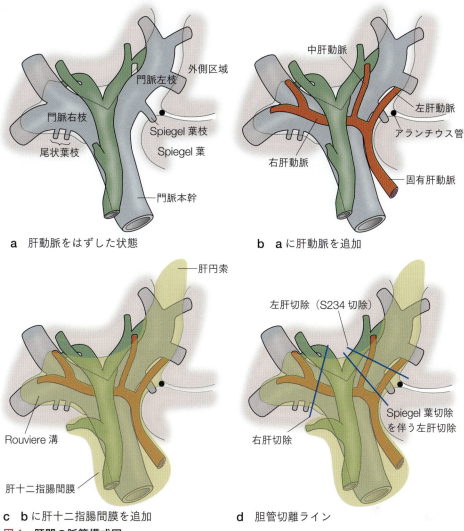

図1 肝門の脈管模式図

〔bはTakayama T, et al:Relevant hepatobiliary anatomy. In Conrad C, et al:Laparoscopic Liver, Pancreas, and Biliary Surgery. pp 148-168, Wiley, UK, 2017より〕

❷ 門脈の破格

① 後区域枝が門脈本幹から分岐するタイプ(7%),② 三分岐(左枝・前区域枝・後区域枝が同時に分岐する)タイプ(6%)である[2].

❸ 胆管の破格

① 後区域枝が左肝管に合流するタイプ(17%),② 後区域枝が門脈腹側を走行する(いわゆる南回り)タイプ(12%)である[2].

特に留意すべきなのは,胆管後区域枝が左肝管に合流するタイプに対して左肝切除を行う場合である.胆管をアランチウス管よりも末梢側で切離する左肝切除(尾状葉切

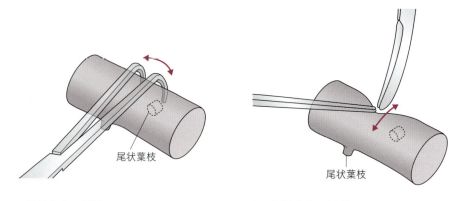

a 長軸方向の剥離　　　　b 短軸方向の剥離

図2　剥離の方向
尾状葉枝の損傷を避けるため，門脈背側ではなるべく短軸方向の剥離を行う．

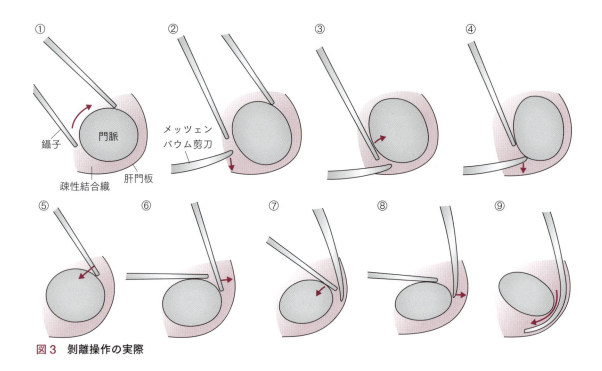

図3　剥離操作の実際

除なし）の場合は問題ないとされているが，左肝切除（尾状葉切除あり）の場合は胆管切離の際に胆道造影を行うなど，後区域枝の損傷に対して十分に留意する必要がある．

3　門脈剥離手技

個別処理法では，肝十二指腸間膜の漿膜を切開して，肝動脈・門脈を剥離し，結紮切離を行う．胆管は通常肝離断の最終局面で切離する．門脈の剥離操作の際は尾状葉枝の損傷に注意する必要がある．そのため門脈背側では門脈長軸方向の剥離（図2a）をなるべく避けて，短軸方向の剥離（図2b）を行う．

実際の剝離操作は鑷子で門脈を展開し，メッツェンバウム剪刀で剝離を行う(図3)．さらに奥を鑷子で展開し，メッツェンバウムで剝離を行う．この手技を繰り返していく．両側から十分に結合織を剝離してから鉗子で門脈を拾う．

C 肝門処理の実際

肝門処理に先行してまず胆摘を行う．S234切除では必要ないが，胆道造影および肝切除後の胆汁リークテストのため胆囊管断端から胆道造影チューブ(5 Fr アトムチューブなど)を挿入しておく．

胆管切離はいずれの場合も肝離断の最終局面になることが多いので，本項では動門脈の処理について主に説明する．

1 | 左肝切除(尾状葉切除なし)

❶ 視野展開
肝円索を腹側に牽引し，第2助手が肝十二指腸間膜を尾側に牽引して視野を展開する．漿膜切開は黒点線ラインでよい(図4a)．小網は視野が悪くなければ切開する必要はない．

❷ 肝動脈の同定・切離
門脈左枝腹側の脂肪織を丁寧に剝離して左肝動脈と中肝動脈を同定，テーピングする．クランプテストを行い，左および中肝動脈であることを確認してそれぞれ結紮切離する(図4b)．

❸ 門脈左枝の同定・切離
肝動脈を切離すると視野が広がり，門脈左枝が容易に確認できる．Spiegel葉枝を損傷しないように上述した方法などで短軸方向の剝離を行い，門脈左枝を確保する．クランプテストを行い，門脈右枝の血流温存の確認およびdemarcation lineの出現を確認したあとに結紮切離する(図4c)．

腫瘍が小さい場合は上記の最小限の剝離でよいが，腫瘍が大きい場合などでは躊躇なく肝門を十分剝離露出し，解剖の誤認を防ぐことが望ましい．

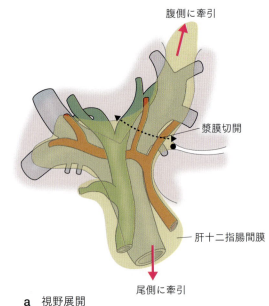

a 視野展開

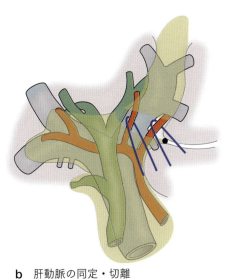

b 肝動脈の同定・切離

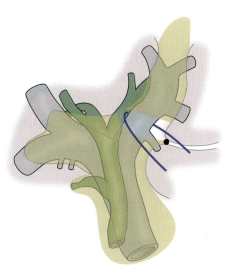

c 門脈左枝の同定・切離

図 4 左肝切除（尾状葉切除なし）

2 ｜ 左肝切除（尾状葉切除あり）

❶ 視野展開

　肝円索を腹側に牽引し，第 2 助手が肝十二指腸間膜を尾側に牽引して視野を展開する．漿膜切開は固有肝動脈の長軸方向に沿って行う（図 5a，黒点線）．小網は肝十二指腸間膜左縁からアランチウス管沿いに広く切開しておく．

❷ 肝動脈の同定・切離

　固有肝動脈をテーピングし，肝側へ剝離を進めて左肝動脈および中肝動脈をテーピ

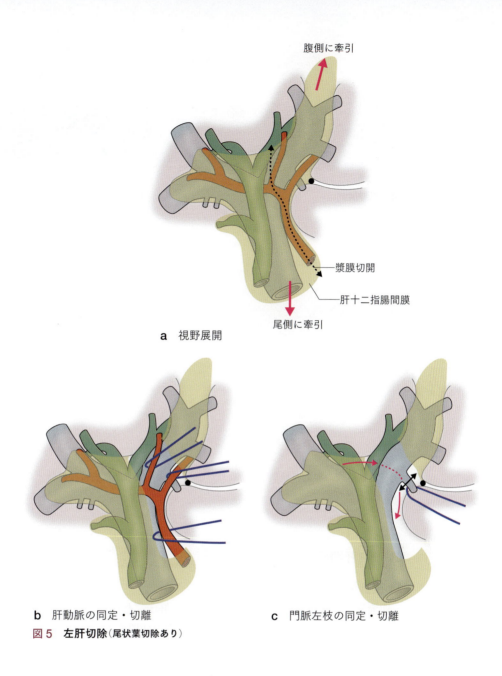

a 視野展開

b 肝動脈の同定・切離

c 門脈左枝の同定・切離

図5 左肝切除（尾状葉切除あり）

ングする．クランプテストを行い，左および中肝動脈であることを確認してそれぞれ結紮切離する（図5b）．

❸ 門脈左枝の同定・切離

　肝動脈を切離すると視野が広がり，門脈左枝が容易に確認できる．門脈左枝を丁寧に剝離してテーピングする．Spiegel葉枝が左枝確保の妨げになる場合はこれを先に結紮切離する（図5c，黒矢印）．門脈中枢方向へ剝離を行い，左右分枝部を確認する．クランプテストを行い，門脈右枝の血流温存の確認およびdemarcation lineの出現を確認したあとに結紮切離する（図5c）．

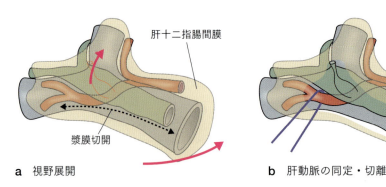

a 視野展開

b 肝動脈の同定・切離

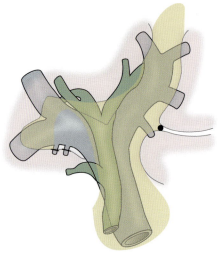

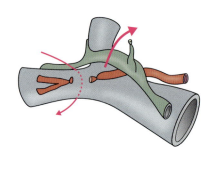

c 尾状葉枝の結紮・切離

d 門脈右枝の結紮・切離

図6 右肝切除

3 ｜右肝切除

❶ 視野展開
　胆嚢管を腹側左側へ第1助手が展開し，肝十二指腸間膜を第2助手が尾側へ牽引する．門脈と胆管の間の漿膜を広く長軸方向へ切開する（図6a，黒点線）．

❷ 肝動脈の同定・切離
　胆管背側右縁で右肝動脈を同定し，剥離テーピングする（図6b）．肝動脈がわかりにくい場合は門脈と胆管の間で門脈前面を露出する層で広く切開して肝側へ視野を広げ，門脈右枝のテーピングを先行してもよい．クランプテストを行い，右肝動脈であることを確認して結紮切離する．

❸ 門脈右枝の同定・切離
　門脈右枝を丁寧に剥離してテーピングする．右枝分岐部近くには尾状葉枝が数本あるので，剥離の妨げになる場合はこれを先に結紮切離する．門脈中枢方向へ剥離を行い，左右分枝部を確認する．クランプテストを行い，門脈左枝の血流温存の確認および demarcation line の出現を確認したあとに結紮切離する（図6c, d）．

Dos & Don'ts

- ☐ 動門脈切離前はクランプテストを行い術中エコー（または触診）による温存側血流の確認を行うこと．
- ☐ 左肝切除（尾状葉なし）の胆管切離ラインは，術中胆道造影を省略する場合は必ずアランチウス管よりも肝側で行うこと．

文献

1) 西尾秀樹，他：胆管の外科解剖．日本肝胆膵外科学会高度技能医制度委員会：肝胆膵高難度外科手術．pp 11-21，医学書院．2010
2) Takayama T, et al：Relevant hepatobiliary anatomy. *In* Conrad C, et al：Laparoscopic Liver, Pancreas, and Biliary Surgery. pp 148-168, Wiley, UK, 2017

〔吉岡龍二，齋浦明夫〕

2 肝離断における肝血流コントロールおよび肝臓ハンギング法，肝脱転

重要ポイント

- ☐ **肝離断中の血行動態**：Pringle法[1]によるinflow control，中心静脈圧を低下させる麻酔管理（肝下部下大静脈遮断），選択的肝静脈遮断によるoutflow controlで，肝離断中の出血量を軽減させる．
- ☐ **肝静脈根部の確認**：肝脱転に先立ち，肝鎌状間膜を切離し，漿膜切開を横隔膜下で左右に約5cm広げて結合組織を剝離し，右および左・中肝静脈を露出しておく．
- ☐ **下大静脈前面の剝離**：肝部下大静脈腹側の剝離を行う際，鉗子を進めていく方向が重要である．Belghitiら[2]は肝部下大静脈正面のavascular thin routeに鉗子を通すとしており，特に頭側では11時方向を目標に剝離する．ただし鉗子の先に少しでも抵抗を感じたら決して無理をしないことが肝要である．
- ☐ **超音波での確認**：下大静脈腹側剝離の際，剝離方向に超音波で短肝静脈がないか確認しながら鉗子を進めることで損傷を避けることができる．
- ☐ **肝右葉脱転時の右副腎の処理**：肝右葉の授動が進み右副腎の周囲，特に頭側が明らかとなった時点で術者は左手示指と母指を右副腎の頭側と尾側に入れて，両指の間が薄い結合組織のみになることを確認する．そして鉗子を用いて肝と右副腎の間を右副腎頭側に置いた示指で確認しながら，心持ち外側に向けて通す．肝側は結紮し，副腎側は鉗子をかけて切離したあとで4-0 PDSなどで連続縫合する．
- ☐ **短肝静脈の処理**：短肝静脈は「頸」が短く慎重に処理する必要がある．比較的頸の長さがあり結紮切離可能であっても結紮糸が外れて出血することがあるため，肝側を結紮し，下大静脈側はモスキートペアンなどで把持し切離したあとに5-0非吸収性モノフィラメント糸を用いてZ縫合するなどの処置が勧められる．

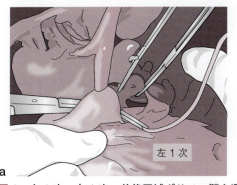 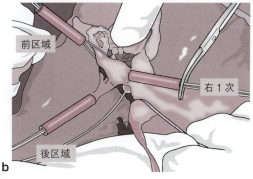

図1 左1次，右1次，前後区域グリソン鞘を選択的に遮断

A はじめに

　本項で，肝切除術における血行動態，および基本手技である肝臓ハンギング法，肝脱転における手技のコツ，ピットフォールについて述べる．手技の工夫に関しては，安全な肝葉切除術を施行するために心がけるべきポイントを中心に概説する．

B 肝離断中の肝血流コントロール

1 Inflow control

　inflow controlとは，肝臓への流入路である肝動脈および門脈の血流を制御することである．肝十二指腸間膜で，動脈門脈を一括して血行遮断するPringle法[1]が，最も広く使用されている手技である．15分以内の遮断とそれに続く5分の再灌流を繰り返す．小網内を走行する副肝動脈が存在する場合は，別に遮断する．また，高崎ら[3]が提唱する選択的グリソン鞘遮断は肝離断部位に合わせて，左1次，右1次，前後区域グリソン鞘を選択的に遮断する手法(図1)であり，予定残肝の虚血を最小限にし，また門脈全遮断による腸管うっ血も回避される．

2 Outflow control

　肝臓からの流出路である肝静脈血流を制御するoutflow controlも重要である．中心静脈を低下させる麻酔管理は，離断中の出血量の軽減には非常に有効であり，特に5 cmH$_2$O以下の管理を麻酔科に依頼する．それでも不十分な場合は，肝下部下大静脈の部分遮断も有効であり，血圧をモニターしつつ適宜遮断の程度を調節する．肝上下部の下大静脈をすべて遮断するPringleと併施するtotal hepatic vascular exclusion(THVE)は，麻酔科との連携が重要である．肝静脈浸潤あるいは下大静脈腫瘍栓を伴う症例で，血管合併切除再建を伴う場合などに用いる．一方で，右肝静脈あるいは左・中肝静脈のテーピングによる選択的肝静脈遮断(図2)は，肝離断中の出血軽減に有効である．

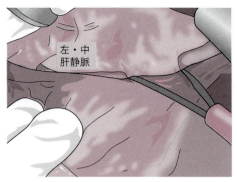

図2　選択的静脈遮断

C　肝臓ハンギング法

1 ｜ 原法と変法

　Belghitiら[2]のliver hanging maneuver（LHM）原法は，横隔膜へ浸潤する肝右葉の大きな腫瘍に対して前方アプローチによる肝右葉切除術を行う際，下大静脈前面に通したテープを牽引しながら肝実質切離を行う手技である．テープを張りトラクションをかけることで深部での切離面を露出しやすくするとともに，通常肝実質深部の切離時に懸念される出血を軽減しうる安全で有用な手技として報告された．

　原法では，肝の授動を行わずに下大静脈前面に存在するavascular thin routeを剝離し，テープを下大静脈前面に通している（図3）．その手法は，まず肝頭側で右肝静脈と左・中肝静脈の間を2 cmほど尾側へ剝離しておき，尾側からは尾状葉後面から下大静脈前面に入る．下右肝静脈が存在する場合はその左側を目印に，そこから4〜6 cm盲目的に先に肝頭側で剝離した右肝静脈と左・中肝静脈との間へ向かって鉗子を進める．術前CTおよび術中超音波にて比較的太い短肝静脈，下右肝静脈の有無を確認することが静脈損傷を避けるために有用である．

　肝実質離断時には通したテープを腹側へ牽引しトラクションをかけた状態で，テープに向かって肝実質切離を進めるため，肝表面から開始した切離線から進んでいく方向も定まり，かつフラットな切離面を作りやすい．また，肝深部の離断の際にもフラットな切離面を保つことが可能である．肝を下大静脈から持ち上げているため，出血のコントロールも容易となる．深部の切離では第1助手が左手で左側切離面を軽く展開することにより非常に良視野で肝切離を行うことができる（図4）．

　最近では，肝右葉切除に限らず中央2区域切除や尾状葉切除といったさまざまな術式においてLHM原法を応用したmodified LHMが行われている[4]．拡大肝左葉切除術においても肝頭側でテーピングした左・中肝静脈の背側を通り脱転した肝左葉背側（静脈管溝）を通り，肝門板腹側へ誘導することで応用可能である（図5）．左葉切除の場合は頭側のテープを左肝静脈と中肝静脈の間にスイッチすることで対応する．肝左葉切除（尾状葉温存）や右葉切除＋尾状葉切除といった本来肝実質切除ラインがフラッ

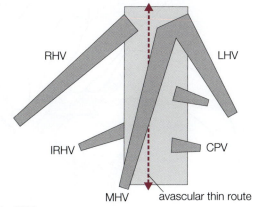

図 3 下大静脈前面の剥離
下大静脈腹側正面には短肝静脈の合流がほとんどなく，avascular thin route に鉗子を通して下大静脈前面を剥離していく．
CPV：caudate process veins, IRHV：inferior right hepatic vein, LHV：左肝静脈, MHV：中肝静脈, RHV：右肝静脈.

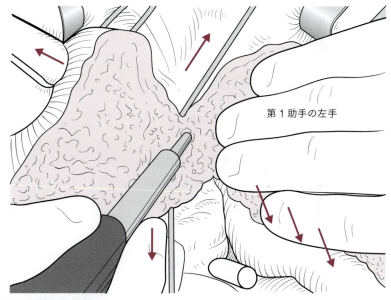

図 4 深部での切離面の展開
ハンギングテープを頭尾側また腹側に牽引しトラクションをかける．深部の離断では切離面を展開する第 1 助手の左手が非常に効果的である．

トになりにくい術式でも，特に深部において，トラクションのかかった状態でテープに向かって切離を進めていくことでフラットな切離面を保つことができる．

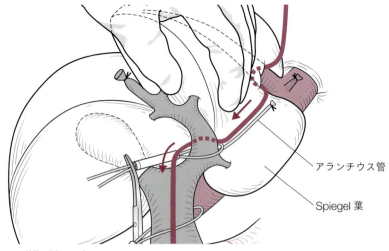

図5 modified hanging maneuver
ハンギングテープを右肝静脈-左・中肝静脈間→静脈管溝→左肝門板の腹側へ誘導することで応用できる．

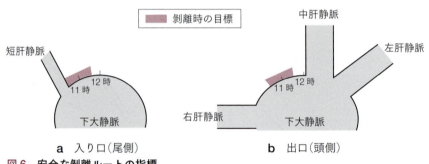

図6 安全な剥離ルートの指標
下大静脈前面の剥離の際の「入口」と「出口」の目安．

2 | Knack and Pitfall

　ほとんどの短肝静脈は，通常肝部下大静脈の左右どちらかにずれて合流しており，真正面には合流しない．よって，肝下部下大静脈から肝上部下大静脈の右肝静脈と左・中肝静脈共通幹との間まで肝部下大静脈正面をケリー鉗子で丁寧に鈍的に剥離することで安全なトンネリングが可能である[5]．われわれは特注の弱彎長ケリー鉗子を用いて下大静脈腹側を剥離，トンネリングしている．そこに綿テープを通し肝離断終盤で腹側へ挙上している．

　下大静脈腹側の剥離に際して注意することは，丁寧な剥離操作はもちろんであるが，少しでも鉗子の先端に抵抗を感じたら決して無理をしないということである．われわれは，下大静脈腹側剥離の際，11時方向（出口）を目標に行っているが，短肝静脈の合流はほとんど経験していない（図6）．下大静脈腹側正面には短肝静脈の合流はほとんどないとはいえ，「枝があるかもしれない」と思いながら剥離することが肝要であ

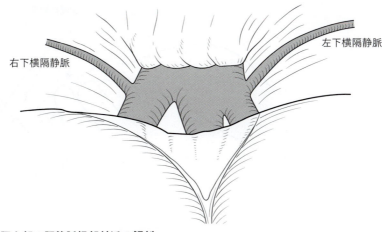

図7 肝上部の肝静脈根部付近の解剖
肝静脈の下大静脈流入部付近の冠状間膜を切開・剥離して下大静脈と右肝静脈，左・中肝静脈共通幹との合流部を露出する．

る．剥離が難しい場合は，肝脱転を先行して右肝静脈にテーピングしてから下大静脈前面にテープを通しハンギングに備えればよい．

D 肝脱転

1 肝頭側の剥離

まず第1に行うのは，十分な視野確保である．皮膚切開法は，J字切開(開胸)や非開胸のベンツ切開がある．われわれはほとんど開胸していない．通常，ベンツ切開または逆L字切開で開腹している．

術者と第1助手は折りガーゼを持ち，肝表面に当てて尾側へ肝を牽引する．展開された下大静脈への肝静脈流入部付近の冠状間膜を切開・剥離して，下大静脈と右肝静脈，左・中肝静脈共通幹との合流部を露出する．右下横隔静脈は右肝静脈根部右側に合流するため剥離の際に指標となる(図7)．

再肝切除症例で，以前の手術時に一度剥離している場合は，肝頭側の冠状間膜が癒着し短縮していることがある．そのような場合は，肝静脈も吊り上がるように通常より浅い部位に存在することがあるため注意を要する．

2 左肝の授動

左冠状間膜前葉から左三角間膜の切離を行う．肝外側区域背側〜食道・胃，脾との間に柄付きガーゼを折ったまま挿入しておく．その状況で術者は折ガーゼを左手に持ち肝外側区域表面に当て，尾側へ牽引する．展開された冠状間膜の前葉を切開すると後葉越しに柄付きガーゼが透見できるため，背側に柄付きガーゼがある状況で多臓器

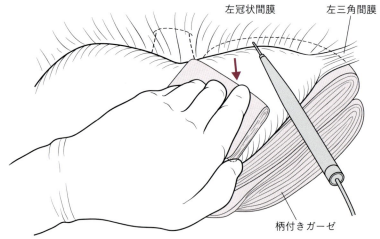

図8 左冠状間膜，左三角間膜の切離
胃と脾臓頭側部を保護するように，外側区域背側に柄付きガーゼを広く挿入し，ガーゼを透見した状態で電気メスにて冠状間膜を切離する．

損傷の心配なく電気メスで切離できる(図8)．三角間膜は有意な脈管があれば結紮切離するが，通常は電気メスあるいは vessel sealing system などを用いて焼灼切離している．まれに胆汁漏をきたすことがあるので，外側区域を温存する場合は，肝側は結紮することが推奨される．そのあとで小網を切開して肝左葉の授動が完了する．

3 | 右肝の授動

　術者は右肝尾側からガーゼを持った左手で肝を頭側へ牽引して，肝下部下大静脈から右副腎～右三角間膜までの肝腎間膜を電気メスで一気に剝離する．このとき肝から5 mm 程度離すと肝被膜を傷つけない．次に肝右葉を左側に脱転し，右冠状間膜，右三角間膜を切離しながら右肝を右副腎まで授動する．その際，術者と助手が鑷子を用いて横隔膜の壁側腹膜を共同で頭側腹側に把持し，切離面を作ることで壁側腹膜と臓器腹膜の間の切開が容易となる．切開した肝腎間膜部とつながると右肝全周の腹膜切開が完了し，肝と横隔膜の間の疎な結合組織が明らかとなる．この部位は無漿膜野(bare area)で，肝に沿って電気メスで切開していく．

　続いて肝下部下大静脈から頭側へ向かって下大静脈前面を剝離し，短肝静脈を切離する．短肝静脈の処理は，肝側を 3-0 Vicryl 糸で結紮，下大静脈側はモスキートペアン鉗子でクランプ後に切離し 5-0 PDS 糸で Z 縫合閉鎖する．右副腎の頭側を十分に剝離したあと，左手示指で右副腎上極を確認しながら肝との間をペアン鉗子でゆっくり丁寧に剝離する(図9)．右副腎頭側へ通ったら肝側を結紮し，副腎側を血管鉗子などでクランプし，4-0 PDS 糸で連続縫合する(図10)．下大静脈靱帯も同様にクランプし 4-0 または 5-0 PDS 糸で連続縫合する．右肝の授動を安全に行うためには，術者がやりやすい術野を確保することが重要である．そのためには第1助手の役割が重要であることも強調しておきたい．

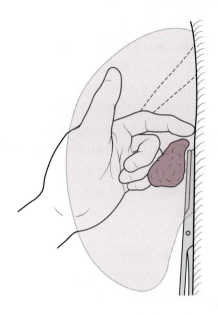

図9 右副腎の剝離
術者左手の示指と母指で右副腎の頭側と尾側を薄い結合組織が残る程度まで剝離したあと，右副腎と肝の間を下大静脈に這わせるように鉗子を挿入する．鉗子での剝離は右副腎頭側の示指で鉗子の先端を確認しながら行うとよい．

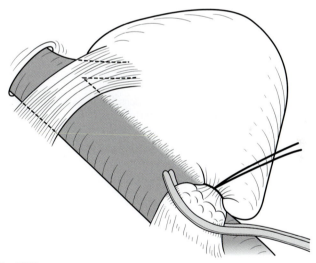

図10 右副腎の処理
右副腎の処理は大出血をきたす可能性があるため慎重に行う必要がある．筆者らは副腎側を鉗子でクランプ後に切離し，4-0 PDS で連続縫合している．

Dos & Don'ts

☐ **肝離断における肝血流コントロール：**
- Pringle あるいは選択的グリソン遮断による流入血コントロールを行い，中心静脈を低下させる麻酔管理を十分にお願いする．
- 中心静脈圧が高いときには無理して離断を継続せず，再度麻酔管理の依頼，ならびに肝下部肝静脈遮断を併用する．

☐ **肝臓ハンギング法（LHM）のための肝背側の剝離：**
- 下大静脈前面を剝離する鉗子の先端は 11 時方向に向かって進める．
- 鉗子の先端に少しでも抵抗を感じたら決して無理をしない．

☐ **肝脱転：**
- 良好な視野確保が何よりも大切であり，第 1 助手の役割も重要である．
- 左冠状間膜の切離前に，柄付きガーゼを肝外側区域背側〜食道・胃，脾との間に挿入し保護しつつ，間膜越しにガーゼを透見しながら電気メスで切離する．
- 右副腎頭側を明らかにしてから肝と右副腎の間の剝離を行う（逆に右副腎頭側が見えていないときは肝との間の剝離は行わない）．

文献

1) Pringle JH：Note on the arrest of hepatic hemorrhage due to trauma. Ann Surg 48：541-549, 1908
2) Belghiti J, et al：Liver hanging maneuver：a safe approach to right hepatectomy without liver mobilization. J Am Coll Surg 193：109-111, 2001
3) Takasaki K：Glissonean pedicle transection method for hepatic resection. Springer-Verlag, Tokyo, 2007
4) Kokudo N, et al：Ultrasonically assisted retrohepatic dissection for a liver hanging maneuver. Ann Surg 242：651-654, 2005
5) Kim SH, et al：Various liver resections using hanging maneuver by three Glisson's pedicles and three hepatic veins. Ann Surg 245：201-205, 2007

（齋藤　裕，森根裕二，島田光生）

3 肝離断（CUSA®, Crush Clamping 法）

> **重要ポイント**
> - □ 術前に 3D 画像で肝離断面をイメージしておく．特にランドマークとなる脈管に関しては十分把握しておく．
> - □ 肝離断は切離線に沿って広く浅く行う．局所的に深くなると出血時の対応が難しくなり，また切離方向を間違えて切離面が凸凹になる．
> - □ 離断面深部の出血は，周囲を十分剝離し出血部位を明らかにしてから止血する．
> - □ 太い肝静脈が切離面に露出した場合，その分枝の引き抜き損傷，股裂き損傷に注意する．
> - □ 太めのグリソン枝は可及的に結紮・縫合あるいはクリップによる処理を行う．エネルギーデバイスのみでの処理では胆汁漏が起こることがある．

A はじめに

　肝臓外科に欠かせないのが肝離断の技術である．肝実質内には大小多数の脈管が存在し，その脈管を確実に処理して実質を切離することが術中・術後の出血，胆汁漏を予防することにつながる．肝離断の際には肝実質内の脈管を損傷することなく実質を破砕する必要があるが，その実質破砕の方法として CUSA® や water jet などの器械を用いる方法と，ペアンなどを用いて用手的に行う方法がある．どちらが優れているかに関しては本項では触れないが，慣れた方法で行うことが迅速かつ確実な肝離断，および合併症を減らすことにつながる．どちらも基本的な手技は知っておく必要がある．

B CUSA® 法の原理

　CUSA® は元々，Cavitron 社製の Ultrasonic Surgical Aspirator（超音波外科吸引装置）の頭文字をとってつけられた商品名であったが，現在では Cavitron 社を統合した米国 Integra LifeSciences 社に引き継がれている．ハンドピース先端の中空の金属チップが 0～300 μm の振幅，23～38 kHz の周波数で縦方向に振動し，チップに触れた肝実質は粉砕・乳化し，灌流させた生理食塩水により洗浄・吸引される．一方，線維性成分に富む血管，胆管などの肝内の脈管は，チップの振動と共振するため粉砕されずに温存される[1]．この機能により肝内の脈管を損傷することなく肝実質の離断が行えるのである．

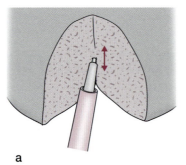 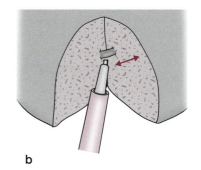

図1　CUSA®の動かす向き
a：切離線と平行に動かすとスピーディな肝切離が行える．
b：脈管を認めたら脈管に沿って動かすと脈管損傷が避けられる．

肝離断のコツ

　まず，肝離断線上の肝被膜は電気メスあるいはsealing deviceで切離しておく．その後，実質にCUSA®の先端のチップを小刻みに動かしながら当てると実質が破砕されて吸引され，脈管が索状物として残るため，その索状物を適宜処理していきながら肝離断を進めていく．

コツ❶　広い範囲で均等な深さで切離を行う

　CUSA®で肝離断を行う際のコツは，なるべく広い範囲で均等な深さでの切離を行い，1点で深い穴を掘らないことである．脈管が見えてくるとついついその部分を集中的に掘ってしまいがちであるが，穴の奥から出血すると出血部位が確認できず，止血が困難になる．太い脈管が見えてきたら，その前後2～3 cmくらいの幅で肝実質を崩してから脈管にアプローチすると，出血した際にも十分対処が可能である．また5 mm以内の振幅で細かく動かして，1点に持続的にチップが当たる操作を避ける．また残った索状物をCUSA®の動きで"ちぎる"操作はしないようにする．

コツ❷　索状物の方向を意識する

　CUSA®の動かす方向には，肝離断面に沿って動かす方法と離断面に垂直に動かす方法とがある．離断面の両サイドにトラクションをかけ，離断面に沿ってCUSA®を動かすとスピーディな肝離断が行える．その反面，離断面を横走する脈管を損傷する可能性もある．そのため横走する脈管を認めた場合は適宜脈管に沿ってCUSA®の先端を動かすようにし，絶えず離断方向と離断面に出てくる索状物の方向を意識して肝切離を進めていく(図1)．

　太い肝静脈に近付くと，そこに向かって放射状に細い枝が流入している．すなわち，細い脈管が放射状に走行しているのを認めた場合は，その延長上に太い脈管が存在している可能性を常に考えるべきである．太い肝静脈の小枝が根部で引き抜けると大出血をきたす可能性があるため，そのような小枝を認めた場合はチップを小枝の走行方向に平行に動かし，切離する際には根部から少し離れたところで処理すると小枝の切断や引き抜き損傷を防ぐことができる(図2)．

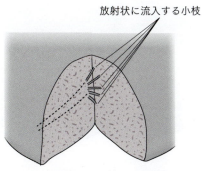

図2 太い肝静脈に流入する放射状の小枝
離断線が太い肝静脈に近づくと，離断線上に肝静脈に放射状に流入する多くの小枝を認める．放射状の小枝を認めた場合はその延長線上に太い肝静脈が存在することを意識する．

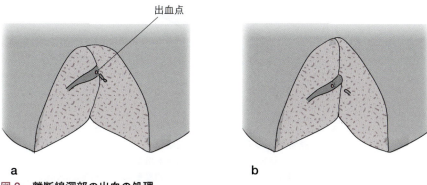

図3 離断線深部の出血の処理
a：離断線深部で出血を認めた場合は慌てて縫合止血せず，まず周囲を十分露出させる．
b：出血点を手前にもってくることで止血が容易になる．

コツ❸　離断面深部の出血は，まず視野を確保する

　離断面深部に露出した血管から出血を認めた場合は，慌てずその周囲を十分剝離してから血管の処理を行う．出血量が多く，視野が悪く周囲の剝離が困難な場合は無理に縫合止血をしてはならない．視野の不良な箇所での縫合止血は脈管の損傷部位をさらに広げる可能性がある．タコシール®やサージフロー®などを用いて応急的に止血を行い，出血が少なくなったところでその周囲を十分露出させ，出血部位を深部から左右のやや開けた離断面にまでもっていくことができれば，その後の止血は比較的簡単である(図3)．

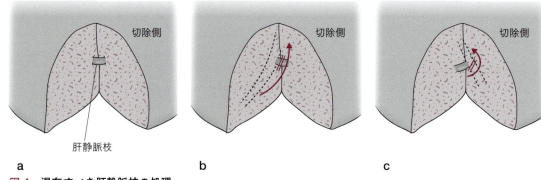

図4　温存すべき肝静脈枝の処理
a：温存すべき肝静脈枝が露出したら，どちらが末梢側であるかを把握する．
b：切除側が末梢の場合は肝静脈枝を切離し，中枢側へと切離を進める．
c：残肝側が末梢の場合は肝静脈枝を温存すべく切離線を切除側へやや膨らませる．

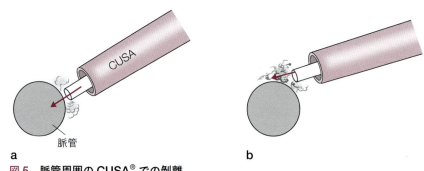

図5　脈管周囲のCUSA®での剝離
a：CUSA®を脈管に垂直に当てると脈管を損傷する．
b：脈管に垂直に当たらないように，やや角度をつけると損傷しにくい．

コツ❹　温存すべき肝静脈は末梢側を見極める

　離断面に温存すべき肝静脈が露出した際は切除側，残肝側のどちらが末梢側であるかを見極める（図4a）．切除側が末梢の場合は，露出した肝静脈を切離して残肝側に含めるようにして肝離断を進めていく（図4b）．また残肝側が末梢の場合は露出した肝静脈を切離することなく残肝側に含めるように肝実質離断をやや膨らませる（図4c）．

コツ❺　脈管周囲の剝離の際は，チップを垂直に当てない

　太い脈管を切離する際には脈管を鉗子で確保する必要がある．その際に局所的に剝離部位が深くなってしまわないように十分広く脈管切離面に沿って周囲の肝実質を離断しておくと，切離すべき脈管の露出が容易になる．太い脈管を露出する際には小枝の引き抜き損傷に注意しつつ，脈管周囲の実質を破砕・吸引する．CUSA®の先端チップの振動方向は縦方向であるため，脈管に対してチップを垂直に当てると脈管を損傷する可能性がある（図5a）．周囲の実質を破砕して脈管を露出する際には，垂直方向にならないように角度を変えて脈管周囲の実質破砕を行うのがよい（図5b）．グリソン鞘周囲をCUSA®の先端で擦りすぎると，内部の胆管壁が薄くなって損傷するリスクがある．胆管壁が内部の胆汁が透けて見えるくらい薄くなった場合は，知らぬ間

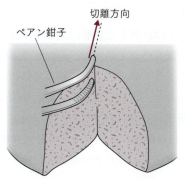

図6 ペアン鉗子での肝切離方向
ペアン鉗子先端を肝切離方向に向けて
実質破砕を行う.

にピンホールが開いていることがあるので注意が必要である.

　CUSA® での肝実質破砕と同時に，助手が水流滴下バイポーラあるいは灌流つきモノポーラにより離断面の凝固止血を行う方法もある．露出する比較的太めの脈管を切離する際には，麻酔科医の協力を得て静脈圧が適切にコントロールされていれば，3 mm くらいまでの肝静脈なら sealing device での処理が可能である．それ以上の太さの静脈や，sealing での処理が不安な場合には残肝側は適宜結紮やクリッピング，縫合閉鎖により断端処理を行う．グリソン枝は sealing device のみでの処理の場合は，凝固壊死した部分が脱落して遅発性に胆汁漏が起こる危険性があるため，可及的に残肝側を結紮あるいはクリッピングののち，sealing device を使用して切離することが勧められる．

コツ ❻ 肝静脈に穴が開いている場合は，大きさによって対応を変える

　肝離断面に露出した比較的太い肝静脈に小枝が引き抜けて小さい穴が開いている場合，電気メスのソフト凝固や水流滴下バイポーラあるいは灌流つきモノポーラによる熱湯で穴を収縮させるイメージで止血する．しかしながら広範囲に熱を加えすぎると肝静脈本幹の内腔が狭くなって血栓閉塞などを起こすことがある．比較的大きな穴が開いている場合は静脈を周囲から少し剥離してから 5-0 非吸収性モノフィラメント糸などで縫合閉鎖を行ったり，タコシール®，サージフロー® などの止血剤を貼付する．肝硬変症の場合に縫合閉鎖を行う際，脈管の周囲肝実質からの剥離が不十分であると縫合の際にかえって脈管が裂けてしまうので注意が必要である．

C Crush Clamping 法

　Crush Clamping 法は，ペアンなどの鉗子類で肝実質を圧挫することにより実質を破砕する方法である．圧挫する際はペアン鉗子の先端を離断線に垂直に立てるのが離断線のずれを防ぐコツである（図6）．1 cm くらいの幅でペアン鉗子による実質破砕を繰り返し，残った脈管を適宜処理して肝切離を進めていく．ペアンの代わりに鉗子型の先端構造のエネルギーデバイスを用いると，実質の破砕と同時に露出した脈管の処

理も行える．

　ペアン法では圧挫した感触によって，鉗子の先にある脈管の太さ，そしてグリソンなのか肝静脈なのかを想定し，その処理方法を考えなければならない．グリソン鞘は硬く厚みがあるため，ペアンで挟んだ際に脈管を把持した感触があるのに対して，肝静脈は軟らかく，把持した感触がわかりにくい．肝硬変が強い場合には圧挫の幅が広いと細い静脈枝は硬い肝実質とともに動き，引き抜けて出血することがある．Crush Clamping法は簡便で，低コストな肝実質離断法であるが，術者の技量が問われるため，まずは肝実質の軟らかい正常肝症例で基本的操作に慣れておくのが望ましい．

Dos & Don'ts

- ☐ 肝離断は，広く浅く行う．
- ☐ 肝離断面の出血は慌てて縫合止血しない．
- ☐ 太い脈管の処理は，周囲の肝離断面を十分広げてから行う．
- ☐ 比較的太めのグリソン枝はエネルギーデバイスのみで処理しない．

文献

1) 長島郁雄：CUSAによる肝離断．幕内雅敏，他（編）：Knack & Pitfalls 肝臓外科の要点と盲点（第2版）．pp 154-155，文光堂，2006

（小川晃平，髙田泰次）

4 肝静脈の処理・下大静脈切除再建

> **重要ポイント**
> - ☐ 肝静脈の露出は，正確な解剖学的肝切除のための道標である．
> - ☐ 肝切除の出血量低下のためのポイントは，離断中の肝静脈からの出血コントロールである．
> - ☐ 肝静脈合併切除の際は，術前よりうっ血領域を評価し再建の要否を検討しておく．
> - ☐ 肝静脈再建においてはパッチグラフトなどを使用して十分な径を保つ．
> - ☐ 下大静脈合併切除は適応をよく検討し，再建法を想定したうえで行う．

A はじめに

肝切除において，肝静脈は以下の点できわめて重要である．

❶ 肝細胞癌に対する解剖学的切除における肝区域の境界線

解剖学的切除において肝静脈を同定・露出して離断することが，肝実質内で同定困難な区域間境界線に沿った離断に重要であり，その完成度を担保する指標となること．

❷ 肝切除の安全性に大きく関与する離断中出血の主因

流入血遮断下での離断においては，肝静脈からの出血を制御することで出血量を少なくコントロールできること．

❸ 術後残肝機能確保のカギ

肝静脈切離により広範なうっ血領域を生じた場合，肉眼的には認識困難であるが，その領域の門脈血流が欠損し期待した術後肝機能が得られない可能性があること．

この項では肝切除で重要な肝静脈の処理法と，大量出血の原因にもなりうる下大静脈の処理法について概説する．

表1 肝静脈からの出血コントロール法

離断面の挙上	・肝授動 ・体位選択（左半側臥位など）
肝静脈枝の圧迫	・背側からの圧排挙上 ・右胸腔開胸 ・右肝静脈肝外処理（右肝切除） ・Belghiti の liver hanging maneuver（LHM）
下大静脈圧の低下	・逆トレンデレンブルグ体位 ・肝下部下大静脈（半）遮断 ・輸液量の制限（ドライサイドの管理） ・1回換気量の減量（と呼吸数の増加） ・瀉血（返血前提）

B 肝静脈の処理

1 離断時における肝静脈露出のポイント

　原則的に解剖学的切除の離断面には肝静脈が露出されるはずである．逆にいえば肝静脈が露出されるように離断を進めることにより正確な解剖学的切除が行える．ポイントとしては，肝を離断しはじめた肝表近くから末梢肝静脈枝を同定し，丁寧に露出していくことである．肝静脈枝をたどっていくと必ず目的の主肝静脈や太い肝静脈枝に到達できる．

❶ 術中超音波検査での露出肝静脈枝確認

　まず離断前に術中超音波検査を行い，露出されるべき主肝静脈や太い肝静脈枝(例：S4切除における umbilical fissural vein や S8 腹側領域切除の際の V8 など)の走行を確認する．

❷ Pringle 阻血と肝静脈圧コントロール

　離断中術野をドライに保ち，肝静脈枝を確実に同定しつつ離断する．そのために肝十二指腸間膜クランプ（Pringle 法）により流入血遮断を行い，グリソン鞘枝からの出血を制御する．さらに肝静脈枝からの出血を最小限にするために，離断面の挙上と肝部下大静脈圧の低圧コントロールを行う(表1)．

　離断中の静脈枝からの出血は下大静脈からの「あふれ出血」であり，離断面が下大静脈圧より高い位置にあれば出血しないので，離断面を下大静脈からできるだけ高い位置に保つために肝を授動し挙上したり，右肝系の切除の際は左側臥位などを選択したりする．挙上する際も背側から腹側方向に圧排するように挙上する．例えば右肝切除の際に右肝静脈を離断前に切離して左手指先で挙上したり，Belghiti の liver hanging maneuver（LHM）[1]にて挙上したりする．

　肝部下大静脈圧のコントロールに関して，体位としては逆トレンデレンブルグ体位（ヘッドアップ）をとり，上半身への静脈還流を減少させる．術野での処理としては離断時に肝下部下大静脈を遮断，あるいは半遮断する方法がある．

　麻酔科医には術中輸液量のドライサイド管理（循環血液量を必要最小限で保つ）と，1回

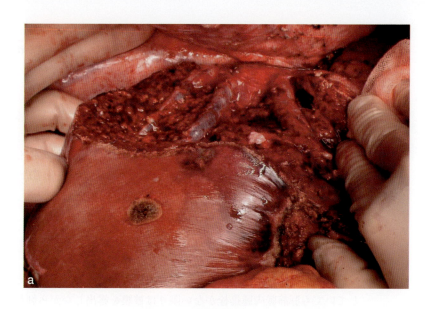

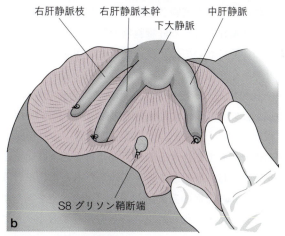

図1 肝S8区域切除後の肝離断面(a)とシェーマ(b)
中肝静脈，右肝静脈の本幹のみならず肝上部下大静脈も十分露出されている．

換気量の減少(胸腔内圧の上昇による肝部下大静脈圧の上昇を最低限に抑える)，さらには離断後の返血前提の400〜800 mL程度の瀉血(貯血)，など協力を依頼する．

❸ 肝静脈(枝)の露出(図1)

離断中に末梢の肝静脈枝を同定したら，その両側の肝実質を丁寧に離断する．細い静脈枝を結紮切離(あるいはエネルギーデバイスでシーリング後切離)しつつ，残肝側の離断面に肝静脈枝を露出していく．

露出すべき主肝静脈や太い肝静脈枝に到達してからは，肝静脈の約1/2周を露出する意識で肝静脈の左右を離断していく．主肝静脈に直接合流する極細の枝を処理する場合，無理に結紮やシーリングしようとすると根元から抜けるか，時に裂けてしまうため，根元を抜かないように鑷子で肝実質側を引き抜くとほとんど出血しない．区域境界の指標である肝静脈を露出することにより，切除予定区域の肝実質が可及的に

表2 静脈グラフトの採取部位

同一術野で得られるもの	新しい術野から得られるもの
● 切除肝標本に含まれる肝静脈や門脈	● 大伏在静脈
● 右卵巣(精巣)静脈	● 外腸骨静脈
● 下大静脈の一部	● 内頸静脈
● 左腎静脈	

切除できる．これは肝静脈根部付近も同様であり，切除予定区域と尾状葉との境界（例：S8 切除の際の S8 と S1 の境界）が不明瞭であるため，肝上部下大静脈を肝静脈根部とともに露出するように離断すると完全切除が可能となる(図1)．

2│肝静脈合併切除と再建

　肝細胞癌の場合は被膜をもち膨張性に発育することが多い．そのため，肝静脈に接していても肝静脈内腫瘍栓がない限りは被膜を露出しながら剝離可能であり，肝静脈を剝離温存しても被膜さえ温存できれば腫瘍細胞が露出することはない．しかし，肝静脈内腫瘍栓を有する肝細胞癌や肝静脈壁に直接浸潤する肝内胆管癌・転移性肝腫瘍などの切除においては，肝静脈を合併切除する必要がある．

　肝静脈を合併切除する場合，肝機能が許せばその肝静脈の還流領域ごと切除するのが一般的であり，左・中・右肝静脈を合併切除する場合は，それぞれ外側区域切除（あるいは左肝切除）・拡大前区域切除（あるいは拡大内側区域切除や中央二区域切除）・拡大後区域切除（あるいは右肝切除）が選択される．しかし高度肝障害例や，多発肝転移を複数個の部分切除で切除する際に再発に対する再肝切除に備えて肝実質を可及的に温存する例などでは，肝静脈を合併切除したあと再建を行う．再建しない場合，温存した領域の門脈が動脈血の還流路となり門脈内逆流をきたすため，残存肝容積で予想される肝機能が一時的に得られないことを知っておくべきである[2]．

❶ 再建に要するグラフトの確保

　肝静脈浸潤をきたす肝腫瘍が大きい場合には，その分切除する機能肝容積が小さく肝静脈を含んだ拡大解剖学的切除が適応になることが多い．比較的小さな浸潤性の肝腫瘍(肝内胆管癌や転移性肝腫瘍など)が肝静脈に接する場合，切除する機能肝容積が大きくなるため肝静脈合併切除を要することになる．しかし，腫瘍が小さいため片側のみの浸潤であることがほとんどでありパッチグラフト再建で十分である．まれに半周以上に浸潤するような場合には管状グラフト再建とする．

　静脈グラフトの候補としては，同一術野で得られるものとして，右卵巣(精巣)静脈，左腎静脈，下大静脈の一部などが挙げられる．主肝静脈切除を伴う区域切除以上の肝切除を併施する場合は，その切除肝標本に含まれる腫瘍浸潤のない肝静脈や肝内門脈も利用可能である．別の術野から得られるものとして，大伏在静脈や外腸骨静脈などが挙げられる(表2)．管状グラフトとして太い径の静脈が必要な場合，太い静脈(左腎静脈，外腸骨静脈，内頸静脈，併施した肝切除標本に含まれる主肝静脈や門脈1次分枝)を用いるか，細い静脈を必要な長さの2倍の長さで採取し，これを切開して長軸の半分

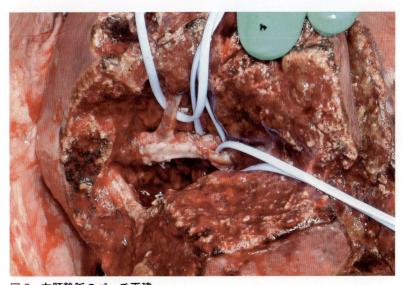

図2 右肝静脈のパッチ再建
S7転移性肝腫瘍による右肝静脈への浸潤に対して右肝静脈壁合併切除を行い，右卵巣静脈を採取してパッチ再建を施行した．

で切り，その2枚を横に並べて縫合してそれを円柱状に形成して使用する．

❷ 肝静脈再建

　肝静脈の再建は再建部位の下大静脈側と末梢側をクランプして行う．肝流入阻血は行う必要はない．

　管状グラフトでの再建の際は，下大静脈側から6-0モノフィラメント合成糸を用いて吻合する．後壁を内腔から外翻するように連続縫合し，続いて前壁を連続縫合する．末梢側も同じように連続縫合し，完成したら下大静脈側のクランプから解除し，最後に末梢のクランプを解除する．

　パッチ再建の際は，必ず4点支持を行ってから，その4辺を順に連続縫合する．それにより再建後に十分な内腔を確保できる(図2)．クランプの解除の順序は管状グラフトのときと同様である．

C 下大静脈の合併切除・再建

1 下大静脈の合併切除の適応

　下大静脈も肝静脈と同様，肝細胞癌の場合は根治的に剝離可能であり合併切除する適応がないことがほとんどである．合併切除の適応があるのは下大静脈内腫瘍栓がある肝細胞癌症例か，肝内胆管癌や転移性肝腫瘍など直接浸潤をきたす場合のどちらかである．しかし前者において腫瘍栓が下大静脈の内皮全周近くに固着している場合や後者において全周性に浸潤をきたす場合などは，その根治性と安全性を考えると下大静脈合併切除＋人工血管グラフトなどを用いた再建を行う適応はきわめて乏しい．

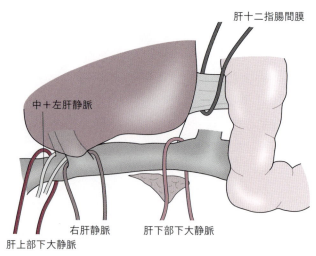

図3 total hepatic vascular exclusion(THVE)

2 グラフト再建の必要性

　下大静脈は，元来血管径が太いうえに狭窄による影響が少ない．肝部下大静脈においては約1cm径の内腔が残れば症状発現はみられないため，下大静脈浸潤陽性の肝腫瘍の切除症例はほとんどが合併切除のあと直接縫合するだけでよく，肝部下大静脈のグラフト再建を必要としない[3]．

　肝内胆管癌や転移性肝腫瘍の下大静脈浸潤により半周近くの下大静脈壁合併切除を要する場合には，パッチグラフトを用いた再建を行う．腫瘍による浸潤が半周以上にわたって認められ管状切除が必要であり，再建に管状グラフトを用いる必要がある場合は，内腔確保のためリングつきの人工血管や組織バンクがあれば凍結保存同種血管グラフト（ホモグラフト）を用いる．

3 下大静脈合併切除・再建の手順

　下大静脈合併切除・再建のなかでも腫瘍の浸潤が下大静脈径の半分以下の場合は，通常通り肝離断を終了し，最後に腫瘍を含んだ下大静脈のサイドクランプで浸潤部の切除・直接縫合を行う．肝離断先行の際はBelghitiのLHMが有効である[1]．

　半周以上の下大静脈合併切除，あるいは下大静脈内腫瘍栓摘出が必要な場合は，肝部下大静脈を後腹膜から完全に授動してtotal hepatic vascular exclusion（THVE：Pringle阻血，肝下部下大静脈遮断，肝上部下大静脈遮断，左・中肝静脈遮断，右肝静脈遮断，図3）下に下大静脈合併切除・再建を行う．その際右副腎静脈と下横隔静脈の処理を確実に行っておく．J字切開で右開胸を加えた皮切は肝部下大静脈の処理の際に良好な視野が確保できるとともに，右胸腔に挿入した左手で下大静脈を背側から圧排することが可能であるため，突然の下大静脈出血などに対応しやすい．また肝上部下大静脈の腹腔内での遮断が困難な場合は剣状突起切除後に心嚢を切開することにより，心嚢内の右房直前で肝上部下大静脈を確保することができる．

下大静脈遮断前にTHVEによるクランプテストを行い，血圧が確保できない場合は麻酔医と連携し，補液を加えて循環血液量を増量したり昇圧剤を投与したりして循環動態を安定させる．肝上部下大静脈の遮断が肝静脈合流部よりも尾側で可能である場合は，Pringle阻血なしで肝下部と肝静脈合流部直下の下大静脈遮断のみで合併切除ができるため，血圧確保が容易となり，肝血流遮断時間の短縮により肝障害も軽減できる．

　右房内に深く腫瘍栓をもつ肝細胞癌症例では，中枢側での下大静脈遮断ができない．そのため，肝切除を終了して止血を十分に行ったあとに，体外循環下に下大静脈から右房を切開して腫瘍栓を摘出し，必要な下大静脈合併切除を行ったのちに直接縫合かグラフト再建を行う．ただしそこまでの進行癌に体外循環の適応があるかどうかはコンセンサスが得られていない．

Dos & Don'ts

- 解剖学的肝切除において肝静脈に沿った離断が重要である．
- 離断中の肝静脈からの出血には，ヘッドアップ，肝下部下大静脈(ハーフ)クランプなどとともに，輸液量制限，1回換気量低減，瀉血(して離断後返血)など麻酔科に協力してもらう．
- 肝静脈うっ血領域が広い場合は再建を検討する．
- 肝静脈再建にはパッチグラフトで十分な場合がほとんどである．
- 下大静脈再建は直接縫合で十分な場合がほとんどであるが，管状切除が必要な場合は，リングつき人工血管などを使用して再建する．

文献

1) Belghiti J, et al：Liver hanging maneuver：a safe approach to right hepatectomy without liver mobilization. J Am Coll Surg 193：109-111, 2001
2) Sano K, et al：Evaluation of hepatic venous congestion：proposed indication criteria for hepatic vein construction. Ann Surg 236：231-247, 2002
3) Hashimoto T, et al：Caval invasion by liver tumor is limited. J Am Coll Surg 207：383-392, 2008

（佐野圭二）

5 門脈切除再建

重要ポイント

- □ 術前画像診断により病変と門脈系血管との位置関係，脾静脈や下腸間膜静脈・左胃静脈などの分枝の走行・位置などを十分把握しておく．
- □ 門脈切除長を推定し，グラフト使用の必要性について検討しておく．
- □ 血管吻合は消化管吻合と異なる特殊な手技である．一連の操作を術者・助手ともに習熟し，正確かつ迅速に行う．
- □ 吻合部の過緊張・捻れ・屈曲は血栓形成の原因になるため十分に留意する．
- □ 門脈吻合部のトラブルは致死的となりうることを肝に銘じ，準備・手術・術後管理に臨む．

A はじめに

膵癌ではその解剖学的特徴から，門脈系血管への浸潤を認めることも多い．膵癌登録報告2007によると，2001〜04年の膵頭十二指腸切除術，膵体尾部切除術，膵全摘術のそれぞれ35.6％，16.0％，34.7％に門脈合併切除術が行われていた．近年話題となっている局所進行膵癌に対するいわゆるconversion surgeryや，胆道癌，特に肝門部胆管癌でも，その解剖学的位置関係から門脈合併切除がしばしば必要となり，門脈系血管合併切除・再建は，肝胆膵手術において習得するべき必須の手技である．本項では門脈環状切除・再建について概説する．

B 術前の準備

1 画像診断

周囲の主要動脈と同様に，病変と門脈系血管（脾静脈，胃結腸静脈幹，左胃静脈，下腸間膜静脈，空腸静脈などの分枝の走行・位置，また側副血行路の有無など）との位置関係を十分に把握しておく．腫瘍による狭窄の程度と予想される門脈切除長を推定しておく．

2 機器

Satinsky型，DeBakey型などの血管鉗子を用意する．筆者はCastroviejo持針器と5-0もしくは6-0のモノフィラメント非吸収糸（両端針）を用いている．また，再建に時間を要する場合に備えて，アンスロン®カテーテルを準備しておく[1]．

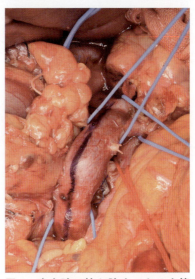

図1 吻合時の捻れ防止のため血管腹側に色素でマーキングする

C 門脈切断

　門脈切断は術式の最後の標本摘出と同時に行われ、そのまま門脈再建を開始することになる。血管切断の前に切除長を計測し、tension-freeの吻合が困難と判断されれば、後述の自家グラフト使用を検討する。

　血管吻合時、吻合部の過緊張・捻れ・屈曲に留意することはきわめて重要である。緊張がありそうな場合は、肝臓側の門脈の十分な剝離、上行結腸～回盲部～回腸間膜の授動が有用である。これらは、血管切断前に十分行っておく必要がある。また捻れを防ぐために血管切断前に色素でマーキングを行う(図1)。その後、血管鉗子は狭窄の上流および下流の切断予定位置に左右方向にかけておく。血管鉗子を前後方向にかける方法もあるが、上腸間膜静脈(superior mesenteric vein：SMV)分枝形成後の吻合など、常にこの方法で施行可能ではないので、左右にかける方法でまず習熟すべきである。その場合、助手が保持しやすいように血管鉗子は助手側からかける。この時点で、再建のデザインが決定されている。

D 端々吻合

1 術式

　膵頭部癌の場合、当教室で施行しているmesenteric approachは、上腸間膜動脈(SMA)周囲リンパ節郭清、total mesopancreas excisionの確実な施行、手術の序盤においてR0手術のためのマージン決定を可能とするだけでなく、再建門脈の緊張を緩和できる利点も有する手技である[2]。

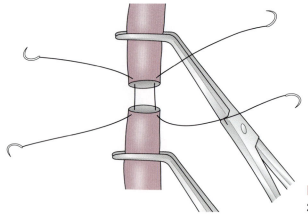

図2 端々吻合の実際
2点支持で吻合を開始する．

2｜吻合の実際

　血管内膜を必ず愛護的に扱うとともに，乾燥しないように適宜ヘパリン化生理食塩水を使用する．筆者は2点支持で行っている（図2）．左右両端に支持糸をかけ，後壁から連続縫合を開始する（intraluminal suture）（図3）．血管壁の厚さにもよるが，縫い代を大きくしすぎないように注意する．通常であれば縫い代，ピッチともに1 mm程度である．また針穴が大きくならないように血管壁に対して丁寧に垂直に運針し，外膜の縫い込みに注意する．内膜同士を接着させる外翻縫合が原則である．助手は縫合糸を軽く牽引してサポートするが，狭窄をきたす可能性があるため強く締めすぎないことが重要である．

　SMV-門脈吻合の場合は，SMVは門脈よりも細く血管壁も薄いことが多いので，血管系の差を意識しながら縫合する．後壁終了後，前壁を縫合する（over and over suture）（図4）．最後の一針を残した時点で上流側（SMV側）の血管鉗子を少し解除し，内腔の空気や凝血塊，血液などを排出させるとともに，吻合部を十分に膨らませる．血管鉗子をもう一度クランプし最後の縫合を行い，両縫合糸をやや緩めに結紮する．吻合部を十分に膨らませておけばgrowth factorは不要と思われるが，もともとの血管が細いなど狭窄の懸念がある症例ではおいてもよい．通常の吻合であれば門脈遮断時間は10～15分が標準である．

3｜吻合部が翻転できる場合

　SMV-SMV吻合のように鉗子が翻転できる場合は，前述のように血管鉗子を前後方向にかけ，鉗子を右に倒して左壁を，次に左に倒して右壁を，それぞれover and over sutureで縫合する方法もある．

4｜SMV分枝の形成

　膵鉤状突起や十二指腸水平脚近傍の腫瘍では，再建時の末梢側の血管が複数本となることがある．複数本の血管を合わせて吻合口が一穴になるように血管形成を行うこ

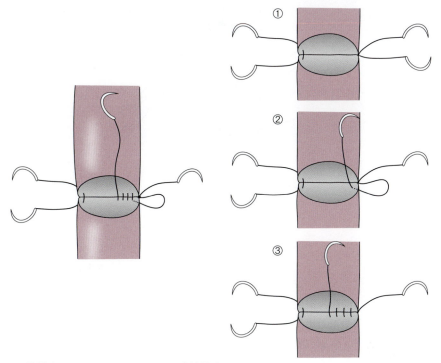

図3 後壁を intraluminal suture で連続縫合
① 縫合する側の糸を結紮する．縫合しない側は結紮せず，軽く緊張をかけておく．② いったん血管内腔側に針を入れる．③ 連続縫合する．

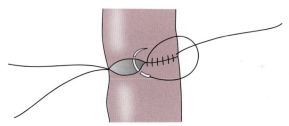

図4 前壁を over and over suture で縫合

ともあるが，乱流による血栓形成の可能性もある．当教室では原則的には，細かい空腸静脈の分枝は結紮してしまい，通常の端々吻合とすることが多い．

E グラフト再建

　門脈切除合併膵頭十二指腸切除術の場合，Fujii らの検討によると 31 mm 以上の切除長は中期的に 70％ 以上の重度狭窄〜閉塞の独立した予測因子であった[3]．同報告によると，門脈切除長が大きい場合はたとえ術中に端々吻合が可能であっても，術後の立位時などに吻合部の緊張がより大きくなり，狭窄をきたす可能性があるということが示されている．この結果を踏まえ，筆者らは門脈切除長が 30 mm を超えると推定される場合は，グラフトを用いた再建を想定・準備している．

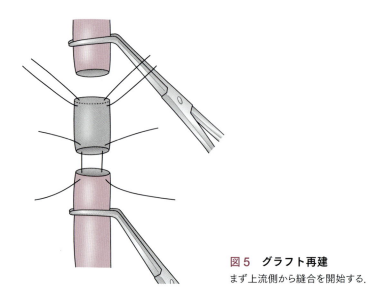

図5 グラフト再建
まず上流側から縫合を開始する．

　肝胆膵領域でのグラフト血行再建は外腸骨静脈，左腎静脈，内頸静脈などのグラフト使用の報告があるが，問題点も指摘されている[4]．外腸骨静脈は下腿浮腫やそれによる疼痛の頻度が高くQOLを著しく損ねることがある．左腎静脈は十分な長さを採取できないことが多く，また術後腎機能障害を起こす可能性がある．内頸静脈は径が太すぎる場合がある．これらの問題を解決するべく，近年筆者らは浅大腿静脈を用いた門脈/SMV再建を行っている．浅大腿静脈は直径が門脈/SMVと同等であり，かつ10 cm以上の十分な長さのグラフトを確保することができるため有用であると考えている．

　グラフト再建を予定する場合，術前に採取予定のグラフトが使用可能か造影CTでチェックしておくことが望ましい．

　グラフト再建の場合は門脈遮断時間が30分以上となることがあるので，筆者らはアンスロンカテーテルバイパスを施行する．通常の短時間の血管再建であれば必要性は少ないが，グラフト使用例，肝動脈合併切除例，血栓形成時のトラブルシューティングなどにおいて，同カテーテルバイパスを一選択肢として備えておくことはきわめて有用である[1]．

　グラフト再建のときは，原則的に上流側(SMV側)をまず吻合する(図5)．前述のように吻合部を膨らませてから結紮するが，それが困難な状況であればgrowth factorをおいて結紮するとよい．その後，下流側(肝臓側)を吻合する．肝門部門脈の再建では下流側を先に吻合したほうが容易であることもあるので，状況に応じて対処する．

　浅大腿静脈を用いたグラフト再建の動画を提示する【動画】．

動画

F 脾静脈の取り扱い

　門脈切除再建合併膵頭十二指腸切除術においては，左側門脈圧亢進症を避けるため脾静脈は可及的に温存すべきであるが，根治性のために切断せざるをえないことが多い．脾静脈-門脈合流部を切除した場合，脾静脈は結紮・切離して再建は必要ないと

の報告がある一方で，左側門脈圧亢進症による脾機能亢進や消化管の静脈瘤破裂などの有害事象も報告されている[5]．必ずしも脾静脈再建を行う必要はないと考えられているが，まれに著明な血球減少を認め，補助化学療法に支障をきたすこともあり，左腎静脈による再建などが報告されている[6]．今後，膵癌の術後予後の向上に伴って，中長期的有害事象である左側門脈圧亢進症に対する対策の重要性も増してくると考えられる．

G 吻合の終了，術後管理

血管鉗子の遮断解除後に吻合部から出血をみることがあるが，軽度のものであれば軽い圧迫で止血可能である．吻合部狭窄の原因となりうるため追加縫合を急ぐ必要はない．また，吻合部近辺の分枝からの出血の場合もあるので，注意深く観察して対処する．もし吻合部に強い屈曲や変形・狭窄などを認め懸念がある場合は，躊躇なく再吻合すべきである．

抗凝固薬の術後予防的全身投与に関して一定の見解はないが，通常の全身状態・手術であれば不要と思われる．

最後に，門脈吻合部のトラブルは致死的となりうることを肝に銘じ，準備・手術・術後管理に臨むべきである．

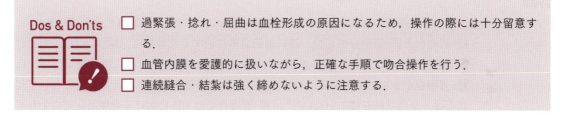

Dos & Don'ts
- 過緊張・捻れ・屈曲は血栓形成の原因になるため，操作の際には十分留意する．
- 血管内膜を愛護的に扱いながら，正確な手順で吻合操作を行う．
- 連続縫合・結紮は強く締めないように注意する．

文献

1) 中尾昭公：門脈カテーテルバイパス法による isolated pancreatectomy．消化器外科 23：953-961, 2000
2) 藤井 努，他：膵癌における高度門脈浸潤例の切除戦略．胆と膵 36：247-251, 2015
3) Fujii T, et al：Vein resections >3 cm during pancreatectomy are associated with poor 1-year patency rates. Surgery 157：708-715, 2015
4) Stüben BO, et al：Successful use of the recanalized remnant umbilical vein as a patch graft for venous reconstruction in abdominal surgery. J Gastrointest Surg 23：1227-1231, 2019
5) Mizuno S, et al：Left-sided Portal Hypertension After Pancreaticoduodenectomy with Resection of the Portal Vein/Superior Mesenteric Vein Confluence in Patients with Pancreatic Cancer：A Project Study by the Japanese Society of Hepato-Biliary-Pancreatic Surgery. Ann Surg 274：e36-e44, 2021
6) 東松由羽子，他：門脈合併切除併施膵頭十二指腸切除術において脾静脈再建を施行した1例．日外科系連会誌 45：146-153, 2020

（渋谷和人，藤井 努）

6 膵-消化管吻合

1）膵-胃吻合（膵管-胃粘膜吻合）

重要ポイント
- 膵管-胃粘膜吻合部には内ステントを留置し，主膵管内の確実な減圧を行う．
- 膵断端を胃粘膜ポケット内に嵌入させ，膵断端の分枝膵管由来の膵液漏出を腹腔内に漏らさない．
- Blumgart変法では，脂肪変性の強い脆弱な膵実質においても損傷なく吻合が可能である．

A はじめに

　膵頭十二指腸切除術（pancreaticoduodenectomy：PD）における膵消化管再建法として，膵-胃吻合と膵-腸吻合の比較，特に短期成績に関する比較臨床試験（RCT）は，過去にも多数報告されている．近年のシステマティックレビューでは，膵液瘻発症率には膵-胃吻合が少ないものの出血のリスクは高いとの報告もあり，その優劣について現状では一定の見解を得ていない[1, 2]．膵-胃吻合ではPDにおける動脈出血部位として最も頻度が高い胃十二指腸動脈断端と吻合部が離れており，また膵酵素活性化に関与しているエンテロキナーゼ，胆汁，腸内細菌などが膵-腸吻合に比べて少ないことが理論的にも有利とされている．一方，その手技が膵-腸吻合に比べて比較的難易度が高く，多くの施設で採用されるには至っていない．

　本項では従来施行されている膵実質-胃漿膜筋層2層縫合による膵管-胃粘膜吻合術（pancreaticogastrostomy：PG），およびその変法として膵実質-胃漿膜筋層1層縫合 PG（Blumgart 変法 PG）について概説する．

B 膵管-胃粘膜吻合術

　幽門輪温存膵頭十二指腸切除術におけるPG再建図を示す（図1）．
　残膵は胃体中部後壁に吻合する．胃体中部後壁の漿膜筋層を超音波凝固切開装置もしくは電気メスにて切離し，粘膜面を露出させ粘膜ポケットを作成する．膵切離断端

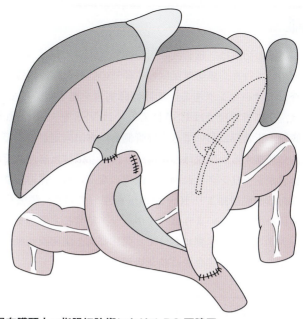

図1 幽門輪温存膵頭十二指腸切除術における PG 再建図

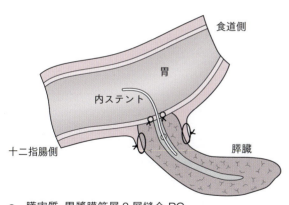

a 膵実質-胃漿膜筋層 2 層縫合 PG

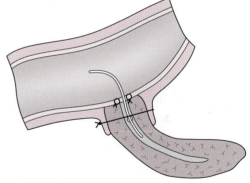

b 膵実質-胃漿膜筋層 1 層縫合 PG
（Blumgart 変法 PG）

図2 内ステント留置を伴う膵管-胃粘膜吻合断面図

をこの胃粘膜ポケット内に嵌入させることにより，膵切離断端に露出する分枝膵管からの膵液漏出が粘膜ポケット内にとどまり腹腔内に及ばないようにする．胃粘膜は腸粘膜に比べて粘膜が厚いため，吻合口を確保するには内ステント（internal stent）を留置して主膵管減圧を行う．胃粘膜と膵管・膵実質を 6-9 針縫合する方針としている．膵実質-胃漿膜筋層縫合は，従来施行されている 2 層縫合 PG，およびその変法としての膵実質を貫通する 1 層縫合 PG（Blumgart 変法 PG）がある（図2）．術後胃排出遅延予防の観点より十二指腸-空腸吻合は結腸前再建を行う．以下，膵-胃吻合の手技を具体的な手順に沿って説明する．

C 膵切離

　　膵臓の切離は，超音波凝固切開装置(USAD)もしくは血管シーリングシステム(VSS)を用いて行う．膵切離部位の主膵管の位置を術前画像検査にて確認し，術中超音波検査にてマーキングする．切除側膵実質を血管鉗子にてクランプを施行する．膵切離は，主膵管近傍ではUSADもしくはVSSをshort-pitchで使用することにより，細膵管，正常膵においても主膵管側面の露出同定が可能である．主膵管周囲はメスで鋭的に切離する．出血はバイポーラによりほぼ止血可能である．細膵管症例などでは主膵管がシーリングされ吻合が困難になるため，膵再切離が必要となる．吻合に備え膵断端は脾動静脈より10〜20 mm剝離しておく．膵実質断端は脾静脈に流入する細い静脈を損傷しないようにバイポーラ，結紮にて処理を行う．上腸間膜静脈に脾静脈が流入する部位の尾側において，膵体部に上腸間膜動脈由来の背側膵動脈が通常流入するが，この背側膵動脈は結紮処理する．

D 膵-胃吻合時の患者体位

　　膵管-胃粘膜吻合時は手術台のローテーションにより患者の右側を挙上する体位とし，左側の肋骨弓にかけているトンプソン型開創器で左肋骨弓を腹側左側に挙上し，胃体中部後壁と残膵断端の吻合の視野確保を容易にする．膵切離部位が左側で視野確保が困難な場合は，柄付ガーゼなどを左横隔膜下に挿入し，残膵を正中側に展開する．

E 胃粘膜ポケットの作成

　　胃の血流は，左胃動脈，脾動脈より供給されており良好である．左胃静脈は膵癌症例などでは結紮切離するが，うっ血などが問題となることは通常ない．胃壁は厚く，膵管-胃粘膜吻合を施行するためには胃全層と膵管の吻合は困難である．よって胃の漿膜筋層を切開し，胃粘膜と粘膜下層を露出し胃粘膜ポケットを作成し，残膵と吻合する．

　　まず胃体中部後壁の大彎側，小彎側に3-0絹糸を用い支持をかけ，術者側に牽引することにより胃吻合部位の視野確保を行う．胃漿膜筋層切開は電気メスにて行う．胃粘膜露出の範囲は残膵断端の面積により調整する．通常残膵断端より少し大きめのサイズで約30 mm程度となる．胃口側，肛側に約10 mm同様に切開を広げる．胃の粘膜に穴が開かないように術者左手鑷子・助手両手鑷子で3点支持のもと，胃粘膜の鑷子による直接把持を極力避けて展開する．

　　胃漿膜筋層と粘膜・粘膜下層の境界は容易に剝離が可能であり出血しないが，出血する場合は粘膜下層に切り込んでいる可能性がないか注意が必要である．万が一胃粘膜を損傷した場合，部位が粘膜吻合に適する場合は用いてもよいが，適さない場合は粘膜の縫合閉鎖を行うか別の部位に粘膜ポケットを作成する．

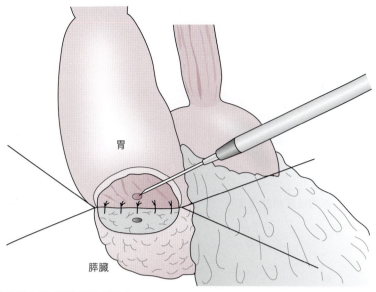

図3　膵腹側実質-胃漿膜筋層縫合（2層縫合PGの場合）

F 膵実質-胃漿膜筋層縫合（2層縫合PG）

　膵実質-胃漿膜筋層縫合は4-0モノフィラメント非吸収糸（4-0 PROLENE® 糸）を用い結節縫合で行う．まず胃後壁の粘膜ポケットの「胃漿膜筋層」と「膵腹側膵実質」縫合を行う（図3）．

　実質にかける糸は膵断端より10 mmの部位に刺入し，膵断端2～3 mmの部位より針を出し膵断端が粘膜ポケット内に完全に嵌入するように心がける．両端の膵実質-胃漿膜筋層縫合を初めに行い，次に中央，その両側に2針ずつかけ，計7針の膵実質胃漿膜筋層縫合を行う．結紮はすべての糸をかけ終わったあとに行う．正常膵症例では，刺入部より出血する場合があるが，通常吻合にて止血可能である．結紮時は助手が胃を膵臓に寄せ，結紮部に緊張がかからないようにし，術者が結紮する．このときに胃側に結紮点がくるように注意して結紮する．正常膵などでは糸を強く締めすぎると，強い牽引などで容易に膵が断裂してしまう．膵実質と胃漿膜筋層を寄せるくらいの感覚で注意深く結紮する．結紮糸に適度な緊張がかかっている確認としては，胃漿膜筋層面の結紮点が軽く胃側に埋没していることが1つの目安となる．

　次いで，後述する「膵管-胃粘膜吻合」後に「膵背側実質-胃漿膜筋層縫合」を行う．膵腹側実質-胃漿膜筋層縫合と同様に胃漿膜筋層に針をかけ，膵断端より3 mmの部位に刺入し膵断端より10 mmの部位から針を出して膵断端が胃粘膜ポケット内に完全に埋没するようにする．このときも助手は胃漿膜筋層を膵実質に寄せ，術者が胃漿膜上に結紮点がくるように愛護的に結紮を行う．

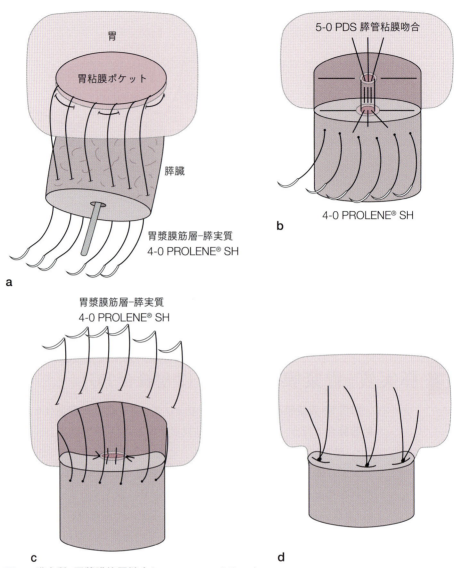

図4 膵実質-胃漿膜筋層縫合（PG/Blumgart 変法 PG）

G 膵実質-胃漿膜筋層吻合（1層縫合 PG/Blumgart 変法 PG）

　近年，膵-腸吻合の膵実質-空腸漿膜筋層吻合において膵実質の損傷を回避しつつ簡便な吻合方法として Blumgart 変法が報告されているが，膵-胃吻合のおいても同様の方法が施行可能である．

　2層縫合 PG では縫合時に膵実質損傷をきたす懸念が強い正常膵や脂肪変性伴う脆弱な膵実質においても，安全に「膵実質-胃漿膜筋層吻合」を行うことができる．

　まず両端針の4-0モノフィラメント非吸収糸（4-0 Prolene SH）を用いて針を直線化し，胃後壁の粘膜ポケット下縁「胃漿膜筋層」を約10 mm 奥より胃粘膜ポケット内へ運針し（図4a），次いで「膵実質」腹側から背側へ貫通させる．両端針を3本用いて合計6針貫通させる（中央の糸は主膵管をまたぐように運針，図4a）．この状態で膵実質より出血

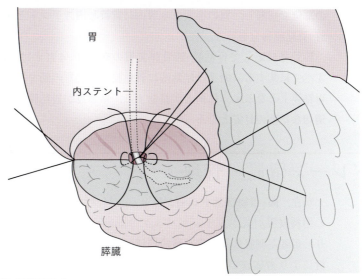

図5　膵管-胃粘膜吻合

がある場合は，マイクロブルドッグ鉗子を用いて貫通糸を圧迫固定し止血する．この状態で後述する「膵管-胃粘膜吻合」を施行する(図4b)．その後，膵実質を貫通した4-0モノフィラメント非吸収糸(4-0 PROLENE® SH)を胃粘膜ポケット上縁の「胃漿膜筋層」に運針し(図4c)，縫合し結紮する(図4d)．3針の結紮は両端から施行し，膵断端が完全に胃粘膜ポケット内に嵌入するように結紮する．

H　膵管-胃粘膜吻合

　膵実質-胃漿膜筋層縫合において，「2層縫合の場合」は膵腹側実質-胃漿膜筋層縫合後に，「1層縫合PG(Blumgart変法PG)」では胃漿膜筋層-膵実質貫通後に，膵管-胃粘膜吻合を行う(図5)．

　正常膵症例では主膵管径が非常に小さい症例も存在するが，4Fr径の膵管チューブが挿入可能な症例では膵管-胃粘膜吻合が可能である．膵管-胃粘膜吻合は膵管径に応じて計6〜9針縫合を行う．まず胃粘膜ポケット内の粘膜に針型電気メスを用いて吻合予定の膵管の位置を確認し，対側に小孔を開ける．小孔作成部位周囲に血管が透見され出血が予測される場合は，バイポーラにて周囲静脈を処理する．膵腹側の縫合より開始しモノフィラメント吸収糸(5-0もしくは6-0 PDS-Ⅱ糸)を用いて，吻合部の左右両端より開始する．膵管膵実質-胃粘膜の順に針をかける．膵管にかける糸は膵管粘膜だけではなく膵実質も2〜3mm含めて糸をかける．両端に糸をかけたあと，膵管径に応じて2〜3針，両端を含め計4〜5針かける．両端を残し中糸の結紮を行う．両端の糸は背側の膵管-胃粘膜吻合を容易にするために結紮しないで残す．ここで4Fr節付き膵管チューブを膵管内に留置する．膵管チューブの太さは膵管径にかかわらず常に4Frとしている(ごくまれに4Frが留置できない症例があり，その場合は3Fr栄養チューブを使用する)．膵管チューブは6Frの節の部位も含め，20〜25mm程度主膵管内に挿入した部位で結紮固定する．その後膵管チューブを結紮部位から40〜50mm

の部位で切断し，胃の小穴より胃内に留置し内ステントとする．続いて膵管背側の膵管-胃粘膜吻合を行う．

　膵管径に応じて胃粘膜-膵管膵実質の順に3～4針かけ，終了後に両端の糸も含めすべて結紮する．助手は結紮時に胃粘膜と膵実質の間を寄せるようにして，結紮点が胃粘膜上となるように術者が結紮する．結紮点が胃粘膜に軽く埋没しているくらいが適切な結紮の目安となる．

I ドレーン留置・管理

　現在，膵-胃吻合部ドレーンは8 mm径ソフトプリーツ型ドレーンを逆流防止つきの閉持続吸引式ドレナージバッグ(Sumitomo CLIO drain system)とともに使用しており，患者左側腹部より胃小彎噴門側に留置している．術後の臨床的膵液瘻予測因子解析により当施設でのドレーン抜去基準を策定，術後4日目のドレーン性状が漿液性かつ血清CRP値が15.6 mg/dL以下であればドレーン抜去し，どちらかを満たさない場合はネラトンカテーテルへ入れ替えを行っている[3]．この基準により80%以上の症例で術後5日以内に全ドレーン抜去が可能である．

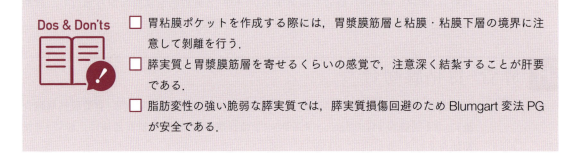

Dos & Don'ts
- 胃粘膜ポケットを作成する際には，胃漿膜筋層と粘膜・粘膜下層の境界に注意して剥離を行う．
- 膵実質と胃漿膜筋層を寄せるくらいの感覚で，注意深く結紮することが肝要である．
- 脂肪変性の強い脆弱な膵実質では，膵実質損傷回避のためBlumgart変法PGが安全である．

文献

1) Daamen LA, et al：A web-based overview, systematic review and meta-analysis of pancreatic anastomosis techniques following pancreatoduodenectomy. HPB(Oxford) 20：777-785, 2018
2) Wang XX, et al：Pancreatic outflow tract reconstruction after pancreaticoduodenectomy：a meta-analysis of randomized controlled trials. World J Surg Oncol 19：203, 2021
3) Uemura K, et al：Indicators for proper management of surgical drains following pancreaticoduodenectomy. J Surg Oncol 109：702-707, 2014

（上村健一郎）

2）膵-腸吻合

> **重要ポイント**
> - ☐ 吻合部となる膵の周囲操作においては，膵被膜を可及的に温存する．
> - ☐ 膵液瘻の高危険因子を伴う症例には特別な対応を意識する．
> - ☐ 膵断端と吻合に用いる空腸の血流に懸念はないか．
> - ☐ 運針は一発勝負と心得，できるだけ繰り返さない．
> - ☐ 丁寧で過緊張のない結紮，「締めすぎず，緩すぎず」．

A はじめに

　膵消化管再建を要する術式は，膵頭十二指腸切除（pancreatoduodenectomy：PD），膵中央切除（middle pancreatectomy：MP），十二指腸温存膵頭切除（duodenum-preserving pancreatic head resection：DpPHR）が該当し，再建法としては膵-空腸吻合と膵-胃吻合が主として行われ，各々に膵管-粘膜吻合法と陥入法がある．

　これまで，膵-空腸吻合後の膵液瘻低減を企図したさまざまな臨床研究がなされてきた．オクトレオチドやフィブリン糊などの薬物介入以外に，膵管ステント（なし，内・外瘻），陥入・膵管粘膜縫合，結節・連続縫合などの手技に関する多数の後方視的研究と前向き比較試験において，一貫して優越性を示す方法は残念ながら存在しない[1,2]．

　Blumgart変法は，最新のメタ解析において他の粘膜吻合に対して優越性が示唆され，近年の高度技能専門医申請において，PD時の残膵再建に採用する施設が増加している．本項では，Blumgart変法による膵-空腸粘膜縫合を解説する．

B 膵-消化管吻合後のアウトカム

　膵-化管吻合後のアウトカムは，吻合・縫合手技のみならず，手術冒頭からの膵周囲操作にも起因することを肝に銘じる．すなわち，膵下縁での上腸間膜静脈（SMV）確保，膵トンネリング，膵上縁での総肝動脈周囲リンパ節郭清時などにおいては，一貫して膵被膜を損傷しないよう留意する．また，膵背側に被膜が存在しないことから，例えばSMV周囲結合組織を可能な限り膵側に付着させて剥離することなども留意点となる．以下に詳細を述べる．

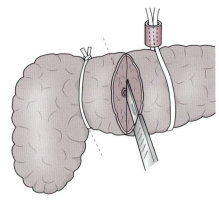

図1 膵切離時の駆血法の一例
当教室では切離側膵を結紮したうえで，残膵側を7 Fr ネラトンにより駆血（ターニケット）し，メスを用いて鋭的に切離する．膵切離に際するこのような駆血については，温存膵を損傷しない範囲で施設の作法に従う．

C 膵トンネリング

膵下縁を愛護的に把持し，トンネリングのウィンドーを大きく設定しながら，必ず直視下となるよう，膵実質と上腸間膜静脈(SMV)-門脈(PV)間を剝離する．血管の腹側に介在する静脈の枝はなく，注意すべきは膵下縁左（膵尾）側から流入する小静脈と，右側背側からPVへ流入する後上膵十二指腸静脈である．盲目的な鈍的剝離は厳に慎むべきで，「トンネルの向こうが見えるまで」必ず直視下に操作を完遂することを徹底し，完遂後は膵頸部を確保する．

D 膵（頸部）切離

膵切離においては原疾患に応じて適切な切離縁を確保する．通常は術中超音波検査により決定する．PDにおいては門脈直上で切離することが多く，当教室では残膵側をネラトンターニケットし，切離側膵を結紮したうえで，メスを用いて鋭的に切離することを原則としている（図1）．膵断端は主にソフト凝固で止血可能であるが，必要に応じて縫合止血を加える．膵切離時や断端止血のための把持時，あるいは縫合止血時には，温存側の膵被膜を損傷しない技術を要する．なお，膵切離法と駆血については，術者や施設の作法に従うのがよい．

E Blumgart変法による膵–空腸吻合

1 空腸脚の作成と挙上

膵–空腸吻合における空腸脚の間膜処理は重要な要素となり，PDにおいては上部空腸間膜処理が挙上空腸脚の血流を規定する．一方，他の術式では新たにRoux-en-Y法により空腸脚を作成する．挙上経路は旧Treitz（後腸間膜）経路や，横行結腸間膜（後結腸）経路となるが，いずれも挙上空腸の腸間膜に屈曲や捻れを生じないよう配慮する．

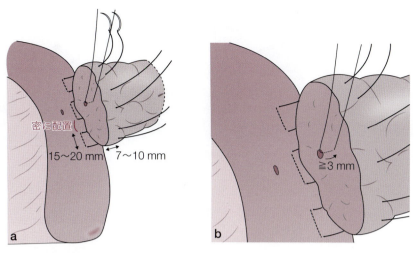

図2 膵実質貫通-空腸漿膜筋層密着縫合の後列
膵断端に合わせ，膵背側の吻合部に対応する空腸漿膜筋層を腸管長軸に運針し(U-suture)，両端針のそれぞれを膵実質背側から腹側へ向けて貫通させる．通常は3針をタンデムに，膵管をまたぐよう，またU-suture間を密に配置し，膵管の位置によって適宜微調整する．

2 │ 膵実質貫通-空腸漿膜筋層密着縫合①

　ここでは，いわゆる細径膵管(≦2 mm)の正常膵における吻合と縫合について述べる．膵断端の大きさ(幅と厚み)に合わせ，空腸漿膜にマーキングする．4-0ポリビニリデンフルオライド非吸収糸(アスフレックス®)，あるいは4-0ポリプロピレン非吸収糸(ネスピレン®)により，膵背側の吻合部に対応する空腸漿膜筋層を腸管長軸に15〜20 mmの長さで運針する(U-suture)．続いて，両端針のそれぞれを膵実質背側から腹側へ向けて貫通させる．膵実質のバイトはおおむね7〜10 mmとし，通常は3針をタンデムに，膵管をまたぐよう，またU-suture間を密に配置する．これらの糸針を個別に鉗子で把持し，大ガーゼや穴あきドレープなどを被せ，術野の混乱が生じないように整える(図2a)．

3 │ 膵管-空腸粘膜吻合

　U-sutureを緩やかに牽引した状態で膵管に対応する空腸の位置に電気メスで小孔を作成する．膵管外瘻とする場合はこの時点でステントチューブを空腸内に挿入し，挙上空腸盲端より誘導しておく．5-0 PDS吸収糸両端針により膵管前壁中央に始めの一針をかける．細径膵管に対しては比較的大きめ(3 mm以上)のバイトで膵管の内から外へ運針する(図2b)．これを鉗子で把持し適度な緊張で腹側へ牽引する．

　続いて頭尾側の膵管両端に同様に運針し(図3a)，この2針については空腸全層に運針する．両端の糸針をW型に牽引し膵管の3点支持とすることで細径ながら膵管の視認性は良好となる(図3b)．膵管前壁中央の両側に2針，膵管後壁中央とその両側に運針し，合計8針を基本とする(図4a)．極細径膵管の際は6針にとどめることもある．運針に伴う組織障害を可及的に減らすため，縫合針の彎曲に従った慎重な運針を

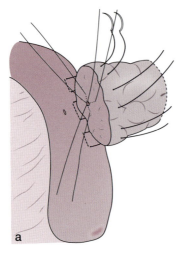
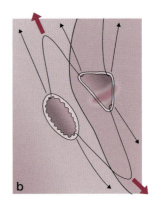

図 3　膵管-空腸粘膜吻合 ①
細径膵管のバイトは 3 mm 以上とし，1 針目は膵管前壁中央にかけ，膵管の内から外へ運針する．次に膵管頭尾側の両端に同様に運針し（a），この 2 針については対側の針を空腸全層へ運針し，両端の糸針を W 型に牽引すると膵管の 3 点支持が完成し，細径ながら膵管と空腸小孔の視認性は良好となる（b 赤矢印）．

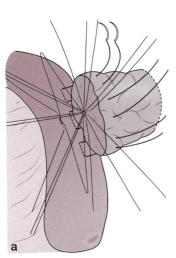
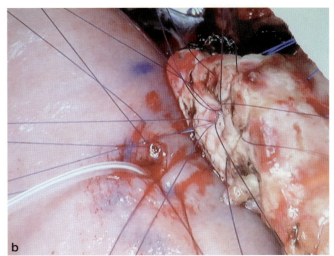

図 4　膵管-空腸粘膜吻合 ②
膵管前壁中央の両側に 2 針，膵管後壁中央とその両側に運針し，合計 8 針を基本とする（a）．膵管後壁中央，その両側の糸針を空腸全層へ運針し（b），適切な強さで結紮する．膵管前壁の糸針を空腸全層へ運針し，同様に結紮すると膵管-空腸粘膜吻合が完成する．

心がける．ペンホールド型マイクロ持針器を用いると，ブレが少なく適切に運針が可能となる．膵管後壁中央，その両側の糸針を空腸全層へ運針する（図 4b）．結紮は，確実に組織の密着が得られるとともに，組織の挫滅や血流障害が生じない程度の適切な強さで行う．術者・助手・鉤引きは術野および周囲の結紮糸から決して目をそらさず，不用意な牽引による組織の挫滅・裂傷をきたさないように細心の注意を払う．膵

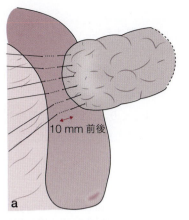
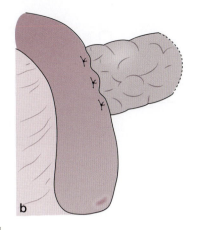

図5 膵実質貫通-空腸漿膜筋層密着縫合の前列
空腸を鑷子で寄せるなどして適切なバイト幅(膵断端が確実に被覆されるよう膵の厚み)をシミュレーションする．先のU-sutureを，対応する空腸の漿膜筋層に短軸方向へ運針する(**a**)．挙上空腸内腔の狭小化に留意する．このU-sutureを「締めすぎず，緩すぎず」に結紮する(**b**)．

　管-空腸吻合部後壁の結紮ののち，ステントチューブを用いる際は，ここでチューブを膵管に挿入・固定する．ロストステントの際もこの時点でチューブを挿入・固定する．前壁の糸針を空腸全層へ運針し，同様に結紮すると膵管-空腸粘膜吻合が終了する．

4 | 膵実質貫通-空腸漿膜筋層密着縫合 ②

　先のU-sutureを，対応する空腸の漿膜筋層に短軸方向へ運針する．膵断端が確実に被覆されるよう膵の厚みに対して空腸漿膜筋層の前後幅を適度な厚みで運針する(図5a)．運針前に空腸を鑷子で寄せるなどしてバイト幅をシミュレーションするとよい．大きく運針しすぎると挙上空腸の内腔が狭小化するので留意が必要である．結紮はのちの組織浮腫に備えて「締めすぎず，緩すぎず」を心がける．膵断端と膵刺入・刺出部の糸が確実に被覆されていれば，本法の利点が生かされている(図5b)．

F 合併症を減らすための配慮

　膵実質は容易に挫滅をきたし，膵液瘻誘因の1つとなる．正常膵では特に繊細かつ愛護的な操作を要し，運針においては一発勝負を心がけ，刺入を繰り返さないように心がける．膵液瘻の高危険因子を伴う症例への特別な対応としては，胃十二指腸動脈断端の肝円索による被覆，吻合部ドレーンの複数留置，ドレーン排液に懸念がある場合の早期介入(交換と洗浄)については有用性が報告されている[3-5]．

Dos & Don'ts

- [ ] 運針は一発勝負，かけ直しを回避する．
- [ ] 正常膵における膵管-膵実質の運針はバイトを大きめに．
- [ ] 第1助手が糸針を適切に整理し，適度な牽引により膵管内腔の視認性を保つ．
- [ ] 膵管-空腸の運針後，結紮はゆっくりと，過張力は禁物．
- [ ] 鑷子による膵管，膵実質，膵被膜の把持を最小限に．

文献

1) Ricci C, et al：Blumgart anastomosis after pancreaticoduodenectomy. A comprehensive systematic review, meta-analysis, and meta-regression. World J Surg 45：1929-1939, 2021
2) Hirono S, et al：Modified blumgart mattress suture versus conventional interrupted suture in pancreaticojejunostomy during pancreaticoduodenectomy：Randomized controlled trial. Ann Surg 269：243-251, 2019
3) Ausania F, et al：Multifactorial mitigation strategy to reduce clinically relevant pancreatic fistula in high-risk pancreatojejunostomy following pancreaticoduodenectomy. Pancreatology 21：466-472, 2021
4) Pedrazzoli S, et al：Systematic review and meta-analysis of surgical drain management after the diagnosis of postoperative pancreatic fistula after pancreaticoduodenectomy：draining-tract-targeted works better than standard management. Langenbecks Arch Surg 405：1219-1231, 2020
5) Welsch T, et al：Pancreatoduodenectomy with or without prophylactic falciform ligament wrap around the hepatic artery for prevention of postpancreatectomy haemorrhage：randomized clinical trial(PANDA trial). Br J Surg 109：37-45, 2021

〔木村康利〕

7 胆道再建

> **重要ポイント**
> - ☐ 胆管の走行にはバリエーションがあり，手術前のシミュレーションが大切である．
> - ☐ 胆管の周囲には動脈および門脈が伴走していることに留意する．
> - ☐ 結節縫合，連続縫合のどちらでもよいが，胆管径が細い場合は，結節縫合が望ましい．
> - ☐ 術後の胆管炎発症時に迅速に対応するためにも，手術前後で定期的に胆汁の監視培養を行う．

A はじめに

　胆道再建には胆管-消化管吻合および胆管-胆管吻合がある．ここでは，膵頭十二指腸切除術（pancreaticoduodenectomy：PD）や胆管切除を伴う肝切除術後の一般的な胆道再建法である胆管(肝管)-空腸吻合術について述べる．肝移植や胆管損傷時などの胆管-胆管吻合については割愛する．

　右の横隔膜下や肝臓の背側に柄付きガーゼを挿入して肝臓を授動し，腸ベラや万能開創鉤などを用いて良好な術野を確保することから開始する．

B 胆管の切離

　胆管の周囲には動脈および門脈が伴走していることに留意する．特に総肝管レベルでの切離時には，その背側で右肝動脈の走行を確認することが重要である．

　PDの際には，胆管の十二指腸側を結紮で閉鎖して，肝側にはブルドッグ鉗子をかけて，胆管を切離する．肝切離の場合でも，可能な限り切除する側の胆管を結紮などで閉鎖する．感染予防と癌細胞の腹腔内散布防止の観点から，胆汁を術野に漏らさないように吸引する．また，術前に胆汁の監視培養を行うように心がける．

　総肝管切離の際，肝門部からの距離が長いと，血流障害から吻合部の狭窄をきたす可能性があるため注意が必要である．

　胆管の周囲には動脈叢があり，上膵十二指腸動脈や胆嚢動脈，右肝動脈から血流を受けている．胆管の切離の際，これらの動脈から出血することがあり，適宜，針糸や電気メスで止血する．このときに完全に止血できなくても吻合時に針糸をかけることでほとんどが止血する．

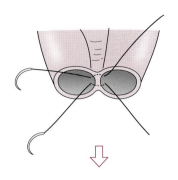

図1 胆管口の一穴化
近接する胆管は可能な限り一穴化
して形成し吻合する.

　肝実質内での胆管の切離では，複数本の胆管が現れることがあり，確認した時点でそれぞれの胆管に支持糸をかけておくと，あとで胆管を探す必要がなくなる．複数本の胆管の吻合が必要な場合があるが，可能な限り一穴として吻合口を形成する（図1）．
　切除断端を確保しようとして，胆管を末梢側で切離しすぎると縫い代が少なくなって針糸をかけるのに難渋するので注意する．
　画像診断の進歩で，術前に吻合予定の胆管のシミュレーションが容易となっている．術前に画像を見直すとともに手術のシミュレーションを行うことが大切である[1]．筆者らは胆管が細いときには，胆管の左側壁を切り上げて吻合口を大きくして，術後の胆管炎の予防に努めている[2]．

C 小腸の作成

　当科では，PD の際の再建は Child 変法で，肝切離後の肝管-空腸吻合は Roux-en-Y 法で行っている．
　Treitz 靱帯から約 10～15 cm のところで自動縫合器を用いて空腸を切離する．空腸は一般的には横行結腸間膜内を通して，後結腸経由に挙上する．膵癌などの悪性腫瘍のバイパス術では，横行結腸間膜への腫瘍の浸潤や播種・再発による挙上空腸の狭窄を危惧して前結腸経由で行うこともある．
　挙上空腸の腸間膜が横行結腸間膜の通過部で緊張が強い場合には，5～10 cm ほどの犠牲腸管を作成して，空腸を挙上する．空腸の吻合口は糸の牽引で伸びるので，胆管径の 8 割ほどの小さめに作成する．

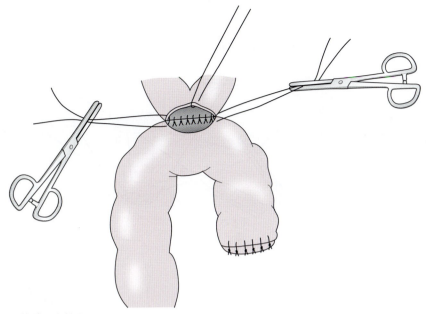

図2 前壁の支持糸
胆管の前壁を糸で腹側へ牽引すると，術野の展開が容易となる．

D 吻合

糸は5-0モノフィラメントの吸収糸を用いる．胆管壁に対する組織抵抗性からは無傷針のモノフィラメント吸収糸が望ましい．絹糸では，結石が発生する可能性がある．

全層1層で，後壁から行う．胆管の粘膜と空腸の粘膜を確認して針糸をかける．空腸の運針の際，漿膜筋層より粘膜のバイトを小さくする．

胆管径が太ければ吻合は結節縫合でも連続縫合でも構わないが，初心者は結節縫合のほうがやりやすい．胆管径が細い場合，連続縫合で糸を引きすぎると狭窄の原因となる可能性があるため結節縫合が望ましい．また，細径あるいは菲薄化している胆管も，結節縫合のほうが胆管の損傷をきたしにくいと考える．吻合が複数ある場合には，それぞれの後壁を縫合してから前壁を縫合すると吻合しやすい．ピッチ，バイトとも1～2mmで運針する．胆管の前壁に支持糸をかけて，術野を展開すると吻合しやすくなる(図2)．

1 実際の手順

❶ 結節縫合

a）運針

最初に両端針を用いて，胆管と空腸の両端に外内→内外となるように運針して，これを支持糸とする．吻合の最後にこの糸を結紮して，結紮部が外側となるようにする．
- 後壁は空腸→胆管を，内外→外内となるように運針する．
- 前壁は空腸→胆管を，外内→内外となるように運針する．

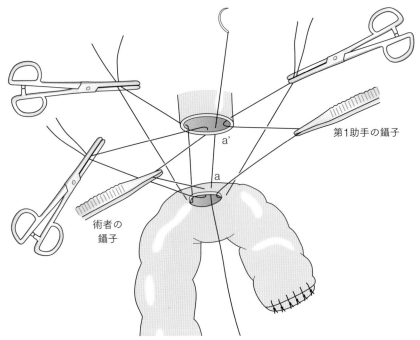

図3 糸を牽引して術野を展開する
術者と助手がそれぞれかけた糸を牽引すると術野の展開が容易となり，その中点 a→a' に運針することで，均一なピッチとなる．

　「両端の支持糸の中間に針糸をかけ，今度は端の糸と中間の糸の間」というように，2本の糸の中間に針糸をかけていくようにすると均等なピッチとなる（図3）．両端の支持糸の近くは間隔が広くなりがちなので，運針の方向および間隔に注意する．後壁，前壁とも，支持糸の近くでは術野の展開が困難となる．このため，支持糸の近くは最後にしない順番で運針する（図4）．
　後壁に針糸をかける際には，空腸を足側に引っ張るようにして胆管との間をとることで運針が見やすくなる．かけた糸を牽引して緊張をかけながら運針することで術野が展開でき，糸同士の絡みもなくなる．術者の奥から手前に向かって（患者の左側から右側に向かって）運針する．そうすることで次に運針する位置が確認しやすくなる．
　胆管壁が薄い場合は，胆管のみでなく，漿膜や周囲の結合織と一緒に針糸をかけることで，胆管が裂けるのを予防する．細い胆管に針糸をかける際には，胆管チューブを留置しておき，そのチューブに沿って針を刺入させることで運針が容易となる．

b）結紮

　すべての針糸をかけ終わったあとに，空腸を胆管側に引き上げて結紮する．結紮は手前から奥に向かって（患者の右側から左側に向かって）行う．こうすることで，吻合部が確認しやすく，糸さばきが混乱しない．
　モノフィラメントの吸収糸を結紮する際には，手水で指先を湿らせながら結紮すると滑りがよく，吻合部に余計な力がかからない．

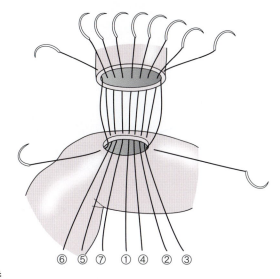

図4 運針の順番
左右の両端に両端針で針糸をかけて，糸を把持・支持する．
それぞれの糸の間に間隔が均等になるように針糸をかける．かける針糸数は胆管径に合わせて増減する．
数字のような順番で運針する．両端の支持糸の近傍は運針しづらくなるので，最後にしない．

空腸を胆管に寄せるようにして結紮する．逆にすると，特に胆管壁が薄い場合に，胆管壁が裂けるため注意が必要である．

c）助手の役割

第1助手は，術者が結紮している間，まだ結紮していない糸を牽引してほどよい緊張をかけ，絡まないように注意する．

第2助手は，糸が絡まないように注意することはもちろんであるが，縫合した糸の両端を鉗子で把持して，さらに糸の順番がわかるようにアリス鉗子などを用いて整理する．

❷ 連続縫合

奥から手前に向かって(患者の左側から右側に向かって)運針する(図5)．両端針を用いて，後壁を縫合してから前壁を縫合する．運針中に糸が捻れることがあるため，適宜，捻れを戻して吻合する．助手は空腸を胆管側に寄せるようにして，糸で胆管壁が裂けないように注意する．また，糸を引きすぎると狭窄の原因となる可能性があることに留意する．

a）後壁の縫合

- 空腸→胆管を外内→内外で縫合して結紮する．
- 結紮した針糸を胆管側の内腔に出す．
- 空腸→胆管を内外→外内で縫合する．
- 後壁の吻合が終了したら，針糸を空腸の漿膜側に出しておく．

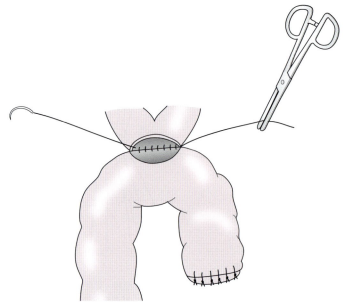

図 5　運針は奥から手前に向かって
連続縫合でも，結節縫合でも，可能な限り，奥から手前に向かって（患者の左側から右側に向かって）運針する．そうすることで次に針を入れる場所の確認が容易となり，均等な運針となる．

b）前壁の縫合

- 空腸→胆管を外内→内外で縫合する．
- 前壁の吻合が終了したら，針糸を胆管側に出して，空腸側に出した後壁の糸と結紮する．

E 胆汁外瘻チューブ

　PDでは，吻合に不安がなければ原則として胆管チューブは留置しない．留置する場合でも，早期吸収の糸で固定することで術後早期にチューブを抜去できる．チューブが軟らかいために消化管内で進めることが困難な場合には，その先端に外科ゾンデを糸でつけると操作が容易となる．

　肝門部領域胆管癌などの場合には，可能な限り再建した胆管すべてに胆管チューブを留置する．結紮した後壁中央の縫合糸を開き，その間に胆管チューブを固定する．チューブの先端が胆管のあまりに奥深い位置となるとドレナージが悪くなるので注意する．外瘻チューブは挙上空腸の断端にWitzel法で固定し，さらに腹壁に固定して体外に誘導する．

　経肝的にチューブを留置する場合には，肝実質内の動脈や門脈といった血管の損傷に注意する．留置の際のコツとしては，穿刺針をクルクルと回転させるようにして抵抗のない胆管の中を進めたあとに肝実質を穿刺する．また，腹壁への固定が最短距離となる部分で穿刺することも重要である．

F 挙上空腸の固定

　　横行結腸間膜に挙上空腸を固定する．胆管−空腸吻合部から固定部までが長いと空腸が落ち込み，消化管の流れが滞ることがあるため，あまり長く距離をとらないようにする．腹側3針，背側2針ほどで固定する．また，空腸間膜と横行結腸間膜の間も縫合閉鎖する．

G 術後管理，合併症

　　吻合が終了した時点で腹腔内を洗浄して，きれいなガーゼで吻合部の周囲を拭き取って，胆汁漏の有無を確認する．縫合不全部が確認できて，針糸の追加縫合が容易にできれば行う．場合によっては縫合糸をはずし，胆管のトリミングを行ったあとの再吻合が必要となることもある．しかし，何度も針糸をかけることで胆管壁が裂け，肝実質近くで胆管のトリミングが不可能となることもあるため深追いはしない．胆管チューブを確実に留置して，その周囲でのドレナージを十分効かせることで経過をみることも必要である．

　　胆管チューブを留置している場合には，その閉塞に注意する．適宜，少量の生理食塩水で閉塞の有無を確認するが，閉塞してもチューブの脇を通って胆汁が消化管へ流れるのでさほど心配はいらない．あまり加圧すると胆管炎を引き起こすことがあるので，注意を要する．

　　吻合部近傍に留置した腹腔内のドレーン排液中のビリルビン値を測定し，胆汁漏の有無を評価する[3]．肝切後の離断型の胆汁漏でない場合は，ドレナージが良好であれば大きな問題はない．消化管の運動が回復するとともに腸管へ胆汁が流れていき，治癒することがほとんどである．基本的に胆汁漏があるからといって絶食にする必要はない．

　　一方，離断型の胆汁漏を認めた場合には，まず低圧持続吸引式のドレナージチューブを用いて確実にドレナージをかけ，膿瘍腔を縮小させ，その瘻孔化をはかる．肝機能の廃絶とともに胆汁の産生が少なくなることもあるが，胆汁の産生が持続する場合には無水エタノールなどで胆管のアブレーションを試みる．フィブリン糊を用いる方法や同領域の門脈を閉塞する方法もあるが，これらの治療が無効な場合には，原因となっている領域の肝切除を考慮する[4]．

　　縫合不全を認めた場合には，適宜，腹部エコーやCT検査を行い，ドレナージ不良な部位がないか確認することが重要である．ドレナージ不良域があれば，エコーガイド下あるいはCTガイド下に穿刺する．また膿瘍の細菌培養検査や必要に応じて血液培養検査を行うことを忘れない．

　　大量肝切除術を行った場合には，術後の胆管炎が敗血症や臓器不全につながって致命的となることもある．適切な抗菌薬を速やかに使用できるように，術後も定期的に胆汁の監視培養を行うことが重要である[5]．

　　細い胆管や縫合不全症例などでは，術後長期的に吻合部の狭窄を認めることがある．これにより胆管炎を繰り返したり，肝内結石を認めたりする．胆管炎を繰り返す

と場合によっては胆汁うっ滞型の肝硬変となることもあるため，経皮経肝的アプローチあるいはダブルバルーン内視鏡を用いた経消化管的アプローチでの胆道ドレナージや吻合部の評価・拡張術が必要となる．

Dos & Don'ts

- ☐ 手術前の胆管走行部の画像シミュレーションが非常に重要であり，これを怠らない．
- ☐ 愛護的な運針と結紮を心がける．特に正常な胆管壁はもろく裂けやすいため注意する．
- ☐ 胆管の粘膜と消化管の粘膜に確実に針糸をかけた全層縫合を行い，縫合のピッチ，バイトを均一にすることが重要である．
- ☐ 第1助手が吻合予定前後の糸を牽引して術野を展開し，第2助手が糸の整理を行うことで糸が絡まないようにする．
- ☐ 消化管を胆管側に寄せるようにして愛護的に結紮する．正常な胆管壁は薄くて脆いので注意が必要である．結紮時には手水を用い，モノフィラメントの糸に余計な力がかかって胆管壁を損傷しないようにして結紮する．

文献

1) Nanashima A, et al：Three-dimensional fusion images of hepatic vasculature and bile duct used for preoperative simulation before hepatic surgery. Hepatogastroenterology 59：1748-1757, 2012
2) Hiyoshi M, et al：Hepaticoplasty prevents cholangitis after pancreaticoduodenectomy in patients with small bile ducts. Int J Surg 35：7-12, 2016
3) Koch M, et al：Bile leakage after hepatobiliary and pancreatic surgery：a definition and grading of severity by the international Study Group of Liver Surgery. Surgery 149：680-688, 2011
4) Sakamoto K, et al：Risk factors and managements of bile leakage after hepatectomy. World J Surg 40：182-189, 2016
5) Kondo K, et al：Selection of prophylactic antibiotics according to the microorganisms isolated from surgical site infections（SSIs）in a previous series of surgeries reduces SSI incidence after pancreaticoduodenectomy. J Hepatobiliary Pancreat Sci 20：286-293, 2013

〔旭吉雅秀，七島篤志〕

IV章

術中偶発症

■ 術中偶発症への対処 ……………………………………………… 146

術中偶発症への対処

> **重要ポイント**
> - 平時より出血したときにはこまめに止血して，出血量が増加しないように心がける．
> - 出血したときにはまず圧迫．それから流入・流出血管をクランプできるように操作する．
> - Damage Control Surgery(DCS)へ移行するタイミングが遅いと術中死することを念頭に置く．
> - 術中バイタルが維持されているのは麻酔科医のおかげである．常に感謝の気持ちを忘れずに良好なコミュニケーションをとる．

A はじめに

　肝胆膵外科領域の高難度手術では，生命維持に必要な臓器である肝臓へ流入・流出する大血管に近接した臓器・腫瘍を切除するため，術中偶発症が起こりうる[1]．最も多いのは，大量出血であり，手術関連死亡の最大の原因であるといわれている[2]．一定以上の術中出血量になると希釈性凝固障害が発生し，縫合や結紮では止血が困難になるためである．加えて，出血した場合は当然のことながら止血が必要であるが，そのために大血管の遮断を行うと肝臓の虚血・小腸のうっ血などを招く．そのため，時間的制限のなかで解決しなければならない．

　そのような切迫した状況では，まず冷静になることが一番である．リカバリー法を知っていれば，慌てずに対処ができる．そして，万が一発生した場合に備えて，常に回避処置を講じておくことが重要である．すなわち，大血管と腫瘍の剝離の場合にはその頭側と尾側にテーピングしておき，出血に備える．ステイプラートラブルに備えて常に圧迫用の大きなツッペルを用意しておく，などである．また，誤認による脈管・胆管の切離も比較的頻度の高い偶発症である．特に肝動脈は細いため，誤認して切離してしまうことがある．これを回避するためには，例えば，replaced right hepatic artery が存在する症例は，まず Rouviere 溝でテーピングしておく．肝動脈は肝内に近づくにつれ細くなり同定が困難になる．特に尾状葉動脈は細いため引き抜いてしまうことがあり，その場合には左右・後区域肝動脈を犠牲にしなければならないこともある．このように術前 CT では同定できない細い血管が潜在することを念頭に置き，怪しいと思ったときには結紮する，という慎重な姿勢も必要である．

B さまざま術中偶発症

1 術中大量出血

　そもそも出血性ショックの分類では，出血量が1,500 mL程度に達すると血圧低下が生じるとされている．さらに循環血液量以上の大量出血時や急速輸血を要するような状態になると，凝固因子や血小板数の低下による出血傾向(希釈性凝固障害)が起こる可能性がある．循環血液量は体重の約1/13といわれているため，50〜60 kgの患者であれば，4,000〜5,000 mL程度が危険水域となる．出血がただちにコントロールできない場合には，大量の細胞外液を輸液することになるため凝固因子が希釈される．さらに赤血球減少と低血圧によって組織への酸素供給が低下し，アシドーシスとなる．特に冷たい輸液を使用すると低体温となり，凝固系カスケードの酵素活性が低下する．是正されることなく進行するといわゆる致死的3徴候(deadly triad；低体温，アシドーシス，凝固異常)と呼ばれる病態に陥る．Deadly triadの客観的指標を以下に示すが，諸家の報告には多少のばらつきがある．
① 低体温：深部体温＜34℃
② アシドーシス；pH＜7.2
③ 凝固障害：湧出性出血の出現

　山本ら[3]によれば術中に4,000 mLを超える出血をきたした場合，ほとんどの症例で血小板数は50,000 μL以下に減少し，フィブリノゲン値は150 mg/dL以下に低下する．またPTの最低値は平均で23.6%と著明な出血傾向を認めた．
　対処法としては，まず止血・凝固検査(血小板数，PT，APTT，フィブリノゲン値)を行う．循環血液量の維持や赤血球輸血が不可欠であることはいうまでもない．加えて新鮮凍結血漿や血小板濃厚液の投与を行う．新鮮凍結血漿および濃厚血小板製剤の投与効果が不十分な場合には，新鮮凍結血漿投与に代わる新たな治療としてクリオプレシピテートもしくはフィブリノゲン濃縮製剤の投与が推奨されている[3]．クリオプレシピテート3パック(新鮮凍結血漿15単位分)もしくはフィブリノゲン濃縮製剤3 gの投与でもoozingがコントロールできない場合には，前述したようにdeadly triadと呼ばれる致命的状態に陥るため，Damage Control Surgery(DCS)に移行する決断をする[4]．
　なお，予防対策としては，こまめな止血を行うようにして出血量を抑制しておけば，ただちに4,000 mLに達する事態を避けることが可能である．さらに麻酔科医との緊密な連携が不可欠である．例えば，潜在的に危険な操作を行う前にはその時点でいったん操作を停止して出血量をカウントする，必要に応じて輸血の手配を行う，などの慎重な姿勢が重要である．

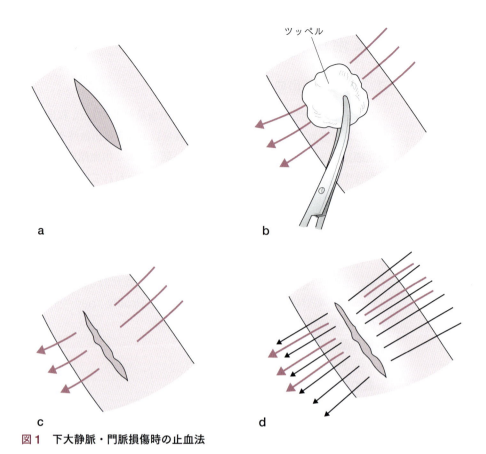

図1 下大静脈・門脈損傷時の止血法

2 | 下大静脈,肝静脈損傷

　下大静脈と肝腫瘍の剥離の際には肝上部下大静脈と肝下部下大静脈をテーピングしておく.下大静脈,肝静脈の損傷の発生機転としては,肝静脈根部の切離でステイプラーが機能せず大出血,あるいは血管鉗子が突然折れて鉗子がはずれた,太い短肝静脈の結紮がはずれた,胆嚢摘出時に胆嚢床部の太い中肝静脈を損傷した,などの状況が考えられる.

　このような場合,まず慌てずに圧迫止血を行う.筆者は大きなツッペルを賞用している.

　次に肝上部および肝下部下大静脈に通しておいたテーピングをターニケットに通しクランプする.側副血行のない症例でも数十秒は耐えられる.筆者はこのような場合には,4-0非吸収性モノフィラメント糸で結節縫合を行う(図1).数本置いたのちにツッペルを外し(図1b),その数本の糸を牽引すると1箇所が引っ張られることなく,視野の確保が可能な程度の止血は得られることが多い(図1c).最初の数針は深くかけすぎなことが多いため,さらに数針追加してから古い糸を切離する(図1d).その時点でサテンスキー型血管鉗子で損傷部をクランプし,縫合を追加する.視野が悪ければ横隔静脈を結紮切離して,横隔膜と肝の間を開けて肝上部下大静脈をテーピングするなど視野の確保に努める.

肝上部・肝下部下大静脈を仮クランプして血圧が維持できない場合や，ツッペル圧迫だけで視野が確保できないときには，VVバイパスを考慮する．VVバイパスが用意できなければDCSで逃げて高次施設に転送する．

3 | 門脈損傷

門脈損傷の発生機転としては，不用意な横行結腸の牽引，胃結腸幹の結紮糸がはずれた，腫瘍と門脈の不適切な剥離，などが考えられる．さまざまな状況で起こりうるが，胆管炎が併存する場合には胆管と門脈との固着があり，損傷するリスクがあることを念頭に置いておく．

門脈損傷の対処法としては，縫合止血術，結紮術，グラフト置換術，門脈-門脈臍部バイパス，門脈-下大静脈シャント術がある．まずはツッペルで圧迫止血，6-0非吸収性モノフィラメント糸による結節縫合を数針置き縛らずにおく．6～7針置いたところですべての糸を愛護的に牽引すると，多くの場合出血はコントロール可能となる．縫合して狭くなった場合には，バイタルサインが安定したのちに同部を分節上に切除して端々吻合で再建する．門脈が端々吻合で届かない場合には左腎静脈グラフトを採取する．あるいは大伏在静脈をいかだ状に切り開いて連結させてもよいが，形成に時間を要するのが欠点である[5]．

腫瘍が摘出されておらず，門脈吻合ができないときには，門脈カテーテルバイパスが有効である．特に門脈臍部とのカテーテルバイパスは，肝阻血時間を短くできるので有用である．ほかには，門脈と下大静脈をゴアテックスグラフトでバイパスする方法もある．

以上の処置は希釈性凝固障害が起こる以前は実施可能であるが，湧出性の出血下では不可能である．バイタルサインが不安定で手術を遂行するのが危険な場合には，門脈を結紮する方法もある[6, 7]．この場合，肝血流は肝動脈だけになる．腸管浮腫が必発のため，術後48時間以内にセカンドルック手術（2nd look operation）を行い，腸管の状態を確認することが推奨されている．

4 | 門脈狭窄・門脈血栓

門脈血栓の場合には，吻合部をはずしてフォガティカテーテルで血栓除去する．実際には肝内まで広がった血栓を完全に除去するのは困難なことが多い．緊張や捻れが生じないように再吻合する．それでも血栓ができる場合には，胃大網静脈にカテーテルを留置して，ヘパリン（2,500単位/日）持続注入を行う方法もある[8]．肝右葉切除後の左門脈の捻転による狭窄に対して，門脈臍部から門脈本幹にかけて10 mm径×40 mm長のステントを留置した報告もある[9]．本報告では，ステント留置による血栓形成予防のため，手術終了後から上腸間膜静脈内に留置したカテーテルよりヘパリン10,000単位/日が持続投与された．その後，術後第10病日から経口FXa阻害薬アピキサバン10 mg/日の内服へ切り替えたと記載されている．

5 | 肝動脈損傷

　肝動脈は解剖学的変異が多いことを常に念頭に置く[10]．まずは術前画像診断で変異の把握に努める．

　右肝動脈を損傷した際，多くの場合は左肝動脈が流れていれば，肝門板を介して左から右への側腹血行がただちに開通するため，右肝動脈の再建は不要とされている．しかし，まれに肝膿瘍や虚血による胆管狭窄をきたすこともあるので，日ごろから形成外科医と連携している施設では形成外科医を呼んで再建を依頼する．形成外科医が不在で再建できない場合には門脈の動脈化を行う[11]．再建した肝動脈の拍動が触知できない場合には，攣縮の可能性があるので希釈したパパベリン塩酸塩を直接吹きかける．

　腹腔動脈あるいは上腸間膜動脈からの大出血〔例：腹腔動脈合併尾側膵切除術（DPCAR）の際に腹腔動脈根部の鉗子がはずれて大出血した，など〕では，まずは圧迫止血する．この場合，視野の確保は困難なことが多いので，大腿動脈から大動脈閉塞バルーンカテーテル（IABO）を挿入して大動脈を一時的に閉塞させる[12]．

　IABOカテーテルがなければ，左開胸して用指的に胸部大動脈をクランプする．

6 | 胆管損傷

　肝切除では胆管損傷は5％前後に発生する．グリソン（Glisson）鞘が切離面に露出する肝切除術式でその頻度は高くなる．Boonstraら[13]は中枢型の胆管損傷は4.1％に発生したと述べている．特に再肝切除症例ではグリソン鞘が偏位しているため，温存すべき胆管を損傷することがある．

　術中に損傷を発見できれば，対処を行う．小さなピンホールであれば，単なる縫合閉鎖でよい．ただしCチューブなどを留置し，胆管内圧を減圧しておく．5mm程度の損傷であれば，RTBDチューブを留置したうえで縫合閉鎖する．肝外胆管であればTチューブを留置することも可能である．完全に離断されている場合，胆管断端同士が緊張なく寄れば端々吻合が可能であるが，届かない場合には胆管-空腸吻合を行う[14]．

C おわりに

　頻度は少ないが，肝胆膵手術は術中偶発症が起こりうる．常に先を読み，万が一発生したときに冷静に対処することが重要である．深追いは禁物で，希釈性凝固障害となる前に止血，再建する．また日ごろから麻酔科医や形成外科医との良好なコミュニケーションを保つことがきわめて重要である．やむを得ない場合は止血にこだわらず，DCSへの転換を早めに決断する．

Dos & Don'ts

- ☐ 術中偶発症に対するさまざまな方策を事前に知っておき,イメージトレーニングしておくこと.
- ☐ 止血を焦って深追いしないこと.やればやるほど傷を深くする.
- ☐ 言うまでもないが,術中偶発症が発生したときには上級医を呼ぶこと.

文献

1) 蔦原康行,他:肝切除を伴う肝胆外科領域の術中及び術後血管合併症:pitfallとその対策.日血外会誌 11:687-692, 2002
2) 入田和男,他:術中出血の放置できない現状とは.日臨麻会誌27:126-133, 2007
3) 山本晃士,他:術中大量出血を防ぐための新たな輸血治療 クリオプレシピテートおよびフィブリノゲン濃縮製剤投与効果の検討.日輸血細胞治療会誌56:36-42, 2010
4) 松本 尚:外傷外科を取り巻く最新トピックス Damage control surgery.日外会誌120:297-303, 2019
5) 渡部晶之,他:外傷性肝外門脈損傷に対して,大伏在静脈グラフトによる門脈再建により 救命しえた1例.日消外会誌50:254-261, 2017
6) 根岸宏行,他:外傷性門脈損傷に対し門脈結紮術を施行し救命した1例.日腹部救急医会誌35:299-302, 2015
7) 吉川智宏,他:外傷性肝外門脈損傷の患者に対して門脈結紮術を施行し救命し得た1例.日腹部救急医会誌30:719-723, 2010
8) 那須裕也,他:プロテインC活性低下により門脈合併切除・再建術中に血栓閉塞を繰り返した肝門部胆管癌の1例.日消外会誌40:301-306, 2007
9) 木村七菜,他:肝右葉切除術中の門脈左枝の捻転に対して術中門脈ステントを留置した1例.日消外会誌53:504-511, 2020
10) 長堀 薫,他:膵頭部領域癌手術時における術中右肝動脈損傷時の対処.日臨外会誌61:2439-2442, 2000
11) Iseki J, et al:Mesenteric arterioportal shunt after hepatic artery interruption. Surgery 123:58-66, 1998
12) Irahara T, et al:Retrospective study of the effectiveness of Intra-Aortic Balloon Occlusion(IABO)for traumatic haemorrhagic shock. World J Emerg Surg 10:1, 2015
13) Boonstra EA, et al:Risk factors for central bile duct injury complicating partial liver resection. Br J Surg 99:256-262, 2012
14) 小林 剛,他:開腹肝切除術における複雑な胆管損傷に対する対処法.手術73:981-989, 2019

(遠藤 格)

V 章

基本となる高難度手術術式

1. 右肝切除 154
   1) 前方アプローチ 154
   2) 標準的アプローチ（右肝授動先行，右開胸開腹を含む） 161
2. 左肝切除 178
3. 肝区域切除 190
4. 尾状葉切除 202
5. 胆道再建を伴う肝切除，尾状葉切除 210
   1) 左肝切除（左三区域を含む） 210
   2) 右肝切除（右三区域を含む） 222
6. 膵頭十二指腸切除術【動画】 232
7. 膵体尾部切除術【動画】 252
8. Frey 手術【動画】 263
9. 胆嚢癌に対する肝切除・胆管切除再建 270
10. 生体肝移植 282
    1) ドナー肝切除 282
    2) レシピエントの手術 295

1 右肝切除

1）前方アプローチ

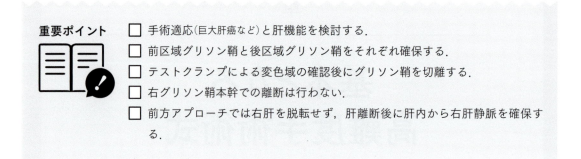

重要ポイント
- 手術適応（巨大肝癌など）と肝機能を検討する．
- 前区域グリソン鞘と後区域グリソン鞘をそれぞれ確保する．
- テストクランプによる変色域の確認後にグリソン鞘を切離する．
- 右グリソン鞘本幹での離断は行わない．
- 前方アプローチでは右肝を脱転せず，肝離断後に肝内から右肝静脈を確保する．

A はじめに

　右肝切除は，最も基本的で代表的な肝臓手術であり高難度手術の１つである．肝門部脈管処理，肝実質切離，肝静脈処理，肝周囲間膜切離と脱転など肝臓外科に必要な手技をすべて確実に行う必要がある．右肝切除は重篤な術後合併症や手術死亡があるため，手術適応と肝機能については十分検討する．本項では肝門部グリソン（Glisson）鞘一括アプローチ・前方アプローチによる右肝切除について述べる．

B 前方アプローチとは

　前方アプローチ（anterior approach）は，従来法（右肝を脱転し下大静脈靱帯を処理して右肝静脈にアプローチする）に対して，右肝を脱転せず，肝を前方から下大静脈（IVC）に向かって離断後に肝内から右肝静脈を処理する方法である[1-4]．巨大肝癌や横隔膜浸潤する肝癌では，右肝脱転時に大量出血の危険や不良な視野のために右肝静脈確保が困難な場合がある．このような場合に，右肝を脱転せず肝離断を先行して肝内から右肝静脈にアプローチできる安全な方法である．前方アプローチは巨大肝癌に対するnon-touch isolation techniqueとして1984年に高崎らにより報告された[1]．その後，Laiらにより手術の安全性が[5]，Liuらにより術後長期切除成績（生存率や無再発生存率）が良好なことが報告された[6]．

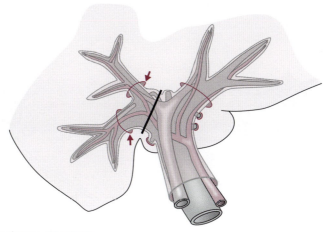

図1 肝門部グリソン鞘の解剖
肝門部で前区域グリソン鞘と後区域グリソン鞘の確保テーピングが可能である（赤矢印）．右グリソン鞘本幹での離断は危険である（黒直線）．

1 │ 手術適応と肝機能

　右肝の巨大肝癌がよい適応である．横隔膜浸潤が疑われる，右肝静脈根部が圧排されている場合もよい適応である．従来法による右肝静脈の確保が難しい場合には前方アプローチは安全である．ただし，右肝切除が可能な肝機能良好例に限る．

2 │ 解剖の要点

　肝十二指腸間膜内の肝動脈，門脈，胆管はグリソン鞘となって一束となり，肝内に流入する（図1）．肝門部肝外で前区域グリソン鞘と後区域グリソン鞘の確保テーピングが可能である（図2）．必ず前区域グリソン鞘，後区域グリソン鞘を別々に離断する．右グリソン鞘本幹で離断すると左肝管を損傷する危険がある（図1）．

3 │ 皮膚切開と開腹法

　安全な手術のためには良好な視野展開は重要である．右肝切除ではJ字切開は必要である．前方アプローチで右肝静脈へアプローチするため開胸は不要である．

4 │ 肝門部肝外グリソン鞘確保

　肝門部肝外グリソン鞘一括処理による右肝切除は，右肝に流入する前区域グリソン鞘と後区域グリソン鞘を別々にテーピングする（図1, 2）（手技の詳細 ☞ p82）．まず前区域グリソン鞘をテーピングする．次いで右グリソン本幹をテーピングし，引き算すると後区域グリソン鞘を安全にテーピングできる（図2）．

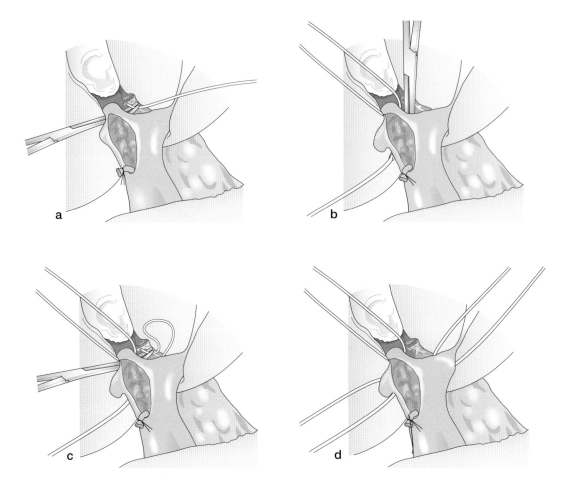

図2 肝門部グリソン鞘のテーピング
前区域グリソン鞘をまずテーピングする(**a**).次いで右グリソン鞘本幹をテーピングし(**b**),引き算により後区域グリソン鞘を安全にテーピングする(**c, d**).

5 | 肝門部肝外グリソン鞘のテストクランプと離断

　テーピングした前区域グリソン鞘と後区域グリソン鞘をテストクランプし,必ず変色域を確認する.左肝の血流をドップラ超音波で確認してもよい.前区域グリソン鞘と後区域グリソン鞘は必ず別々に切離する(図3).グリソン鞘は可能な限り助手側に牽引し,切離部の頸を長くとり,肝側で切離する.肝実質を離断し肝門部が展開されてからグリソン鞘を切離してもよい.左肝管を損傷する危険があるため,右グリソン鞘本幹で離断は行わない.胆管造影は必須ではないが,行うと安心である.

6 | 出血制御法

　肝実質離断中の出血制御には,in flowである肝十二指腸間膜を遮断するPringle法とout flowである肝静脈からの出血を制御する方法〔低中心静脈圧CVP麻酔,肝下部下大静脈クランプ法,reversed Trendelenberg position(頭位挙上),hanging maneuver(

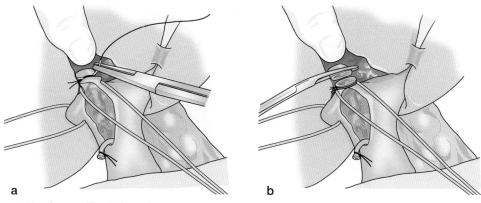

図3 肝門部グリソン鞘の切離
前区域グリソン鞘と後区域グリソン鞘は，必ず別々に縫合し切離する．

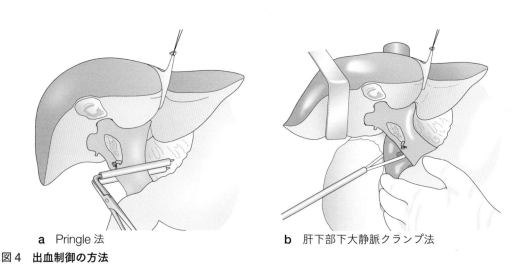

a Pringle法　　　　　　　　　　　　b 肝下部下大静脈クランプ法
図4 出血制御の方法

p 96），図4)]が有用である．特に右肝切除では，肝離断面の中肝静脈からの出血制御が不可欠であり，上記の方法を組み合わせて行う．

7 | 肝実質離断

確認した変色域の境界線(Rex-Cantlie線)に沿って腹足側から頭背側に向かって肝離断する(図5)．術中超音波で中肝静脈の走行，V5, V8枝を確認する．離断面の中肝静脈は温存し，V5やV8は結紮処理する．Hanging maneuverは下大静脈前面に鉗子を通過させ血管テープで牽引しながら肝実質離断すると下大静脈がきれいに露出される(図6)．Hanging maneuverは巨大肝癌で下大静脈が圧排されている場合には注意を要する．肝実質離断は，CUSA®やペアンクラッシュ法で行われる．いずれも肝組織を破砕吸引し，残った脈管を結紮またはエネルギーデバイスで切離する(p 105)．術者が主体的に行い，助手は術野を維持する．

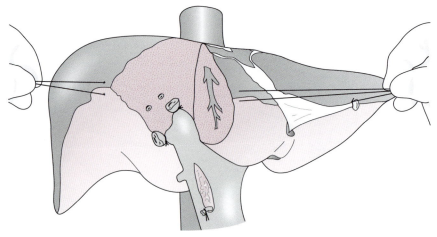

図 5　肝実質離断
離断面の中肝静脈は温存し，V5 や V8 は結紮処理する．

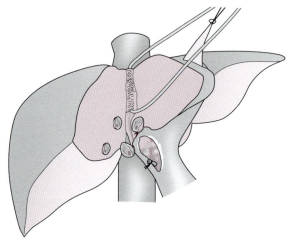

図 6　Hanging maneuver
下大静脈前面に血管テープを通し，牽引しながら肝臓を離断する．

8 │ 前方アプローチによる右肝静脈の確保処理

　下大静脈前面が露出されると下大静脈に流入する右肝静脈が確認できる（図7）．肝内から安全に右肝静脈をテーピングする．前方アプローチによる右肝静脈の確保テーピングである．確保した右肝静脈は，血管鉗子をかけて切離し縫合閉鎖（非吸収糸）する．

9 │ 間膜処理から標本摘出

　最後は，右冠状間膜，右三角間膜，肝腎間膜，横隔膜に付着した状態である．この間膜から切離し，肝を摘出する．右副腎や副腎静脈の損傷，出血に注意する．

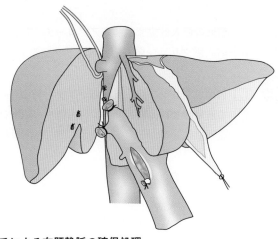

図7 前方アプローチによる右肝静脈の確保処理
肝内から右肝静脈を安全にテーピングする.

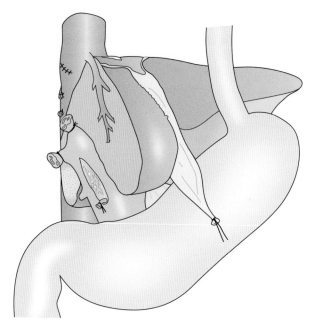

図8 右肝切除後
肝周囲間膜や横隔膜から切離し,肝を摘出する.止血と胆汁漏を確認し終了する.

10 | 止血,胆汁漏確認と閉腹

　止血を行い,胆汁漏も確認する.術後出血や胆汁漏は術後死亡と直結する.閉鎖式ドレーンを肝断端部に1本挿入する.術後出血と胆汁漏がないことを確認し2,3日で抜去する(図8).

Dos & Don'ts

- 右肝の巨大肝癌では前方アプローチで右肝静脈を確保すると安全である．
- 前区域グリソン鞘と後区域グリソン鞘をテストクランプし，変色域を確認する．
- 前区域グリソン鞘と後区域グリソン鞘は，必ず別々に切離する．
- 右肝切除では，右グリソン鞘本幹での離断は行わない．

文献

1) 高崎　健，他：巨大右葉肝癌に対する拡大肝右葉切除術．消化器外科 7：1545-1551, 1984
2) Nanashima A, et al：East meets West：East and West pioneers of "anatomical right hepatectomy" - period of dawn to establishment. J Hepatobiliary Pancreat Sci 25：214-216, 2018
3) Ariizumi S, et al：Anterior approach in right hepatectomy. J Hepatobiliary Pancreat Sci 25：351-352, 2018
4) Nanashima A, et al：Right anatomical hepatectomy：pioneers, evolution, and the future. Surgery Today 50：97-105, 2020
5) Lai EC, et al：Anterior approach for difficult major right hepatectomy. World J Surg 20：314-318, 1996
6) Liu CL, et al：Anterior approach versus conventional approach right hepatic resection for large hepatocellular carcinoma. Prospective randomized controlled study. Ann Surg 244：194-203, 2006

（有泉俊一，山本雅一）

2) 標準的アプローチ（右肝授動先行，右開胸開腹を含む）

重要ポイント

- [ ] 右肝授動を先行させる標準的右肝切除は，右肝を十分に授動・脱転し左手で右肝を挙上して肝離断面を高くすることで，離断面の肝静脈圧を下げ，肝静脈からの出血を抑制する．
- [ ] 右肝授動を先行することによって肝離断面の良好な視野が得られ，手術時間の短縮と出血量の軽減につながる．
- [ ] 右肝授動による長時間の肝脱転は肝うっ血や門脈血流入障害を引き起こすリスクがあるため，20分程度脱転したあとは数分間解除して肝を *in situ* のポジションに戻して肝血流（血栓のないことなど）を確認することが勧められる．
- [ ] 右肝の大きな肝腫瘍や再肝切除例で横隔膜と肝の癒着が強固なときは，第9肋間で右開胸を追加することで，良好な視野が得られ，さらに安全な手術につながる．
- [ ] 右肝切除にも，短肝静脈の処理が不要な症例や尾状葉全授動まで必要な症例，肝十二指腸間膜の郭清を要する症例と不要な症例，肝門個別処理ないしグリソン一括処理に適した症例，不適な症例があり，それぞれの疾患によって手技を使い分けることが肝要である．

A 適応

　本アプローチは，原発性肝癌，転移性肝癌から尾状葉切除を伴う肝門部領域癌まで，ほとんどすべての右肝切除に適応可能な手技である．なお，本項は旧版では「右開胸開腹アプローチ」となっていたが，開胸の適応となる症例は限られているため，右肝切除の前項「1) 前方アプローチ」に対応する言葉として，題名を「標準的アプローチ（右肝授動先行，右開胸開腹を含む）」と変更した．本アプローチでは，術者が患者右側方より肝腎間膜，副腎，下大静脈と下大静脈に流入する短肝静脈や右肝静脈，右下肝静脈を直視しながら手術操作をすることが可能である．

　また，右肝を占拠するほどの大きな腫瘍の場合や，再肝切除，再々肝切除で肝表面の被膜ならびに過去の肝切除の離断面が横隔膜と非常に強固に癒着している場合には，第9肋間での右開胸を追加し，術者左手を胸腔に挿入し，胸腔側より右横隔膜越しに肝全体を挙上すると，このような状況下でも良好な視野での手術操作が可能である．また，再肝切除，再々肝切除で横隔膜と肝の癒着が強固である場合，癒着剝離のための肝の牽引操作で肝実質が容易に裂けてしまい，特に静脈性の出血のコント

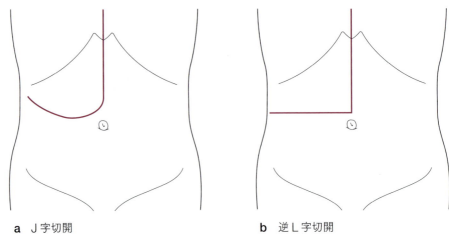

a　J字切開　　　　　　　　　　　b　逆L字切開
図1　右肝授動アプローチで用いられる皮膚切開

ロールに難渋することがある．その場合も，開胸操作を追加することで出血部位を挙上し，胸腔側から出血部位を圧迫しつつ，よい視野で癒着部位を剝離することが可能となる．

B 皮膚切開と開腹法

　右肝授動を先行させる標準的アプローチでは，J字切開ないしは逆L字切開で開腹する（図1）．まず正中切開で開腹した際に，肝円索を長めに残して結紮し，ペアンで把持しておく．肝円索を腹側に牽引することで，肝門部の操作が容易になり，また尾側に牽引することで，肝離断中の肝離断面のカウンタートラクションがうまれる．肝円索切離後，肝鎌状間膜から冠状間膜にかけて，可及的に頭側に切離しておく．次いで剣状突起周囲を剝離，露出したあとにリュエル丸のみ骨鉗子を用いて切除する．剣状突起を切除することで，肝静脈の根部から肝上部下大静脈の良好な視野が得られる．また，剣状突起を切除することは，特に左右の肋骨弓の角度である胸骨下角が狭い症例での術野の展開に有用である．正中切開のあと，肝の性状を含め明らかな非切除因子がないことを確認し，横切開を追加しJ字切開ないし逆L字切開とする．横切開は腹直筋の前鞘を切開し，腹直筋は電気メスの凝固モードで止血しながら，ないしは超音波凝固切開装置を用いて切離する．腹直筋の後鞘と腹膜を切開したあと，腹直筋前鞘と連続する外腹斜筋，次いで内腹斜筋を切離する．

　J字切開の場合は，横切開をなだらかに第10肋骨上縁に向け，肋骨の手前まで切開しておく．逆L字切開では横切開創を中腋窩線まで延長することで，下大静脈や短肝静脈の側面からの観察が可能である．一方で，J字切開では，開胸操作が加わったときの手術創が直線状で滑らかである．筆者らは開胸操作を加える可能性が高いと考える場合にはJ字切開で開腹し，開胸操作を加える可能性が低いと考える場合に逆L字切開を採用することが多い．ただし，逆L字切開の場合でも開胸操作を追加することは可能である．

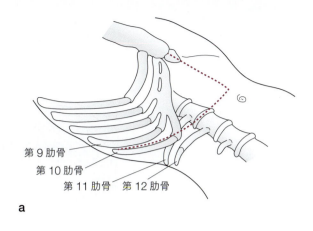

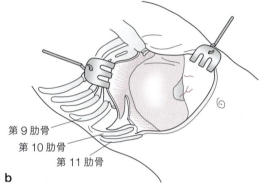

図2 開胸アプローチの追加
第12肋骨を触知して第10肋骨上縁で開胸する．横隔膜も10 cmほど切開する．

　開腹操作のあと，右の肋骨弓をKent式リトラクターなどで右頭側に牽引することで，右肝を含む右横隔膜下腔の良好な視野を得ることができる．Kent式リトラクターの牽引の高さは胸壁前面の少し上ぐらいがよい．

　右肝切除では，のちに右肝静脈の根部での処理が必要であるため，肝円索を尾側に牽引して冠状間膜を切開，肝上部下大静脈の前面まで露出しておく．やせ型の患者に限られるが，転移性肝癌肝転移切除症例など，すでに正中創が加えられている場合には，正中切開をKent式リトラクターならびに鞍状鉤で右に展開することで，正中切開のみで右肝の授動が可能なこともある．

C 開胸操作の追加

　腫瘍が大きく，右肝を右横隔膜下腔より引き出すのが困難であったり，再肝切除で横隔膜と肝との癒着が強固であったりする場合などは，先述のJ字切開や逆L字切開に開胸操作を追加する．正しい肋間での開胸のポイントは，まず，右腹腔背側で最尾側の第12肋骨を触知し，その頭側を第11肋間として順に数えて第9肋間を確認する（図2）．第11，12肋骨は浮遊肋であり肋軟骨を介して胸骨と連続していないことが鑑別に有用であるが，まれに第10肋骨が浮遊肋であることもある．また，乳頭

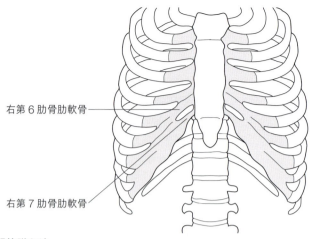

図3 右胸肋関節脱臼法
開胸操作に加え，右肋骨弓胸骨付着部の第6・7肋骨肋軟骨を切離し脱臼させると，さらに良好な視野が得られる．

の位置がおおよそ第4肋間であるため，あらかじめ体表より第9肋間の位置を予測しておくことができる．まず第10肋骨上縁に沿って後腋窩線手前まで皮膚切開を延長する．第9肋間を形成する第9肋骨と第10肋骨は肋骨弓部において肋軟骨で癒合していることが多く，リュエル丸のみ骨鉗子を用いて肋軟骨を1 cmほど切離し，第10肋骨上縁に沿って肋間筋を背側に向けて切離していく．肋間筋の切離は，右肺をよけながら背側方向に向けて，皮膚切開よりもさらに背側，脊柱起立筋近くまで十分に切開しておく．肋間筋の切離は背側まで十分に行っておかないと，Kent式リトラクターによる牽引で，壁側胸膜ならびに肋間筋の裂創をきたすことがある．また，右横隔膜も第9肋間開胸部より内側に向けて10 cmほど切開しておくことで，肋間を良好に開くことができる．

D 右胸肋関節脱臼法

まれではあるが，肥満患者や体格がよく体幹前後径の長い男性患者では，右横隔膜下腔が深く，開胸開腹アプローチを行っても腫瘍を含む右肝が右横隔膜下腔にはまり込み，肋骨弓が邪魔をして右肝を肋骨弓手前に引き出すのが困難なことがある．その場合，開胸開腹アプローチに加え右第6・7肋軟骨の胸骨付着部で胸肋関節を脱臼させることで，さらに良好な視野を得ることができる(図3)．剣状突起切離部の右上で，右第6，7肋骨弓の肋軟骨胸骨付着部をリュエル丸のみ骨鉗子にて1 cmほど切離することで，Kent式リトラクターで肋骨弓をさらに頭側に牽引することができる．まれにしか用いないが，視野展開に難渋する際に覚えておくと役に立つ方法である．

E 術中超音波検査

術中超音波検査はどのタイミングで行ってもよいが，非切除因子の検索目的に行う場合は，必ず開胸操作を追加する前に行う．非切除の可能性がある場合は，できれば正中切開で開腹操作を行った際に，非切除因子がないことを検索したあとにJ字切開ないし逆L字切開に延長するほうがよい．右肝切除の場合の非切除因子となりうるのは，残肝側である左肝の多発病変や，腫瘍栓の門脈本幹や門脈左枝への広汎な進展などである．ソナゾイド®（ペルフルブタン）を用いた造影超音波検査のKupffer相での検索は新規病変の検出に有用である．

また，腫瘍と脈管の位置関係，特に右肝切除の場合は中肝静脈の走行と腫瘍の位置関係，肝静脈の股裂け損傷を防ぐために，切除側S5, S8への枝（V5, V8）の位置を把握しておくことも重要である．門脈腫瘍栓や肝静脈腫瘍栓を伴う症例の際には，腫瘍栓の進展の程度も切離開始前に確認しておく．

F 右肝の授動と副腎との剝離，下大静脈靱帯の切離

右肝授動の前に，肝腎間膜を肝付着部近くで十分に外側に向けて切開し，右三角間膜を切離しておく．この操作を行っていないと，助手の右肝の牽引操作で三角間膜の肝付着部に牽引力がかかり，肝被膜損傷や肝実質の裂創をきたし出血をすることがある．三角間膜切離のあとに，右冠状間膜を切開し，bare areaを剝離する．再肝切除で横隔膜と肝離断面の癒着が強い症例で開胸操作を追加した場合は，左手第2～4指を胸腔内に入れて横隔膜を挙上し，腹腔側から親指で横隔膜を頭側に牽引して癒着面の剝離を行う．Bare areaの剝離を十分に下大静脈側まで進め，その後，尾側で肝下部下大静脈の前面を露出する．

1 肝と右副腎の剝離

右肝切除を行うにあたり，右副腎は右肝背側に固着していることが多く，肝と副腎の剝離操作が必要である．右副腎と肝との剝離は，以下のように行う．
① 頭側でbare areaを下大静脈靱帯手前まで十分に剝離する．
② 右副腎と下大静脈の間を慎重に剝離し，先の頭側のbare area剝離部までケリー鉗子を通す．
③ 2-0絹糸を通し副腎を背側で一重結紮する．
④ 電気メスの凝固モードで副腎を約半分ほど切離し，先の絹糸の結紮を締め直す．
⑤ 最後に残った副腎を切離し，一重結紮しておいた絹糸をさらに締めたあとに二重結紮とする（図4）．

右副腎静脈が肝臓方向に向かい右下肝静脈に合流することもあるので，注意が必要である．また，副腎切離端から出血を認める場合は，針糸でZ縫合止血する．

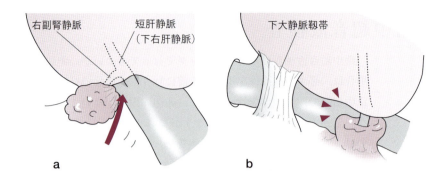

図4 肝と右副腎の剥離
a：尾側より下大静脈右壁と右副腎の間を剥離する（図のように右副腎静脈が下右肝静脈に流入することがあるので注意する）．
b：Bare areaを十分に剥離し，右副腎頭側でも下大静脈右壁を露出する（矢頭のスペースを十分に露出し鉗子を通す）．
c：2-0絹糸を通し副腎を背側で一重結紮し，電気メスの凝固モードで切離する．副腎静脈が露出された場合は結紮切離する．
d：右副腎を剥離すると，右肝がさらに授動され，短肝静脈の処理が容易になる．

2 | 下大静脈靱帯の切離

　肝と右副腎との剥離操作を終えると，さらに肝を左方に脱転・授動することができる．副腎の頭側には，右肝と下大静脈の間の線維性結合組織である下大静脈靱帯が存在するが，右肝切除の際には下大静脈靱帯の切離が必要である．下大静脈靱帯の切離は，ある程度短肝静脈の処理が済んだあとのほうが処理しやすい．肝を左腹側に授動した状態で靱帯と下大静脈の間を剥離し，鉗子を通して結紮切離する．靱帯の幅が広い場合は，数回に分けて結紮してもよい．靱帯内に静脈が走行していることもあり，必ず結紮処理したほうがよい．

　後述の短肝静脈の処理の間も含めて，長時間の右肝脱転授動は，肝内の脈管圧排によるうっ血，門脈血流流入障害や血栓を引き起こすリスクもあるため，20分程度授動した場合は，数分間解除して肝血流状態を改善させたあとに再度授動操作を行う．

G 短肝静脈・下右肝静脈の処理

　尾状葉下大静脈部と肝部下大静脈部の切除が必要ない右肝切除の場合，例えば多発転移性肝癌に対して右肝切除を行う場合や肝門に近接しない肝腫瘍の場合の右肝授動は副腎との間の剝離と下大静脈靱帯の切離で十分である．一方で，尾状葉下大静脈部の切除の必要がある肝門に近接する肝腫瘍や尾状葉下大静脈部まで進展する肝腫瘍の場合，また，Spiegel 葉を含めた尾状葉全切除が必要な肝門部領域癌に対する拡大右肝切除の場合は，引き続き右肝を授動し，短肝静脈の処理を行う．

　右肝の授動を先行させる標準的アプローチの利点は，広い視野で短肝静脈の処理を行えることである．術者は椅子に座り，側方から下大静脈(IVC)に直接流入する短肝静脈を処理する．この際，第 1 助手は両手で肝の脱転・牽引を行うが，第 1 助手からは短肝静脈が直視できないので，術者の指示通りに愛護的に牽引することが肝要である．強い牽引を行うと，細い短肝静脈は容易に裂けるため，助手は肝を牽引しすぎないように注意する．

1 | 下右肝静脈の処理

　短肝静脈の切離に先立って，太い下右肝静脈が存在する際には，下右肝静脈の下大静脈側は血管鉗子で遮断し，連続縫合閉鎖を行う．下右肝静脈の肝側も単結紮のみでは結紮糸が脱落することが多いため，切除側ではあるが，無用の出血を避けるために少なくとも刺通結紮，太いときには連続縫合閉鎖を行っておいたほうがよい．また，時間短縮のためには血管用の自動縫合器を使ってもよい．

2 | 短肝静脈の処理

　細い短肝静脈は電気メスでの凝固切離，超音波凝固切開装置での切離も可能であるが，2〜3 mm の短肝静脈は，結紮処理を行ったほうがよい．特に IVC 側は単結紮のみだと結紮糸が脱落することがあるため，刺通結紮を行う．第 1 助手は肝を把持しており，かつ短肝静脈は助手の視野が届かない位置であることが多いので，結紮操作は術者が行う．

　短肝静脈の中には，尾状葉をドレナージする caudate vein と呼ばれる太い静脈が存在する[1]．Caudate vein を含めて，2〜3 mm を超える静脈は，サテンスキー型の血管鉗子や縦溝の長谷川式剝離・結紮鉗子で IVC 側を遮断したあとに切離し，連続縫合閉鎖を行う．静脈断端の縫合閉鎖は当施設では非吸収性編糸である 3-0 ないし 4-0 タイクロン™ を用いているが，非吸収性の単糸であるプロリン® でもよい．血管吻合の際は内腔に糸が露出するので単糸のほうがよいが，断端閉鎖の場合は編糸のほうがしなやかで緩みにくい．尾状葉下大静脈部を切除する右肝切除では短肝静脈の処理は下大静脈前面中央程度までで十分だが，尾状葉全切除を伴う肝門部領域胆管癌に対する拡大右肝切除の場合は，左側尾状葉である Spiegel 葉まで全授動を行う(図 5)．

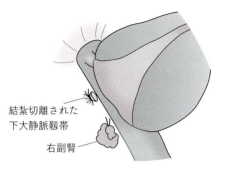
a 右副腎と下大静脈靭帯まで

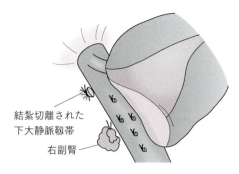
b 右下大静脈中央まで

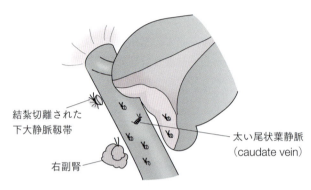
c 左側尾状葉まで全授動

図5 右肝切除のバリエーションに応じた右肝授動
a：右副腎を剝離し，短肝静脈の処理を行わない授動（系統的な切除を要しない右肝切除）．
b：短肝静脈を下大静脈中央まで処理する右肝切除（通常の系統的右肝切除）．
c：左側尾状葉まで全授動を行う右肝切除（尾状葉合併右肝切除）．

短肝静脈の処理は，尾側から頭側，かつ右側から左側に進め，左側端では，Spiegel葉の左縁と下大静脈の間に存在する左側下大静脈靭帯を結紮切離する．

3 | 右肝静脈のテーピング

右側下大静脈靭帯を切離し，短肝静脈の処理を進めると，右肝静脈の根部が尾側からも確認できるようになる．頭側より肝上部下大静脈前面で右肝静脈と中肝静脈の間を剝離し，最後に右肝静脈をテーピングしておく．短肝静脈の処理を行わない右肝切除の場合は，右肝静脈のテーピングは必須ではない．

H 肝門処理

肝門処理にはグリソン一括処理と脈管個別処理[2]がある．どちらを用いてもよいが，肝門浸潤を伴う肝腫瘍の場合や肝門部領域胆管癌の場合は個別処理が適している．本項では個別処理について概説する（図6）．

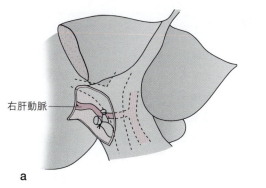
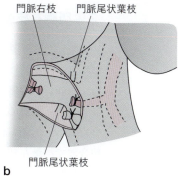
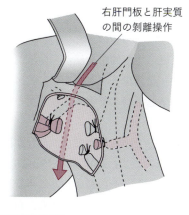

図6 肝門個別処理
a：胆囊摘出のあと，肝十二指腸間膜右側の漿膜を切開，右肝動脈を露出．
b：右肝動脈切離のあと，背側で門脈右枝を同定，頭側や背側に出る尾状葉枝を慎重に結紮切離．
c：門脈右枝確保のあと，二重結紮切離，可能なら右肝門板をテーピングするが必須ではない．

1 右肝動脈の処理

　右肝切除の際の肝門処理は，まず胆囊を摘出する．胆囊管は胆道造影やリークテストを行う場合に備えて，断端を長めに残しておく．術中胆道造影を行う場合や，肝切除後にリークテストを行う場合には，胆囊管を切開し，モスキート鉗子やゾンデを挿入し，総肝管まで挿入できることを確認したあとに，胆道造影用のバルーン付きカテーテルを挿入する．総胆管の背側を剝離し，総胆管右側で右肝動脈を同定，確保する．肝十二指腸間膜の郭清が必要な右肝切除では，固有肝動脈をテーピングし，固有肝動脈より分枝する右肝動脈の根部前面を確認し，総胆管をテーピングしたあとに右肝動脈を確保したほうが簡便である．右肝動脈結紮切離の前に，右肝動脈のクランプテストを行い，ドプラ超音波を用いて左肝動脈の血流が保たれていることを確認する．右肝動脈は，肝十二指腸間膜の郭清と胆管切離を伴う肝門部領域胆管癌の場合は固有肝動脈分岐直後で，郭清を伴わない場合は総胆管右側で二重結紮切離する．

2 | 門脈右枝の処理

　切離した右肝動脈の背側で門脈右枝を同定し，丁寧に剥離操作を行う．可能ならこの時点で門脈右枝をテーピングするが，背側に門脈尾状葉枝が存在することが多いため，総肝管の背側で門脈本幹を確保テーピングし，門脈本幹ならびに門脈右枝を頭側に牽引し，背側の尾状葉枝を結紮切離したあとに門脈右枝をテーピングするほうが安全である．門脈右枝を確保したあと，結紮切離の前にクランプテストを行い，ドプラ超音波で門脈左枝の血流が保たれていることを確認する．門脈右枝の結紮切離の際には，門脈本幹の狭窄をきたさないように注意して，少し末梢で二重結紮切離する．当施設では 2-0 絹糸で結紮したあとに，非吸収性編糸である 3-0 タイクロン™ による刺通結紮を追加している．門脈は径が比較的大きく，末梢側の結紮は単結紮だけでは門脈切離後に結紮糸が脱落することがあるため，刺通結紮を行ったほうが無難である．腫瘍が近接している場合など，中枢側結紮部から切離端までの距離が取れない場合には，末梢側を長谷川式剥離・結紮鉗子などで遮断してスピッツメスで切離し縫合閉鎖を行うか，中枢側のみ単結紮しておき肝実質離断をある程度進めたあとに，胆管切離と一緒に切離を行ってもよい．

　術前に門脈右枝の塞栓術を施行している症例では，血栓が門脈分岐部近くまで伸び出していることがしばしばみられるため，術中エコーで血栓の先端部位を確認する．血栓が門脈分岐部までかかっているか，その疑いがある場合は，血管鉗子で中枢と末梢を遮断したうえで門脈右枝を切開して内腔を確認する．血栓がある場合は，それを除去して狭窄をきたさないように断端を横方向に連続縫合で閉鎖する．

3 | 右肝管の処理

　右肝動脈，門脈右枝の切離を行うと，残った切離すべきグリソン組織は胆管だけとなる．このレベルの胆管は門脈の頭側から背側に展開する広い右の肝門板の中を走行する．胆管の走行には変異が多く，その処理には細心の注意が必要である．胆管切離は，肝離断に先行して行うことも，肝離断をある程度進めてから行うこともある．肝離断前に行う場合は，必ず直接造影ないしは ICG 蛍光法[3]を用いて術中胆道造影を行い，総胆管や左肝管に狭窄をきたさない位置で胆管断端を処理することが必要である．

　右肝管レベルでの結紮は，胆管狭窄の原因となりうるため，胆管断端中枢側での結紮閉鎖を行う場合は，グリソン一括処理の要領で，胆管前区域枝，後区域枝を別々に結紮する．腫瘍が胆管断端に近接し，右肝管分岐部近くでの胆管切離が必要な場合は，残側の胆管を含む肝門板を血管鉗子で遮断したうえでの胆道造影を行い，遮断部での胆管閉鎖においても胆管狭窄をきたさないことを確認し，胆管切離後は断端を連続縫合閉鎖したほうがよい．ちなみに，右肝管分岐部まで腫瘍の胆管浸潤を認める場合は，躊躇なく胆管切離を伴う右肝切除に切り替えるべきである．ただし，肝細胞癌の腫瘍栓の場合は腫瘍栓のみの摘除にとどめて胆管を温存することもある．

　もう 1 つの方法は，肝離断を進めたあとに右肝管を処理する方法である．肝離断

をグリソンの背側まで進めたあとには，右の肝門板は容易にテーピングできる．中枢側に狭窄をきたさないように胆管は末梢の前区域枝，後区域枝のレベルで別々に結紮切離を行う．胆管を含む肝門板は組織が厚く，刺通結紮を加えた二重結紮を行ったほうがよい．この方法は胆道造影が必須でなく，胆管断端を確実に処理できるため，最近は頻用されている．胆汁漏を防ぐべき胆管断端の閉鎖力としては，結紮のほうが連続縫合閉鎖より優れている．胆汁漏の可能性がある場合は胆囊管断端より総胆管内に胆道減圧用のチューブを挿入し，体外に誘導する．

I 右肝静脈の処理

　短肝静脈の処理を進め，右の下大静脈靱帯を切離すると，右肝静脈の根部が尾側から確認できる．この段階までくると，右肝静脈の確保は比較的容易であり，右肝静脈と中肝静脈の間の肝上部下大静脈前面を剝離し，右肝静脈をテーピングする．右肝動脈，門脈右枝の処理を終えたあとは右肝への流入血はほとんどないため，右肝静脈の切離が可能である

　肝離断に先行して右肝静脈を切離したほうが，右肝がさらに挙上され肝離断が容易になるが，右肝静脈根部の視野が深い場合や，短肝静脈の処理の必要がなく右肝静脈のテーピングを行っていない場合は，先行切離にこだわることなく，肝切除の最後に右肝静脈を切離すればよい．

　右肝静脈の処理方法は，下大静脈側，末梢側とも血管鉗子で把持し，断端はそれぞれ連続縫合閉鎖する．何らかのアクシデントで鉗子が外れたことも考え，両端に必ず支持糸をかけたあとに右肝静脈を切離し，下大静脈側の断端は往復連続縫合閉鎖する（図7）．血管鉗子を開く際にも，両端の支持糸を牽引し，断端からの出血を認めた際には，すぐに血管鉗子で再遮断できるようにしておく．また，血管用の自動縫合器を用いた右肝静脈の切離も可能である．注意すべきは，ステイプラーの挿入は尾側から頭側，下大静脈に平行に挿入し，先端が下大静脈側や中肝静脈側に向かないようにすることである．まれではあるが自動縫合器による不全縫合の報告もあるため，右肝静脈の切離には細心の注意が必要である．

　下右肝静脈が存在するために右肝静脈が細い場合や，尾状葉下大静脈部の切離の必要がなく根部から少し末梢で右肝静脈の処理を行う際には，下大静脈側を二重結紮（必ず刺通結紮を加える）して切離することも可能である．

　再肝切除による癒着の影響がある場合や巨大腫瘍などで右肝静脈根部の視野不良の場合も，右肝静脈の切離は肝離断のあとに行うことがある．右肝授動アプローチでは，肝離断中に右肝静脈本幹より出血をきたした場合にも，術者左手で背側から圧迫しながら安全に止血操作ができるという利点がある．また，肝静脈根部付近で出血をきたした場合には，標本摘出後のほうが良好な視野で止血操作が行える場合もある．

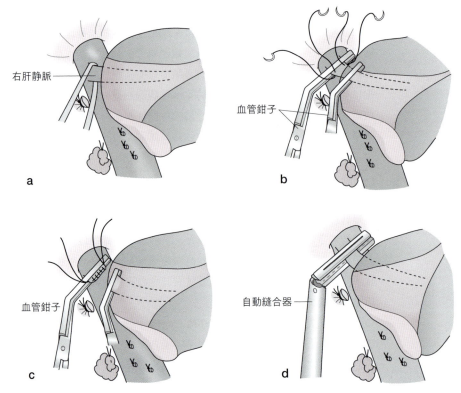

図7　右肝静脈の切離
a：右肝静脈をテーピング．
b：血管鉗子をかけ，切離前に肝静脈の両端に縫合糸をかける．
c：肝静脈切離のあとに断端を縫合糸で連続往復閉鎖する．
d：自動縫合機を用いた右肝静脈切離を行うこともある．

J 肝実質離断

1 肝離断線のマーキング

　右肝動脈と門脈右枝の結紮処理を終えると，肝表面に阻血域が明らかになる．この阻血域に沿って電気メスで肝表面をマーキングしておく．癒着の影響などで肝表面の阻血域が明らかにならない場合には，ICG蛍光法を用いるのも1つの選択肢である[4]．また，術中超音波検査も併用し，腫瘍を露出しない肝離断予定線となることを確認する．系統的肝切除を意識した右肝切除においては，肝離断線は阻血域の境界であるRex-Cantlie線に一致するが，系統的肝切除を必要としない右肝切除の場合や，肉眼的に傷害肝であったり，残肝容積・肝予備能が右肝切除の許容限界近くであったりする場合には，この阻血域より少し右寄りに肝離断線を設定してもよい．

2 Pringle法下の肝離断

　肝十二指腸間膜をテーピングし，Pringle用の鉗子を用いて遮断する．筆者らは

ティッシュパッド付のフォガティ鉗子を用いている．ターニケット法で肝十二指腸間膜を遮断してもよい．肝十二指腸間膜のリンパ節郭清を伴う肝切除で，門脈本幹，総肝動脈がそれぞれ確保されている場合には，ブルドッグ鉗子で門脈本幹を，バスキュラークリップで固有肝動脈を遮断してもよい．肝門遮断の前に，虚血再灌流障害の軽減を目的として，ヒドロコルチゾンを100 mg静注しておく．また，Pringle法は15分間の遮断のあとに5分間の遮断解除を行い，肝の血流を保ちながら肝離断を行う．筆者らは大型のペアン鉗子を用いて肝実質破砕を行い（Crush Clamping法），露出された脈管を太いものは結紮，細いものはエネルギーデバイスで凝固閉鎖・切離している．

　注意すべきは，胆管はエネルギーデバイスで凝固閉鎖できないため，グリソン鞘が離断面に露出した場合は，残肝側は結紮することが必要である．超音波外科吸引装置（CUSA®）を用いる方法やウォータージェットメスを用いる方法もある．また，Pringle法を用いずCUSA®やエネルギーデバイス，ソフト凝固などの止血装置を用いて肝離断を行う施設もあり，Pringle法は必須ではないが，肝離断中の出血量軽減と止血目的の残肝側の熱凝固を最小限にとどめることのできる有用な方法である．

3 | 中肝静脈の露出と肝離断の方向

　肝細胞癌に対する系統的な右肝切除では，前区域と内側区域の境界を走行する中肝静脈を露出させることが1つの正しい系統的右肝切除の指標となる．肝離断を尾側から頭側に向けて進めると，必ずいずれかの中肝静脈の末梢に到達する．前もって術中超音波検査で中肝静脈とその分枝の走行を把握しておくことが肝要である．中肝静脈は本幹を温存し，S5からの枝V5，S8からの枝V8を結紮切離する．尾側から中枢方向に肝静脈を露出すると，分枝の股が裂けてしまうことがあるため，肝静脈の剝離は腹側の肝実質を先に離断し，中枢から末梢に向けてメッツェンバウムなどで静脈の剝離操作を行い露出する（図8）．

　中肝静脈を露出したあとは，右肝切除の程度によって離断の方向が変わる．左側尾状葉も切除する肝門部領域胆管癌の手術では中肝静脈露出のあと，離断面はなだらかに肝門背側からアランチウス（Arantius）管方向に進める．肝門浸潤を伴う腫瘍や尾状葉下大静脈部まで進展する腫瘍は，尾状葉下大静脈部も切除する標準的な系統的右肝切除を行うため，離断面はまっすぐ下大静脈前面中央に向かう．しかし，正確には尾状葉下大静脈部の系統的切除はICG蛍光法による穿刺法ないしは陰性染色法を用いた術中の肝境界観察でのみしか行えない．系統的切除を必要とせず，短肝静脈の処理も行わない右肝切除の場合の肝離断面は，なだらかに下大静脈左縁に向かう（図9）．背側の肝実質の離断は難しいことがあるが，右肝を授動しているので右肝背側の下大静脈右側に綿テープを通すmodified hanging maneuverを適用し，綿テープごと肝を腹側に挙上しながら肝離断を行うと背側の肝実質離断が容易になる（図10）[5]．

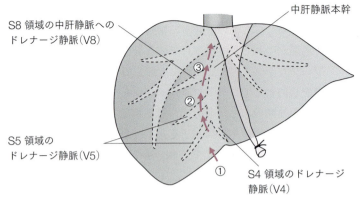

a 中肝静脈の露出

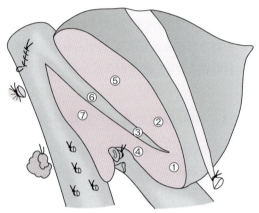

b 肝離断の順序

図8 中肝静脈の露出と肝離断の順番

a：① Rex-Cantlie 線に沿って尾側より肝離断を開始し，② V4 を温存し中肝静脈の本幹に沿って V5 の枝を切離しながら頭側方向に静脈を露出し，③ V8 を切離し中肝静脈の根部まで露出する．

b：肝離断の順序は，① 尾側より中肝静脈に到達するまで肝離断を行い，② 中肝静脈に到達したらその腹側の肝実質を離断，③ 中肝静脈を中枢から末梢に向けて剝離し，④ 露出後はその背側の肝実質を離断する．⑤ さらに奥の静脈腹側の肝実質を離断し，⑥ 中肝静脈を全長にわたって露出したあと，⑦ 背側の肝実質を離断する．

K 止血，胆汁リークテスト

　標本摘出後は止血操作に移るが，離断面からの oozing は標本摘出後に肝離断面をガーゼで圧迫し，止血する．ガーゼでの直接の圧迫は，ガーゼを剝がす際に凝血塊が剝がれて再出血することがあるため，手術手袋をシート状に切り開いて圧迫すると，剝がしたときの再出血を防げる．また，圧迫しても止血を得られない肝実質からの oozing は，電気メスの凝固モードやソフト凝固モードで止血する．グリソン断端からの出血は電気メスを用いるのではなく，縫合止血する．グリソン鞘の熱損傷は胆汁漏の原因となる．また，肝静脈分枝の小孔からの出血は，フィブリノゲンとトロンビンを混合させて止血を得る血漿分画製剤であるフィブリン糊を用いても止血を得られ

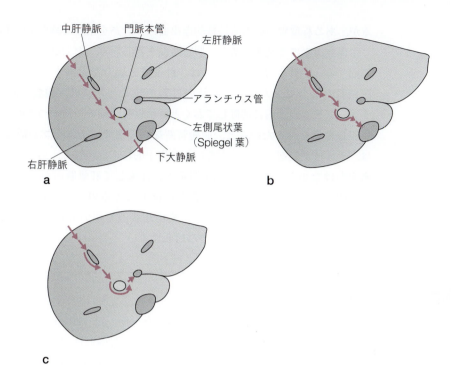

図9 右肝切除のバリエーションに応じた肝離断の方向
a：系統的な右肝切除を必要としない場合は中肝静脈も露出せず，離断面は下大静脈の左縁へ向かう．
b：標準的な系統的右肝切除では中肝静脈露出のあと，離断面は下大静脈中央前面に向かう．
c：左側尾状葉も切除する肝門部領域胆管癌に対する右肝切除では，中肝静脈露出のあと，離断面は肝門背側よりアランチウス管方向に向かう．

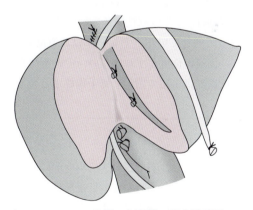

図10 Modified hanging maneuver を用いた背側の肝実質離断

るが，ある程度勢いのある持続的な出血は，針糸を用いて縫合止血する．

生理食塩水にて洗浄のあと，胆管断端を新しいガーゼで拭い，胆汁の付着の有無を確認する．胆汁が付着する際には，針糸でZ縫合を追加する．胆管断端を連続縫合閉鎖した場合で，ガーゼに胆汁の付着が続くときには，胆嚢管断端より減圧用のチューブを総胆管内に留置しておくと難治性胆汁漏の予防かつ治療になる．また，術中胆道造影を行った際など，胆嚢管断端からすでにチューブが挿入されているときは，チューブ先端のバルーンないしは用手的に下部胆管を圧迫し，離断面に生理食塩水をかけながら，少量の空気を胆道内に注入して肝離断面からのair leakを観察する．胆道内に圧をかけすぎると必ずleakしてくるので，圧をかけすぎないように注意する．Leak testを行う場合は，術中超音波を用いて残左肝のすべての胆管内にairを確認したうえでair leakがなければよい．

L 閉胸閉腹

開胸操作を追加した場合は，先に閉胸を行う．16～20 Frの胸腔ドレーンを第7肋間より背側方向に向けて留置する．筆者らは2号吸収性編糸を用いた結節縫合で，第9肋間を4～5針で閉鎖している．第8肋間肋骨上縁を外側より内側胸腔側に運針し，次いで肋間動静脈を損傷しないように第10肋間のやや尾側で内側から外側に向けて運針し，結紮点が胸腔側にこないように留意する．肋間の閉鎖は，背側より順に結紮するが，しっかり寄せるために助手が1つ次の糸を単結紮して把持することで肋間を寄せ，順に結紮していく．横隔膜の切開部は2-0吸収性編糸で縫合閉鎖する．横隔膜を完全に閉鎖する前に生理食塩水で洗浄しながら肺を加圧し，肺損傷によるair leakがないことを確認しておく．

横切開創は，2号吸収性編糸を用いて腹横筋と内腹斜筋の層，外腹斜筋の層に分けて2層で閉創している．ドレーンは腹直筋の手前まで横切開創を閉鎖してから挿入すると，先端の位置がずれにくい．その後腹直筋の後鞘，前鞘をそれぞれ縫合し，正中の腹直筋鞘は1層で閉創して手術終了とする．

M おわりに

開胸操作を含む，右肝授動アプローチによる右肝切除について概説した．前方アプローチのような授動を行わない肝離断は，離断面深部の出血コントロールに難渋する可能性があり，その適応は慎重であるべきである．標準的アプローチは，特に肝胆膵外科高度技能専門医を目指す医師には，安全に右肝切除を行うためにぜひとも習得したい基本手技である．

Dos & Don'ts

- ☐ Kent式リトラクターの牽引の高さは胸壁前面の少し上ぐらいがよい．高すぎる牽引は術野が深くなり手術操作の妨げとなる．
- ☐ 門脈右枝の剝離には背側，頭側方向の尾状葉枝存在の可能性を常に意識して慎重に行う．盲目的な鉗子の挿入は尾状葉枝の損傷のリスクがある．
- ☐ 右肝管のレベルでの胆管処理は必ず胆道造影を行い，左肝管や総肝管に狭窄をきたさないことを確認する．右肝管を含む右グリソンの一括結紮処理は禁忌であり，結紮の場合は前区域，後区域胆管をそれぞれ結紮切離する．
- ☐ 右肝静脈根部処理は，必ず良好な視野で行う（提出動画に視野のよい右肝静脈処理の画像が含まれていることがポイントである）．この部位での出血は下大静脈からの大出血につながるため，鉗子で遮断する際は必ず両端に支持糸をかけて，自動縫合器を用いる際も縫合機の作動ミスの可能性を念頭に，注意しながら処理を行う．
- ☐ 右肝切除の際に必ずしも中肝静脈を露出する必要はない．系統的肝切除を要する肝細胞癌の手術や，中肝静脈に近接する腫瘍の手術で腫瘍露出を防ぐ目的では，中肝静脈を露出するべきであるが，静脈の露出操作は静脈分枝からの出血リスクを伴うため，少し肝実質を残して肝離断を行うほうが安全である．根治性に差がなければ安全な術式を選択するべきである．

文献

1) Kokudo N, et al：Ultrasonically assisted retrohepatic dissection for a liver hanging maneuver. Ann Surg 242：651-654, 2005
2) Kokudo N, et al：Hepatic hilar transection method for liver surgery(with video). J Hepatobiliary Pancreat Sci 19：9-14, 2012
3) Takemura N, et al：Added value of indocyanine green fluorescence imaging in liver surgery. Hepatobiliary Pancreat Dis Int 21：310-317, 2022
4) Miyata A, et al：Reappraisal of a Dye-Staining Technique for Anatomic Hepatectomy by the Concomitant Use of Indocyanine Green Fluorescence Imaging. J Am Coll Surg 221：e27-e36, 2015
5) Akamatsu N, et al：Modified liver-hanging maneuver designed to minimize blood loss during hepatic parenchymal transection in hemihepatectomy. Surg Today 40：239-244, 2010

（國土典宏，竹村信行）

2 左肝切除

重要ポイント
- [ ] 後区域肝管が左肝管に合流する形態が少なからず認められるため，左肝管離断前に術中胆道造影などで後区域肝管の損傷を確実に回避できる部位を確認し，肝管は離断する．
- [ ] 左肝の動門脈切離の際には，ドプラ超音波などで右肝の脈管に異常をきたさないことを確認して切離する．
- [ ] 左肝切除は右肝領域の手術と異なり，術者の左手による肝臓の把持，挙上などを効果的に行えないことが多いので，肝 hanging maneuver の応用を考慮する．
- [ ] 左尾状葉切除を含む左肝切除では，尾状葉脱転時の左下大静脈靱帯処理の際の静脈損傷に注意する．

A 開腹

　皮膚切開，開腹には，逆T字切開，ベンツ切開，臍尾側まで及ぶ上中腹部正中切開，臍頭側までの上腹部正中切開と右肋弓下横切開（いわゆる逆L字切開），J字切開などが選択可能である．ただし左腹直筋まで離断する逆T字あるいはベンツ切開では瘢痕ヘルニアの合併率が高いといった報告がある[1]．また上中腹部正中切開はやせて小柄な症例の左肝切除であれば可能な場合もあるが，術操作の自由度が不良となり難易度が高くなる．このため逆L字切開あるいはJ字切開がスタンダードと考えられる．
　切開の際に大事なポイントは正中切開の頭側縁である．肝頭側の術野を確保するために正中切開の頭側縁で剣状突起を十分露出する．剣状突起には胸横筋や腹横筋，腹直筋が付着しているが，剣状突起の両縁でこれら筋群の付着部を離断すると腹部創の左右への開大が容易となる．突起尾側端は付着筋群を剝離したあとに Lüer（リュール）などで切離する．

B 肝脱転

　正中切開の際，腹壁寄りで肝円索を結紮切離しておき，開腹後に頭側に向かって鎌状間膜を切離する．背景肝が硬変肝の場合，鎌状間膜内に側腹血行路が発達していることがあるので術前画像で十分評価しておく．臍静脈の再開通の可能性も考慮し肝円索は原則結紮して切離するほうが望ましい．鎌状間膜切離の際は，肝表に近い部位で切離を進めたほうが肝頭側縁での肝上部下大静脈や肝静脈の下大静脈流入部（いわゆる肝静脈根部）の露出に有利である．

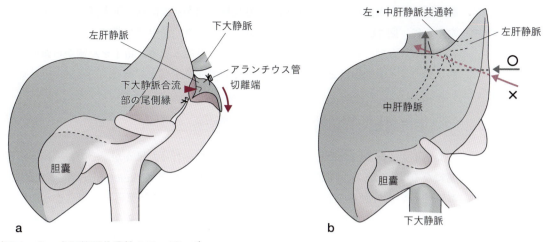

図1 左・中肝静脈共通幹のテーピング

1 | 左肝脱転

　肝円索から連続して鎌状間膜，冠状間膜，三角間膜を切離する．肝頭側で肝上部下大静脈を剝離露出して，引き続き冠状間膜，三角間膜と切離する．この過程で注意すべき点は，古くより報告されていることではあるが，①三角間膜内に胆管が含まれている可能性があること，②三角間膜側(すなわち左外側)から正中方向に向かって冠状間膜を切離すると，左肝静脈あるいは左肝静脈表在枝を下大静脈合流部近傍で損傷し出血させてしまう可能性があること，③左下横隔静脈が左肝静脈あるいは左肝静脈表在枝に合流する場合，間膜切離の際に下横隔静脈を損傷して出血させてしまう可能性があること，である．したがって三角間膜は胆汁漏予防のため，結紮切離あるいはシーリングデバイスで切離すべきであり，前述の静脈損傷には細心の注意を払いながら正中から左外側方向に向かって間膜切離を行うべきである．三角間膜処理の際には脾損傷にも注意する．また他の報告でもしばしばみられるように，冠状間膜を背側より指などで展開し，誘導しながら切離するのも有効であろう．

　左肝切除の際の脱転時に，左肝静脈あるいは左・中肝静脈共通幹のテーピングは必ずしも必要ではない．ただし後述する肝 hanging maneuver を応用して実質離断を行う際にはテーピングは必要となる．肝外アプローチでは左肝静脈単独でのテーピングは一般に困難で，出血を惹起する危険性が高いことから，テーピングを行う場合には左・中肝静脈共通幹をテーピングすることが一般的である．共通幹のテーピングを安全に行うには，アランチウス管の肝静脈側を結紮切離すること，左尾状葉の頭側で尾状葉と下大静脈を覆っている壁側腹膜を左尾状葉の上縁外縁に沿うように背側方向に広く切開することが重要である(図1a，矢印)．特にこの部位の腹膜を確実に切開することで左・中肝静脈共通幹の下大静脈合流部の尾側縁が確認可能となる(図1a，矢頭)．肝臓正面の頭側縁で肝上部下大静脈を十分露出して左・中肝静脈共通幹と右肝静脈の下大静脈合流部を明らかにし，共通幹と右肝静脈の間隙からまっすぐ尾側方向に向けて下大静脈と肝を鉗子である程度剝離し，左肝脱転により確認した左・中肝静

脈共通幹と下大静脈合流部の尾側縁より真横に向かって同様に下大静脈と肝を剥離したのちに，図1bのように鉗子をまず横方向に進めて途中で頭側に方向転換するように進めることで，安全に共通幹のテーピングが可能となる．鉗子を左側から頭側に斜めに進めると静脈損傷をきたす場合があるので注意すべきである．

2 | 右肝脱転

　原則不要である．ただし体型により軽度の脱転を行ったほうが，その後の操作が容易になる場合もある．胆管癌に対する切除のように肝門部skeletonize（脈管周囲組織の剥離）を行い右肝動脈を長く露出・追求する場合や，右肝動脈再建を伴うような左肝切除では，術後の動脈トラブルの際に後腹膜経由での右肝への動脈血の流入が期待できるので，原則右肝脱転は行うべきではない．また背景肝が不良な場合にも肝周囲間膜をいたずらに切離することで術後に多量腹水に遭遇することがあり，極力肝授動は回避すべきである．これらの切除以外では右冠状間膜，三角間膜を切離しbare areaが少し確認できる程度の脱転は，むしろその後の術操作を容易にする場合がある．右側の冠状間膜，三角間膜切離の際にも，右肝静脈根部の損傷を回避するために下大静脈側から右側方向に冠状間膜切離を進め，右肝静脈の下大静脈合流部を確認したあとに尾側あるいは右側からの間膜切開を行うほうが安全である．

3 | 左尾状葉の下大静脈からの脱転

　左尾状葉切除を伴う左肝切除の際に必須である．左尾状葉の外周に沿って腹膜を切開し，複数存在する短肝静脈を結紮・切離していくことで左尾状葉は肝部下大静脈より脱転されていく．ただし，脱転の早期段階で左尾状葉の頭側1/3付近に認められる左下大静脈靱帯を処理することが必須であり，この靱帯を確実に切離することで左尾状葉の可動性が大きく得られる．この靱帯は下大静脈の背側で右下大静脈靱帯と結合している線維組織であり，靱帯内に門脈や動脈，あるいは胆管が認められることから肝組織が変性したものと報告されている．靱帯のサイズには個人差があるが，太いものでは肝実質自体が下大静脈を取り巻くような場合もある．

　この靱帯の近傍，特に靱帯のすぐ内側に太い短肝静脈がしばしば確認される（図2a）．あるいは解剖学的には正しくないと思われるが，経験的にこの靱帯処理の際に靱帯内に比較的太い静脈系脈管を認める．これはおそらく靱帯組織と近接して存在する短肝静脈の剥離が困難なため，これらを同時に鉗子ですくっているためと考えられるが，いずれにしてもこの部位での靱帯処理の際には静脈系脈管も含まれている，あるいはごく近傍に存在すると認識して処理するべきである．したがって靱帯処理の際には下大静脈側および肝実質側をいずれも結紮し切離する必要があるのだが，右側の靱帯処理と比較しても左側の靱帯処理では結紮間の距離を確保することが難しい．このため肝実質側のみをまず結紮して下大静脈側を血管鉗子で把持して切離したのちに，鉗子把持した切離端を連続縫合し閉鎖するといった方法がしばしば選択される．

　ただしこの方法でも縫合閉鎖する際の運針のスペースが十分でない場合がある．こ

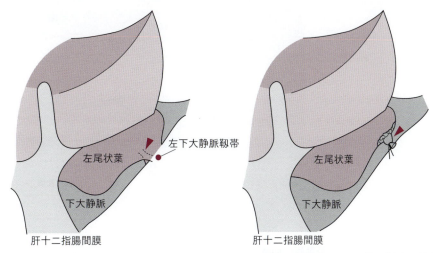

a 左下大静脈靱帯に近接する短肝静脈（矢頭）
b 短肝静脈（矢頭）の下大静脈側先行結紮後に肝実質除去（こののち肝側結紮し短肝静脈切離）

図2 左下大静脈靱帯の処理方法

のような場合には，まず下大静脈側を二重結紮あるいは糸通結紮を加えて確実に結紮したのち，CUSA® などで靱帯あるいは静脈に沿って尾状葉肝実質を除去し，肝側に十分な結紮および切離距離を確保するといった方法が安全な場合がある（図2b）．当然実質除去部に腫瘍がないことが前提である．

C 肝門操作

1 胆管走行

　肝門部の胆管走行には変異（anomaly）が多く，特に後区域肝管が左肝管に合流するなど，左肝切除の際に重要なポイントとなる変異も少なからず認められる．後区域肝管が左肝管に合流する頻度は6～9%程度と報告されている．胆道系疾患に対する肝切除の際には術前に肝管走行が十分評価されるが，肝腫瘍に対する肝切除では動門脈走行は3次元画像などで評価されるものの，胆道系の詳細な評価は行われないことが多い．最近，胆囊を温存したほうが再肝切除の際に有利といった報告も散見されるが，術中の左肝管切離部の適切な評価のために胆囊を摘出し胆囊管にチュービングして，造影剤あるいはインドシアニングリーンなどの色素による肝管の同定が行えるようにしておくことが肝要である．

2 動門脈処理

　左肝動脈は肝十二指腸間膜の最も身体の正中寄りを走行し，触診でも比較的容易に同定可能である．一方，左門脈は肝円索を腹側頭側に牽引したのち，Rex窩（左傍正中

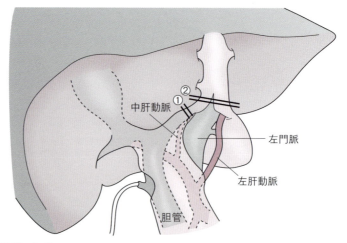

図3 中肝動脈の切離
左尾状葉も切離する場合は左肝管・肝門板とともに中肝動脈を同時切離し(①)，温存する場合は左肝管・臍静脈板とともに中肝動脈を切離する(②)．

門脈枝)の肝門寄りで臍静脈板対側のWalaean鞘(グリソン鞘と同義)を横ではなく縦方向(左傍正中門脈の長軸方向)に長く切開することで重要な脈管を損傷することなくアプローチできることが多い．左肝動脈および左門脈は血管テープでテーピングする．左門脈テーピングの際に注意すべき点は左尾状葉門脈枝の損傷である．左尾状葉門脈枝は門脈左右分岐部付近から左門脈1次分枝のレベルで尾側背側方向に認めることが多い．左門脈1次分枝を背側まで十分剝離し，左尾状葉枝を確認したうえでテーピングするよう心がける．左尾状葉も同時切除する左肝切除では左尾状葉門脈枝を結紮切離したのちにテーピングするようにし，左尾状葉を温存する場合には左尾状葉門脈枝よりもRex窩側でテーピングする．中肝動脈は分岐部位や形態はさまざまであるが，肝側では一般にRex窩の右側に沿って走行しS4領域に分布する．肝門操作で容易に確認できるようであれば結紮切離するべきであるが，前述の肝脱転の際と同様に，原発性肝癌に対する切離のように背景肝が不良な場合には十二指腸間膜を広く切開していくことは術後多量腹水のリスクとなるため，あえて右肝動脈を肝側に追求しながら中肝動脈分岐部を同定し分岐根部で結紮切離することを目指す必要はない．肝実質切離がある程度進み，左肝管を含む肝門板を処理する際に中肝動脈を末梢レベルで同時に処理するといった手順でよいと思われる．左尾状葉も切離する場合は左肝管・肝門板とともに中肝動脈を同時切離し(図3①)，左尾状葉を温存する場合は左肝管・臍静脈板とともに中肝動脈を切離する(図3②)．

3│肝門板の一括テーピング

左肝動脈，左門脈はブルドッグ血管鉗子などで遮断し，ドプラ超音波で右肝の動脈血流あるいは門脈血流が温存されていることを確認したのちに結紮切離する．このののち左肝管を含む左肝門板をグリソン一括の要領でテーピングする．肝門部でグリソン一括手技を行う場合，肝実質を覆うLaennec被膜と血管胆管鞘が肥厚した肝門板の

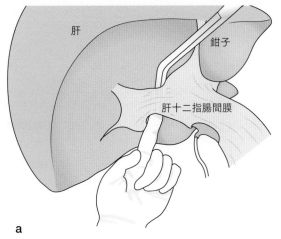 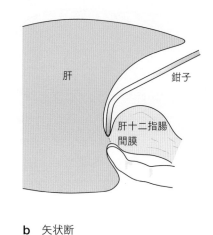

a 　　　　　　　　　　　　　　　　　　　b　矢状断

図4　門脈茎一次分枝での一括テーピング
尾側剝離部に左示指を置き，頭側腹部から鉗子を入れると方向が定まりやすい．

間でテーピングすることになる．Laennec被膜は腹膜に由来する被膜であり，肝門板を構成するWalaean鞘は血管鞘由来であり，起源が異なるため理論上は容易に剝離可能なはずである．さらに左門脈は，胎生期の右肝の門脈と左肝の臍静脈の橋渡しとして発生し，のちに発生する尾状葉に細い枝を分枝する構造であるため，結果として肝門板は腹側から頭側では剝離は比較的容易である．ただしLaennec被膜は肝門ではきわめて薄くなっていること，肝門の背側で尾状葉門脈茎の存在などによりLaennec被膜と肝門板が比較的しっかりと接着していることから，背側でしばしば肝実質を一部通過するようテーピングせざるをえない．実際の手技として，肝門頭側腹側でLaennec被膜と肝門板を鈍的に剝離し，これをある程度背側方向に進めたら，肝門尾側で尾状葉門脈茎が存在しない部位で同様にLaennec被膜と肝門板を剝離し，肝実質をできるだけ通過することのないよう鈍角の鉗子を通してテーピングする．この際，尾側剝離部に左示指を置き頭側腹側から鉗子を入れると方向が定まりやすい（図4）．背側の被膜損傷部の肝実質から出血がある場合は，テーピング部にサージセルなどを挿入し止血するとよい．前述のとおり肝門の腹側から頭側の範囲では血管に遭遇することはないはずであるが，例外的に頭側腹側にも細い血管を認めることがある．これはS4に分枝する門脈2次分枝の小枝であったり，門脈とは独立して発生しS4に流入する傍胆管静脈系の小分枝であったりする．いずれも肝切離において重要性が高い血管ではないので焼灼切離あるは結紮切離して構わない．分枝が細く結紮が困難で焼灼を行う際にはできるだけ肝側で，場合によっては肝被膜の一部ごとシーリングデバイスで挟んで焼灼するとよい．

　また左肝切除では左肝管を含む肝門板をテーピングできればよいので，肝十二指腸間膜の左側（すなわち身体の正中寄り）で鉗子を通す操作を行えばよいのだが，肝十二指腸間膜の左側での一括操作はしばしば難しい．このため鉗子を肝門板頭側より肝十二指腸間膜の右側方向の肝門板尾側に向けて通すようにしたほうが容易である．肝門板を通過させたテープの尾側端をこののち肝十二指腸間膜を潜らせながら左側に移動することで，左肝門板がテーピングされたことになる．ただし，このやり方ではテー

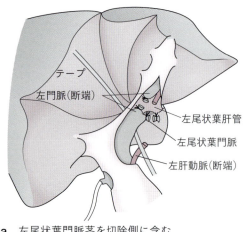 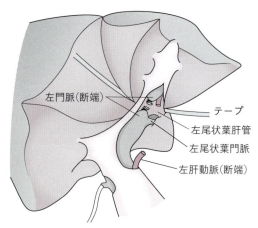

a　左尾状葉門脈茎を切除側に含む　　　　　　b　左尾状葉門脈茎を切除側に含まない

図5　肝門板あるいは臍静脈板での一括テーピング

ングされた左肝門板には左尾状葉門脈茎（門脈および肝管）が切除側に含まれる形態となる（図5a）．左尾状葉を含めた左肝切除であれば，この部位でのテーピングでなんら問題はないが，左尾状葉を含まない左肝切除の場合には左尾状葉門脈，胆管を温存できるようテープの尾側端をこれら分枝よりもさらに末梢側（Rex窩側）に移動させる必要がある（図5b）．ただし肝門板，臍静脈板，アランチウス板といった肝門部付近の血管胆管鞘は，血管および胆管を鳥の水かきのような形態で包み込んでいる．このため肝外アプローチのみで左尾状葉門脈茎より末梢側で左門脈茎を確保することは，手技に慣れていないと難しく，鞘を破り肝管の一部を損傷する場合がある．したがって，この肝門板と臍静脈板の移行部レベルでの一括テーピングは肝外アプローチでは危険であり，肝実質離断を肝門板付近まで進めた時点で行うほうが安全である．

D　Hanging maneuver

　左肝切除は右肝領域の手術と異なり，術者の左手による肝臓の把持，挙上などが効果的に行えない場合が多く，肝hanging maneuverの応用が有用である．Hanging maneuverは，①切離面の背側のゴールを切離前より設定可能である，②実質切離中に切離面上の静脈を背側から押し上げることで出血コントロールが可能になる，といった2つの利点がある．

　左肝切除には，中肝静脈を切除側に含まない場合と含む場合，左尾状葉を切除側には含まない場合と同時切除する場合とがある．中肝静脈を切除側に含まない場合，hangingに用いるドレーンあるいはチューブの頭側は，理論上は中肝静脈と左肝静脈の間を通して設置することになり，中肝静脈を切除側に含む場合は左・中肝静脈共通幹と右肝静脈の間を通して設置する．左尾状葉を切除側に含まない左肝切除では，hangingチューブは頭側からアランチウス管の位置する静脈管溝を介して左尾状葉門脈茎の末梢側より肝門板・臍静脈板以降部の頭側を通して，左右門脈茎分岐部頭側に設置する．一方，左尾状葉を同時に切除する場合，頭側から肝部下大静脈より脱転

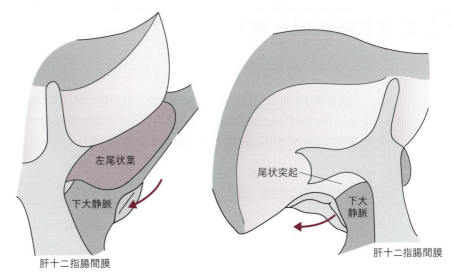

| a | 下大静脈左縁での壁側腹膜切開 | b | 下大静脈右側での壁側腹膜切開 |

図6 肝下部下大静脈のテーピング

した左尾状葉の背側を介して肝門板の左右門脈茎の分岐部頭側に設置する．これらを実質切離前に肝外アプローチで行う場合，頭側の左・中肝静脈共通幹と右肝静脈の間の設置，尾側の肝門板左右分岐部の設置は容易である．しかし，左肝静脈と中肝静脈の間の設置は，左肝静脈と中肝静脈の合流部の尾側縁は通常肝内のレベルにあり，また合流部には尾側より裂静脈が合流することが一般的であることから，左肝静脈あるいは中肝静脈を個別にテーピングすることは困難かつ危険である．さらに前述したとおり，肝門側では左尾状葉門脈茎末梢での左門脈茎の確保は難しい．頭側の左肝静脈と中肝静脈の間の設置，あるいは肝門側での左尾状葉門脈茎末梢での肝門板・臍静脈板以降部での設置は，実質切離前の肝外アプローチではなく肝実質離断を進めていく過程で考慮するほうが安全である．

E 肝下部下大静脈テーピング

術操作中の静脈系出血のコントロールとして，肝下部下大静脈遮断が有効である．特に突発的に主肝静脈から出血したような場合で縫合止血を試みても出血量が多く出血点の同定が困難な場合に，一時的に下大静脈を遮断することで出血点の確認および止血操作が容易となる．左右腎静脈より頭側で肝下部下大静脈を遮断した場合，複数の迂回路が存在するため循環動態の維持は可能である．腎静脈は通常第1腰椎の高さに位置しており，これより頭側で下大静脈をテーピングする場合，腰静脈など下大静脈の背面から流入するような分枝もなく安全にテーピングが可能である．肝下部下大静脈をテーピングする際は，左尾状葉の尾側の下大静脈左縁で下大静脈の走行に一致させるよう頭尾側方向に壁側腹膜を切開し(図6a)，下大静脈右側では右尾状葉突起の下縁に沿うように腹膜切開し(図6b)，こののち下大静脈左側より右側方向に向けて鉗子を下大静脈背側を沿わせるように通してテーピングする(図6, 矢印).

F 肝実質離断面と離断法

1 離断中の肝阻血

　実質離断中の肝阻血は，すでに処理した左肝の動門脈以外の阻血は加えない，いわゆる controlled method で行ってもよいし，それだけでは出血コントロールが困難な場合には肝十二指腸間膜で Pringle 遮断を加えてもよい．

2 離断面の設定

　先に述べたように，左肝切除の際に選択される実質の離断面は，中肝静脈の左側縁に沿って切離し左尾状葉を温存あるいは切除する場合，中肝静脈の右側縁に沿って切離し左尾状葉を温存あるいは切除する場合が考えられる．中肝静脈右側で切離する場合の一部を除き，残存予定肝の切離面に長く中肝静脈を露出する必要がある．左肝の動門脈が処理されていれば肝表には demarcation line が出現している．術中超音波検査で中肝静脈の走行を観察し，demarcation line と中肝静脈の走行 line とで面を作るように離断面を設定する．

3 実質離断法

　実質切離はペアン鉗子などを使用した fracture 法，あるいは CUSA® を使用した切離など各施設で精通した方法で行えばよい．ただし，中肝静脈を切離面に露出する場合，分枝の損傷による出血の回避が重要である．CUSA® による切離を想定した場合，腹腔鏡下での実質切離は腹側面からではなく背中側の背側面から切離するほうが有利で，CUSA® の動かし方も切離予定線に沿って奥から手前，すなわち頭側から尾側に向かいソフト凝固と併用しながら直線的に動かすことが多い．一方，開腹下では背中側から切離することは物理的に難しいので腹側面から切離することになる．肝静脈の分枝形態を考慮すると腹腔鏡下と同様に頭側から尾側に向かった切離が望ましい．しかし，やせて小柄な症例など特殊な場合を除き頭側から尾側に切り下げることは困難である．尾側から頭側方向に切離を進めることになるが中肝静脈周囲の切離の際には，できるだけ中肝静脈分枝に尾側からアプローチするのではなく腹側から背側に向けて，すなわち側面から静脈にアプローチして分枝を露出するよう心がけることが重要である．またソフト凝固を同時に使用しながら CUSA® で切離すると静脈壁を焼灼，損傷して逆に出血を助長する可能性がある．切離ライン上では CUSA® を直線的に動かすのではなく，わずかに左右に振りながら切離面を移動させて脈管の縛り代，切り代を確保するように離断していくとよい．

　切離面が中肝静脈を越えて背側に入ると，この部位は尾状葉領域となる．左尾状葉を含まない左肝切離では，中肝静脈の深さを越えた時点で切離面をアランチウス板の位置する静脈管溝に転換する必要がある．この時点で切離面尾側を肝門板付近まで進めて，左尾状葉門脈茎を損傷することのないように左尾状葉門脈茎より末梢側で臍静

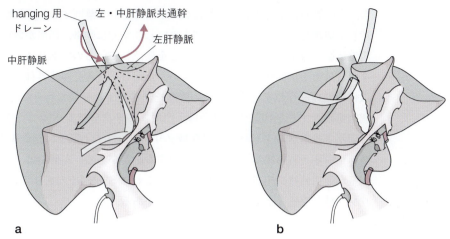

図7 Hanging ドレーンの repositioning による左肝静脈処理
a：肝実質離断が進んだ時点で hanging ドレーン頭側端を repositioning．
b：遺残実質内に左肝静脈のみが hanging された状態．

脈板をテーピングする(図5b．図5a は左肝門板レベルでのテーピング)．Hanging maneuver を応用する場合には，この時点で hanging 尾側端はテープに沿わせて設置する．左尾状葉も切離する左肝切除では，中肝静脈を越えて尾状葉領域に切離を進める必要があるが，尾状葉領域に入ると Pringle 遮断を加えても短肝静脈に関連した出血が多くなる．したがって，この領域切離の際の出血コントロールに役立つのが，やはり hanging maneuver である．左尾状葉も切除する左肝切除では，hanging の尾側端は肝門板の左右門脈茎の分岐部頭側に設置することになるが，設置の際に左右尾状葉の境界(下大静脈のほぼ正中)で尾状葉肝実質を肝門レベルまで離断してから設置すると hanging による止血効果が得られやすい．

　Hanging の頭側端は，中肝静脈を切除側に含める左肝切除では右肝静脈と左・中肝静脈共通幹の間に設置し，中肝静脈を温存する左肝切除では左肝静脈と中肝静脈の間に設置するのが適切な位置である．ただし，肝実質離断を進めても hanging の頭側を左肝静脈と中肝静脈の間に設置することはしばしば難しい．中肝静脈を温存する切離では，まず hanging 頭側端を左・中肝静脈共通幹と右肝静脈の間に設置し，尾側の肝門側から頭側方向に少しずつ実質を切離していき，頭側近傍まで進めた時点で頭側の hanging 端を左・中肝静脈共通幹の左側に repositioning すれば，hanging された遺残実質内に左肝静脈のみが含まれた形態になる(図7)．Hanging 頭側端を左・中肝静脈共通幹の左側に repositioning した場合，hanging チューブの位置がずれないよう，ベッドをやや左下に傾けたり，hanging の方向をやや体の右側方向にするなどといった工夫を加えるとよい．

4 ｜ 肝門板処理

　左肝管を含んだ肝門板あるいは臍静脈板は，ある程度実質切離を進めた時点で離断してよい．離断の際には胆道造影を行い離断予定部で後区域肝管の巻き込みがない

か，右肝管の狭窄を生じることはないかを確認して離断する．肝門側を血管鉗子で把持して切離し断端を縫合閉鎖してもよいし，すでに動脈，門脈が個別処理され，かつ胆道造影で適切な切離部位であることを確認しているのであれば，肝管，肝門板のみを血管ステイプラーで処理してもよい．ただし，日本肝胆膵外科学会技術認定委員会は個別処理は行わず三管一括での離断を門脈茎1次分枝で行うことを認めていない．個別処理せず一括切離する場合は，門脈茎の2次分枝レベルで行う必要があり，右肝切除では前区域グリソンと後区域グリソン，すなわちCouinaudの定義に従えば，右傍正中茎と右外側茎のレベルで処理する必要がある．左肝では，左傍正中茎と左外側茎が2次分枝に相当することとなり，これはS3とS4のグリソン枝およびS2のグリソン枝となることを認識しておく必要がある．

5│肝静脈処理

左肝静脈あるいは左・中肝静脈共通幹を根部で処理することで左肝摘出が可能となる．肝静脈の切離は下大静脈側を血管鉗子で把持して切離し断端を縫合閉鎖してもよいし，血管ステイプラーを使用してもよい．ただし技術認定の際の評価項目には，静脈断端処理という項目も含まれており，鉗子把持による断端縫合閉鎖のほうが現状では望ましいと思われる．

G　リークテスト

胆嚢摘出時に胆嚢管より挿入したチューブを利用して行う．リークテスト（leak test）自体の有用性に関しては，術後の胆汁漏の発生頻度を低下可能，特に色素を利用した場合に有用であるといった報告がある一方で，術後胆汁漏を制御できないばかりか，テストに伴うcholangiovenous refluxなどの危険性を指摘する報告もあるので[2]各施設の方針に従って考慮すればよい．実際に行う際には，生理食塩水や，メチレンブルー，インジゴカルミン，インドシアニングリーンなどの色素，あるいは造影剤が用いられる．胆道造影はCアームの準備などに時間を要すること，2次元画像であること，放射線被曝などといった問題点があるが，肝切離終了後の胆道走行の評価や右肝管狭窄の有無の確認も可能であり有益と考える．インドシアニングリーンを用いた蛍光法でも肝管走行の確認は可能であるが，蛍光の組織透過性が5〜10 mm程度であることは認識しておく必要があり，また胆汁漏出の検出感度はやや高すぎる印象がある．

H　ドレーン挿入，閉腹

胆道再建を伴わない場合の肝切除では，ドレーン挿入に伴う腹水関連合併症の増加を示唆するランダム化比較試験の報告[3]からドレーン非留置の傾向があり，特に腹腔鏡下切除では実臨床でドレーンを留置することは少ないようである．挿入の是非は施設ごとの判断でよいと思われるが，左肝切除は大肝切除に分類される手術であるこ

と，早期抜去を前提とした場合のドレーン留置の有用性[4]なども十分考慮し判断すべきである．左肝切除でドレーンを留置する際には肝離断面に挿入するべきであるが，術後の消化管蠕動に伴う位置の偏位を回避するために，右側壁から Winslow 孔を介して離断面の左側に留置する方法もある．留置の際にはドレーン先端が血管などを押し付ける，あるいは強く接触することがないよう心がける．

Dos & Don'ts

- □ 個別処理非施行で，三管一括での門脈茎 1 次分枝における離断は行うべきではない．
- □ 左尾状葉切除を伴わない左肝切除の際は，肝門板から臍静脈板の移行部レベルでの門脈茎一括テーピングは肝外アプローチで行うべきではない．
- □ 左肝静脈と中肝静脈の共通幹のテーピングは肝外アプローチで可能であるが，左肝静脈のみのテーピングは肝外アプローチで行うべきではない．

文献

1) Togo S, et al：Outcome of and risk factors for incisional hernia after partial hepatectomy. J Gastrointest Surg 12：1115-1120, 2008
2) Ijichi M, et al：Randomized trial of the usefulness of a bile leakage test during hepatic resection. Arch surg 135：1395-400, 2000
3) Liu CL, et al：Abdominal drainage after hepatic resection is contraindicated in patients with chronic liver diseases. Ann Surg 239：194-201, 2004
4) Tanaka K, et al：The effectiveness and appropriate management of abdominal drains in patients undergoing elective liver resection：a retrospective analysis and prospective case series. Surg Today 43：372-380, 2013

〈田中邦哉〉

3 肝区域切除

重要ポイント

- □ グリソン2次分枝では動脈，門脈，胆管は必ずその区域枝として走行し，2次分枝以遠の末梢領域において隣接区域に分布することはない．そのため，区域切除においてはグリソン2次分枝における一括処理が最も安全かつ簡便な脈管処理である．
- □ 担癌グリソン枝血流の仮遮断による肝阻血域確認を行い，切離ラインを設定する．
- □ 深部離断のランドマークは区域間を境する主肝静脈である．
- □ 腫瘍の大きさや局在，浸潤している脈管などから，至適な肝離断のアプローチや inflow・outflow のコントロールなどをよく考慮する．
- □ 肝離断終了時には，区域間を境する主肝静脈本幹と領域グリソン枝断端が確認される．

A 肝区域切除術

　区域単位の手術[1]は，腫瘍が区域の大部分を占拠する，もしくは区域グリソン枝根部近傍に位置するような，門脈腫瘍栓を伴わない原発性肝癌や転移性肝癌が適応となる．このような症例に対しては，切除対象となる区域のグリソン単位での処理とそれによって得られる阻血域に沿った肝表面の切離ラインの設定，ならびに深部離断におけるメルクマールとなる静脈の露出が原則である．肝門板における肝外グリソン1次分枝における動脈，門脈，胆管の分岐形態はさまざまなバリエーションがあるが，2次分枝では動脈，門脈，胆管は必ずその区域枝として走行し，肝内の末梢領域では隣接区域に分布することはない．このことから区域切除においては，グリソン2次分枝における一括処理が最も安全かつ簡便な脈管処理[2]であり，門脈腫瘍栓を伴わない原発性肝癌や転移性肝癌における基本的アプローチとなる．

　本項では，一般的に行われることが多い開腹アプローチでの肝門部グリソン一括処理による前区域切除と後区域切除，内側区域切除，中央二区域切除の手術手技について述べる（図1）．

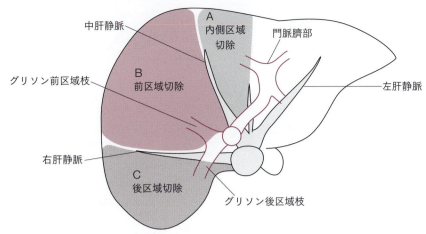

図1 水平断における肝離断領域図
中央二区域切除＝内側区域切除(A)＋前区域切除(B).

B 開創から肝切除前まで

① J字切開もしくはベンツ切開などにて開腹する．剣状突起は通常切離する．肝円索を結紮切離して肝側の結紮糸は支持糸として残しておく．鎌状間膜を頭側に向かって切離し，主肝静脈の下大静脈流入部前面が確認できるようにしておく．
② 術中超音波を行い，腫瘍と脈管との位置関係と，予定の術式で切除可能であることを確認する．また，他病巣がないことも確認しておく．
③ Pringle法に備え，肝十二指腸間膜を確保する．
④ 胆囊摘出を行う．

C 前区域切除

1 肝門部脈管処理・脱転

- 詳細は「グリソン鞘一括処理」の項（ p82）に譲るが，肝門部におけるグリソン一括確保はTakasakiら[2]により報告され，区域切除において広く用いられている手法である．
- グリソン確保は胆囊摘出時からすでに始まっていると考えてよい．胆囊摘出の際には，肝十二指腸間膜の漿膜内に切り込んでしまうと肝外グリソン鞘が開き，その後のグリソン鞘剥離，テーピングを行うことが困難となるため，胆囊壁に沿っての摘出を行うようにする．Calot三角部の結合織を切離し肝外グリソン鞘前面から肝門板を露出し，鈍的剥離を行う．次いでRouviere溝前面の結合織を切開し，前・後区域枝間を確認する．
- 近年では，ここまでのアプローチを胆囊板を胆囊側にあえてつける胆囊摘出を行うことで，目的とするグリソン一括確保の層に到達する方法も用いられている[4,5]．Sugiokaら[4]は，Laennec被膜の理解が一括確保の層を認識するうえで重要である

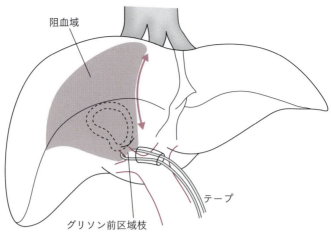

図2　グリソン前区域枝のターニケットと阻血域

と報告している．さらに，この胆嚢を尾側に牽引することでグリソン前区域枝が肝外に引き出され，その確保が容易となる[5]．

- グリソン前区域枝の背側を直角鉗子にて抵抗なく通せる部位でトンネリングし，テーピングする．テーピングしたグリソン前区域枝をクランプし，阻血域を確認する．この時点ではグリソン前区域枝の切離は困難な場合が多いため，クランプあるいは結紮のみにとどめて肝離断を先行し，視野を十分展開した状態でグリソン前区域枝を切離したほうが無難である（図2）．
- 肝門部処理後に，右三角間膜ならびに冠状間膜を切離し，右葉を授動する．前区域切除の場合は右葉の完全脱転は通常不要であることが多いが，腫瘍の大きさや切除範囲などを考慮し右葉が術者左手の手の内に入るように必要な範囲を剝離しておく．腫瘍が主肝静脈に近接しているような場合であれば，肝静脈を根部で確保しておいてもよい．

2｜肝離断

- 先に得られた阻血域に沿ってマーキングを行う．
- 肝離断は，まずRex-Cantlie線に沿って前区域・内側区域間より行う．流入血遮断はPringle法もしくは選択的左グリソン鞘遮断で行うが，詳細は他項に譲る．
- 離断面に中肝静脈が認められたら，前腹側下領域をドレナージするV5を結紮切離する．続いて中肝静脈本幹に沿って深部離断を頭側に向かって進めていき，前腹側上区域をドレナージするV8vを結紮切離する．
- さらに進むと，前腹側区域・背側区域間を走行し中肝静脈根部付近に流入する anterior fissure vein と呼ばれる静脈があり，これを結紮切離する（図3）．ここまでの脈管処理と肝門部まで至る肝切離を行えば，前区域・内側区域間の肝離断が終了する．
- 可能であれば，中肝静脈根部からたどり右肝静脈根部まで露出しておくと，のちの

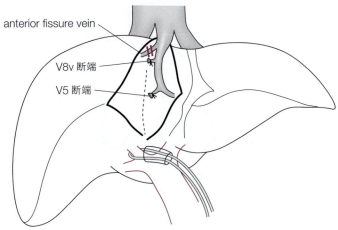

図3 anterior fissure vein の切離と前区域・内側区域間離断の終了

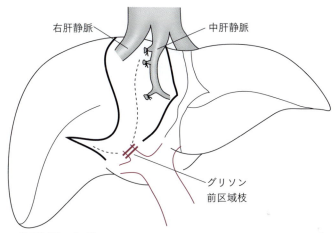

図4 グリソン前区域枝の切離

前・後区域間の離断のゴールとなり有用である．
- この時点で十分な切離長を確保し，肝門部で先に確保したグリソン前区域枝を結紮切離する．この際，温存する後区域枝の狭窄をきたさぬよう，極力末梢で切離することが肝要である（図4）．
- 阻血域を参考につけたマーキングに沿って前区域・後区域間の肝離断を行う．流入血遮断は Pringle 法もしくは選択的右グリソン鞘遮断で行う．
- グリソン前区域枝が切離されていると，前区域が腹側に持ち上がるので，前区域・後区域間の肝離断は尾側から行いやすくなる．肝離断面を前区域・内側区域間の肝離断面と連続させ右肝静脈を確認し，これを露出しながら肝離断を行う．
- 肝離断面形成の詳細に関しては，「胆道再建を伴う肝切除，尾状葉切除」の「左肝切除（左三区域を含む）」（p 210）に準じるが，下右肝静脈の有無によっても V5，V6 の分岐にはバリエーションがしばしば認められる．これらの解剖に関する情報は術前画像にて十分把握をしておく．

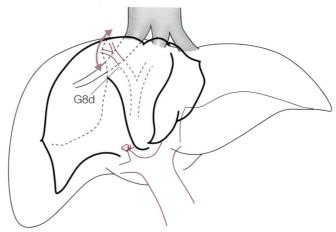

図 5 右肝静脈を越境するグリソン前背側区域枝(G8d)

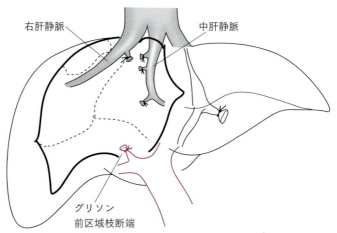

図 6 前区域切除終了時離断面

- 頭側の肝離断の際には，グリソン前背側区域枝(G8d)が右肝静脈をしばしば越境していることを意識する必要がある．右肝静脈に沿って平坦な面を形成しながら肝離断を行うと，G8d の末梢枝が離断されることとなり，のちの離断型胆汁漏の原因となりうる．このような場合にはしっかりと G8d を二重結紮したあとに切離するか，やや右肝静脈を越えて当該領域の肝実質切離を行う(図 5)．
- S7 と S8 との境界に右肝静脈が離断面に露出するので，これに沿って深部離断を頭側に進め，前背側区域側に流入する V8d を結紮切離していく．
- 一方，腫瘍がグリソン前区域枝根部近傍あるいは肝門部近傍に存在する場合には，グリソンの切離長を十分なものとするため，肝離断を終えて最後にグリソン前区域枝の切離を行ったほうがよい．
- 肝離断終了時には，右肝静脈および中肝静脈本幹と前区域グリソン枝が確認される(図 6)．

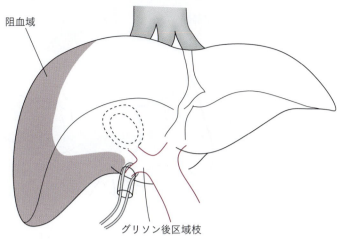

図7 グリソン後区域枝のターニケットと阻血域

D 後区域切除

1 | 肝門処理・脱転

- 詳細は「グリソン鞘一括処理」の項(☞p82)に譲るが，グリソン後区域枝の確保は，直接Rouviere溝近傍から確保する方法と，肝門部の右1次分枝からグリソン前区域枝を差し引いた，いわゆる"引き算"で行う方法がある．グリソン後区域枝は肝門部にて早々に2分岐することも多く，直接Rouviere溝近傍から確保を試みてもG6のみの確保となる場合があるので，このような場合は"引き算"の要領で行えば確実にグリソン後区域枝を確保することが可能である．
- テーピングしたグリソン後区域枝をクランプし，阻血域を確認する．この時点ではクランプあるいは結紮のみにとどめて肝離断を先行し，視野を十分展開した状態でグリソン後区域枝を切離したほうが無難である(図7)．
- 右葉の脱転を行う．後区域切除では通常，完全脱転が必要である．静脈性の出血に備えて，右肝静脈根部はテーピングするほうがよい．

2 | 肝離断

- 後区域切除では肝切離面がほぼ水平断と同じとなるため，しっかりとした脱転操作をしなければ切離面が正面視できないことを認識しておかなければならない．肝離断中はベッドを左側にローテーションしてよい術野を得ることが重要である．
- 先に得られた阻血域に沿ってマーキングを行い，これに沿って尾側から前・後区域間の肝離断を開始する．グリソン後区域枝の背側に相当する右側尾状葉と後区域との境界は不明瞭であることが多く，症例に応じて切離ラインを決定する．流入血遮断はPringle法もしくは選択的右グリソン鞘遮断で行う．
- 切離面に右肝静脈に流入するV6が認められたら，これを露出しつつ温存するよう

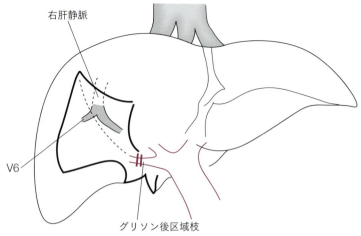

図 8　グリソン後区域枝の切離と V6 からの右肝静脈本幹同定

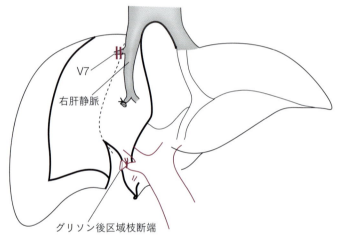

図 9　前区域・後区域間離断と右肝静脈本幹温存

に頭側，背側に向かって深部離断を進めていくが，下右肝静脈の存在する症例では尾側領域の静脈分岐形態にバリエーションがあるため，術前画像にて十分把握をしておく．肝門が展開できたら，グリソン後区域枝を切離する（図 8）．
- さらに右肝静脈に沿って離断を進め，V7 と肝静脈背面の肝実質を切離する（図 9）．右肝静脈根部周囲の切除は出血が多くなる傾向があるため，右肝静脈に流入する V7 は丹念に結紮し，残る肝実質切離を終えて後区域切除を終了する．
- 後区域切除後の肝切離面には右肝静脈本幹および肝下部下大静脈が露出し，グリソン後区域枝断端が確認される（図 10）．

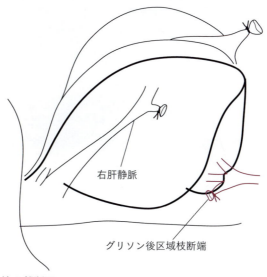

図10 後区域切除終了離断面

E 内側区域切除

1 | 肝門部脈管処理・脱転

- 門脈臍部を肝実質が架橋している場合があるので，このような場合はオリエンテーションのためにもまずこの架橋した肝実質を切離し，門脈臍部〜左枝までの走行を確認する．
- 内側区域切除の場合は，外側区域・内側区域間は，鎌状間膜，あるいは門脈臍部という明らかな構造物としてのランドマークがあり，切離の左側縁は門脈臍部の右側から鎌状間膜に平行なラインとなる．腫瘍が切除範囲に含まれていれば，このラインから肝離断を先行して行い，上行枝，下行枝を含むG4分枝を腹側から背側に向かって肝門まで順次結紮切離してよい．この操作で，内側区域が阻血域として明らかとなる(図11)．
- ただし，巨大腫瘍ではinflowを先行して遮断したほうがのちの手術操作に有利であることから，G4のグリソン一括確保を先行して行ったほうがよい場合もある．
- 肝離断前に鎌状間膜の切離を頭側に進め左・中肝静脈共通幹の起始部を十分に確認しておく．脱転は必須ではないが，巨大腫瘍であれば脱転したほうが無難である．

2 | 肝離断

- 内・外側区域間における深部離断のランドマークは，多くの場合は左肝静脈に流入するumbilical fissure vein(UFV)である．しかし，これもバリエーションがあるため，術前画像で静脈の走行を入念に確認しておく．典型的な場合は，UFVに沿って肝離断を進めていくと最頭側で左肝静脈根部が露出される．さらに中肝静脈

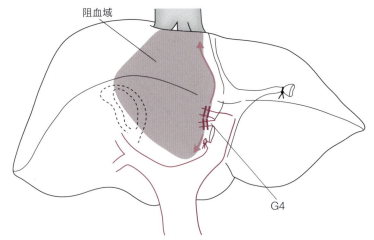

図11　門脈臍部右側でのG4確保，切離と阻血域

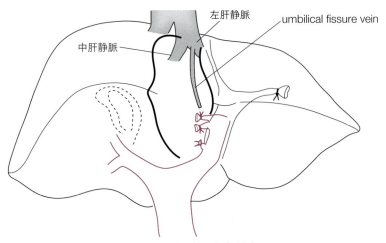

図12　内・外側区域間離断と左肝静脈，中肝静脈根部露出

根部も露出しておく(図12).
- ここまで離断が進んだら，左側から肝門板に沿ってS4とS1との境界の肝離断を行いRex-Cantlie線に至る．この際，肝門板を破壊しないように細心の注意を払う．中肝静脈に達し，切除標本側をドレナージするV4を切離して中肝静脈本幹を残側に温存しつつ肝離断を継続し，標本を摘出する(図13).
- 摘出後の離断面には，左肝静脈根部近傍と中肝静脈本幹，G4断端が観察される(図14).

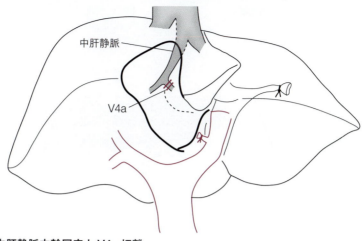

図 13　中肝静脈本幹同定と V4a 切離

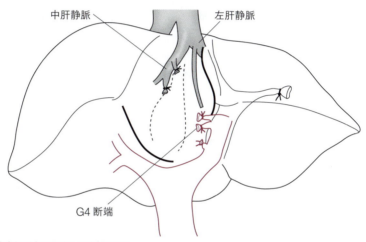

図 14　内側区域切除終了時離断面

F 中央二区域切除

肝門部脈管処理・脱転

- 中央二区域切除の場合は，グリソン一括確保を行い左右グリソン 1 次分枝をそれぞれ確保しターニケットできるようにしておくとよい．外側区域・内側区域間，前区域・後区域間の離断面に応じて，それぞれ選択的グリソン鞘遮断で肝離断が可能である．
- まず外側・内側区域間の肝離断は門脈臍部の右側から G4 を順次結紮切離していくが，これは内側区域切除の方法に準じる（図 15）．
- 前区域枝のテーピングは肝離断前に必ずしも行う必要はなく，G4 グリソン枝を順次結紮切離し肝門部が展開できたところで前区域枝を確保すればよいが，やはり巨

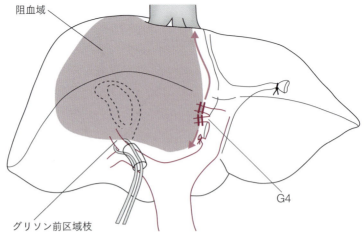

図15 G4切離とグリソン前区域枝のターニケットによる阻血域

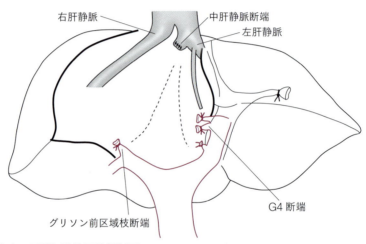

図16 中央二区域切除終了時離断面

　大腫瘍の場合にはinflowのコントロールのためグリソンの先行確保と血流遮断を行ったほうがよい場合もあるため，症例に応じて使い分ける．
- その後は，前区域切除と同じ要領で前区域・後区域間を離断し，最後に中肝静脈を根部で処理する．中肝静脈自体は外側区域・内側区域間の肝離断を進めていくと確認されるが，早期に切離するとうっ血し出血しやすくなるため，これは最後に処理することが重要である．
- 標本摘出後の肝離断面には，右肝静脈本幹および左肝静脈根部，中肝静脈・前区域枝，G4断端が観察される（図16）．

G 肝離断終了後

　前区域切除，内側域切除，中央二区域切除などの肝門部のグリソン鞘を露出する手術は，肝門部における胆汁漏の高リスク術式である．肝門部で胆汁漏を確認した場合には縫合による修復を試みるが，決して深く運針してはならない．深追いして肝門部に針を深くかけてしまうとのちに大型胆管の狭窄をきたす可能性があるため，このような場合は針を浅くかけて縫合修復したあとに胆管減圧チューブを留置し，損傷部位近傍にドレーンを留置する．

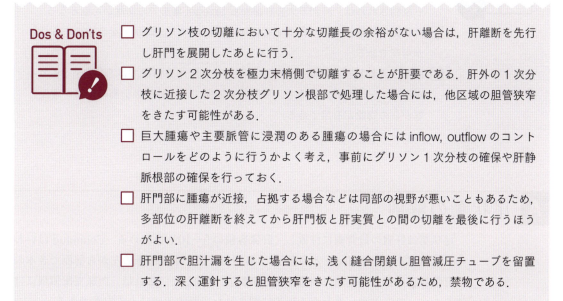

Dos & Don'ts
- グリソン枝の切離において十分な切離長の余裕がない場合は，肝離断を先行し肝門を展開したあとに行う．
- グリソン2次分枝を極力末梢側で切離することが肝要である．肝外の1次分枝に近接した2次分枝グリソン根部で処理した場合には，他区域の胆管狭窄をきたす可能性がある．
- 巨大腫瘍や主要脈管に浸潤のある腫瘍の場合にはinflow, outflowのコントロールをどのように行うかよく考え，事前にグリソン1次分枝の確保や肝静脈根部の確保を行っておく．
- 肝門部に腫瘍が近接，占拠する場合などは同部の視野が悪いこともあるため，多部位の肝離断を終えてから肝門板と肝実質との間の切離を最後に行うほうがよい．
- 肝門部で胆汁漏を生じた場合には，浅く縫合閉鎖し胆管減圧チューブを留置する．深く運針すると胆管狭窄をきたす可能性があるため，禁物である．

文献
1) Couinaud C：Surgical Anatomy of the Liver Revisited. Paris, 1989
2) Takasaki K, et al：Highly anatomically systematized hepatic resection with Glissonean sheath code transection at the hepatic hilus. Int Surg 75：73-77, 1990
3) Yamamoto M, et al：Glissonean pedicle approach in liver surgery. Annals of gastroenterological surgery 2：124-128, 2018
4) Sugioka A, et al：Systematic extrahepatic Glissonean pedicle isolation for anatomical liver resection based on Laennec's capsule：proposal of a novel comprehensive surgical anatomy of the liver. J Hepatobiliary Pancreat Sci 24：17-23, 2017
5) Tokumitsu Y, et al：Application and utility of surgical techniques for cystic plate isolation in liver surgery. Ann Gastroenterol Surge 6：726-732, 2022

〈徳光幸生，永野浩昭〉

4 尾状葉切除

重要ポイント

- □ 肝尾状葉は Spiegel 葉(Sp)，肝部下大静脈部(PC)，尾状葉突起部(CP)から構成され，背側に向かう門脈の本幹あるいは1次分枝に支配される領域である．
- □ 下大静脈靱帯，短肝静脈，尾状葉静脈を処理し，尾状葉が完全に下大静脈から授動されれば，肝部下大静脈部から Spiegel 葉までの切除が可能となる．
- □ 肝後区域切除や右肝切除などの区域切除に含めて，尾状葉を全切除することが可能である．
- □ 肝部下大静脈部の腫瘍を腹側から切除する肝中央切除では S4, S5, S8 の一部を surgical window とし，肝門板の頭側で下大静脈の前面の視野を確保しながらの切除が有用である．

A 尾状葉の解剖

　尾状葉は肝臓の最背側に位置し，肝臓容積の5〜10%を占める．Couinaud はいわゆる尾状葉を dorsal liver と命名し，「肝門の背側で下大静脈の左から前面で3本の主肝静脈流入部より尾側に位置する肝実質」と定義した．これは，門脈支配領域にはよらない，ランドマークとなる脈管に囲まれた空間的領域による定義である．一方，公文は尾状葉を，「Spiegel 葉(Spiegel lobe：Sp)，肝部下大静脈部(paracaval portion：PC)，尾状葉突起部(caudate process：CP)から構成され，背側に向かう門脈本幹もしくは1次分枝に支配される領域」と定義した(図1)[1]．公文の定義によれば，PC への門脈枝は中肝静脈や右肝静脈で囲まれた天井を越えて，横隔膜面まで達する症例もあり，尾状葉の範囲を示すランドマークは一概には規定できない．流出静脈は主たる尾状葉静脈[2]を含めた短肝静脈であるが，中肝静脈や右肝静脈への細い静脈枝も存在している．PC の胆管枝は，門脈枝と異なり，その1/3は後区域胆管に合流する．

B 病変部位による術式選択

　肝尾状葉はその解剖学的特性により，アプローチが困難な区域であり，術式の選択には工夫が必要である．

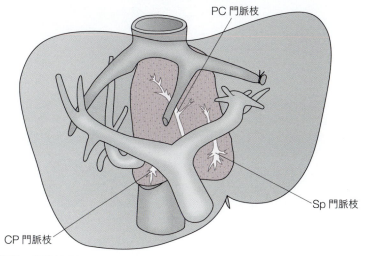

図1 尾状葉の定義（公文）
尾状葉は背側に向かう門脈本幹もしくは1次分枝に支配される領域でありSpiegel葉（Sp），肝部下大静脈部（PC），尾状葉突起部（CP）から構成される．
〔公文 正：肝鋳型標本とその臨床応用 尾状葉の門脈枝と胆道枝．肝臓 26：1193-1199, 1985 より改変〕

1 Spの切除

　Spは小網を開放すると現れる，下大静脈左側に突出した部分である．Sp主体の病変であればSpを下大静脈から授動し部分切除が可能である．ただし，尾状葉静脈[2]などの短肝静脈を十分に切離していなければ，Spの可動性が不良なため，視野の確保や出血のコントロールが不良となるので注意が必要である．アランチウス管を切離することは授動の一助となる．

2 CPの切除

　CPは肝門部右側尾側に位置し，右肝を授動後にグリソン後区域との位置関係に注意しながら部分切除を行うことが可能である．ただし，浸潤性の腫瘍の切除では，切除断端の陰性化のために肝後区域切除や右肝切除が必要となることもあるため，術前の画像所見を十分に検討する．

3 PCの切除

　PCは肝尾状葉の中でも，下大静脈の前面かつ肝門板の頭側，中肝静脈の背面に位置する特殊な領域であり，その切除には腫瘍条件や肝機能によって工夫が必要である．

❶ 部分切除

　腫瘍がPCの最背側に位置し主要肝静脈から離れており，肝実質が軟らかい場合

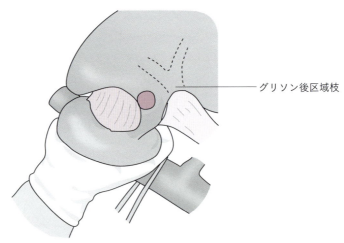

図2 肝尾状葉の完全授動
肝尾状葉を下大静脈から完全に授動後，肝全体を時計回りに回転させると，術者の左手内に尾状葉を収めることができる．

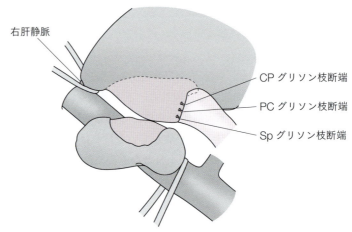

図3 右側からの尾状葉部分切除
肝門板から分岐する尾状葉へのグリソン枝が処理されている．

は，十分な授動後に肝臓を下大静脈の右腹側へ脱転することで，背側からの部分切除が可能である[3]．尾状葉全体を手中に収めながら（図2），右側から肝離断を始めアランチウス管付着部まで離断を進める．さらに肝門板からSp，CP，PCへのグリソン枝を順次結紮切離することで，PCを含めた広範囲の尾状葉切除を行うことができる（図3）．

❷ 尾状葉単独全切除

　尾状葉単独全切除には背側，腹側からのアプローチがあり，背側アプローチは高位背方切除として知られている[4]．PCと後区域との境界は門脈後区域枝を穿刺し染色するcounter stainingで同定する．肝の完全授動後に肝臓の背面を見上げるような視野で，尾状葉のグリソン枝を切離し右肝静脈と中肝静脈を天井にしながら肝離断を

行う．一方，腹側からのアプローチ[5]ではRex-Cantlie線上で肝離断を開始し，中肝静脈の左側まで離断後，肝門板を露出し尾状葉のグリソン枝を処理，右肝静脈を右側のランドマークとして肝離断を行う．ただし，いずれの方法も難易度は高い．また公文の分類[1]では，右肝静脈は尾状葉の右側境界とは必ずしも一致しない．

❸ 系統的切除を含めたPCの切除

　肝後区域切除，肝前区域切除，肝中央二区域切除，系統的肝S8切除，左肝切除，右肝切除など，区域切除と一括にPCを切除することが可能である．肝門部領域胆管癌の治療では，根治度を高めるために，尾状葉の全切除が常識となっている．系統的肝切除に伴うPCの切除は，視野が良好となるのが利点だが，非癌肝の損失を伴うため，肝機能不良例では適応とならない．再肝切除まで考慮した場合，局所切除に比較すると腫瘍学的に不利となる．系統的な肝S8切除をsurgical windowとした切除でも，肝門板まで肝実質を離断しない場合は，肝臓が左右に展開されず，肝門板付近の視野が不良となる．

❹ 肝中央切除

　高位背方切除などの尾状葉単独全切除は難易度が高く，確実な視野を得るのが困難である．S4，S5，S8の小範囲の系統的切除や部分切除を組み合わせ，肝門板周囲の肝実質を開く肝中央切除は，PCに位置する腫瘍の摘出を企図する場合に，根治性と安全性を兼ね備えた選択肢となる[3]．

C 肝中央切除の具体的手順

1 肝授動

　尾状葉の全授動は，左側からでも右側からでも可能である．右肝の授動に続いて左肝の授動に移る．左冠状間膜，三角間膜を切開し外側区域を挙上する．左側からの授動の場合，小網を切開しSpを露出，アランチウス管を結紮切離する（図4a）．Spの把持が難しい場合には，Spの一部に針糸を数針かけて牽引し下大静脈から剝離を行うとよい（図4b）．Spから下大静脈へ流入する短肝静脈を順次結紮切離する．SpとPCの移行部である尾状葉切痕（notch）付近から，下大静脈の腹側やや左側寄りに流入するほかの短肝静脈より明らかに太い尾状葉静脈[2]が出現する（図4b）．太く短いために十分な縛り代がとれないことが多く，静脈の肝臓側は刺通を含めて結紮し，下大静脈側は血管鉗子をかけて切離後，連続縫合で閉鎖する．尾状葉が下大静脈をほぼ一周取り巻いていることがあり，この場合は主として右側から剝離する必要がある．

　右側からの授動では，右肝静脈をテーピング，尾状葉静脈を切離し，左側の下大静脈靱帯を切離してSpを浮かせる．尾状葉を下大静脈から完全に授動すると，肝臓は肝門部と主要肝静脈のみと連続した状態となる（図2, 5）．

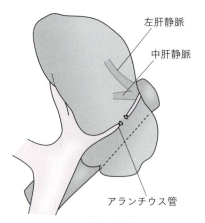

a　アランチウス管の切離　　　　　　　　b　短肝静脈および尾状葉静脈の処理

図4　左側からのSpiegel葉の授動

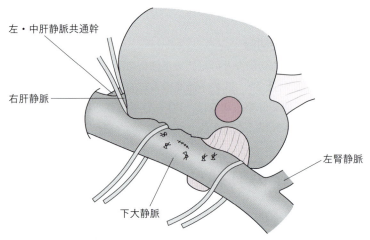

図5　肝尾状葉の完全授動後
下大静脈のハーフクランプに備えてテーピングを行っている．

2 | Surgical window の設定

　PC領域を切除するための庇すなわちsurgical windowとして，腫瘍の腹側に位置するS4，S5やS8腹側領域の肝実質を必要十分なだけ切除する．術中超音波を用いて，腫瘍とグリソン枝，肝静脈の関係を確認しながら，非系統的もしくは系統的にwindowを決定する．系統的にsurgical windowを切除する場合は染色域の範囲を正確に認識するためにICG蛍光法を用いて認識する．インジゴカルミン5 mLとジアグノグリーン®（indocyanine green）0.25 mgの混合液をsurgical windowとなるべき領域の門脈枝に，術中超音波ガイド下にカテラン針を用いて穿刺・注入する．近赤外線カメラシステムで蛍光染色された領域を確認しながらマーキングする．中肝静脈より左側にある腫瘍に対してはS4，中肝静脈より右側や右肝静脈に近接する腫瘍に対してはS5またはS8腹側領域をsurgical windowに設定するのが自然である（図6）．

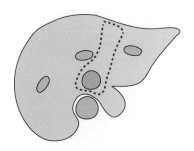 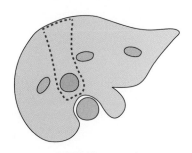

a　S4での設定　　　　　　　　　b　S8腹側領域での設定

図6　Surgical window の設定と肝離断線

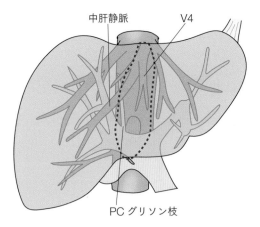 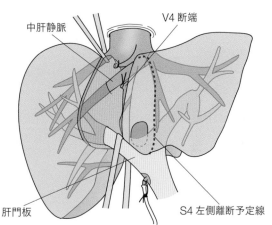

a　肝離断予定線(赤点線)　　　　　　b　Rex-Cantlie 線での肝離断後

図7　肝門板頭側背側に位置する腫瘍に対する肝 S4 の一部を surgical window とした肝中央切除
b：中肝静脈を露出しながら肝実質を離断し肝門板を露出，テーピングした．

3｜肝離断のための準備

　胆嚢を摘出し，胆嚢管より胆道造影用チューブを総胆管内へ留置することが多い．肝中央切除では肝離断面積が広く，離断中に肝門板を露出するため，胆汁漏の発生が危惧される．そこで，胆汁リークテストを行ったり，術後に胆道減圧チューブを留置したりする．胆嚢板を目安に，グリソン右枝のテーピングが可能であれば，この時点で行う．また肝離断中の肝静脈からの出血を低減させる目的で下大静脈のハーフクランプの準備を行うことがある．その際には，膵頭十二指腸を授動後，左腎静脈をテーピングし，その後肝部下大静脈をテーピングする．

4｜肝 S4 を surgical window とした場合の肝中央切除

　肝門板背側で中肝静脈の左側の尾状葉 PC に位置する肝細胞癌に対して，S4 の一部を surgical window とした肝中央切除を行った一例を示す．肝離断範囲の右側縁は Rex-Cantlie 線とし，左側縁は S4 内に頭尾側方向に非系統的に設定した(図7a)．

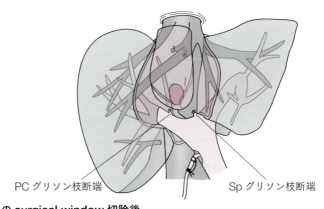

図 8 肝 S4 の surgical window 切除後
肝門板からの肝部下大静脈部グリソン枝を結紮切離する.

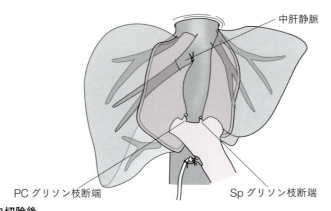

図 9 肝中央切除後
肝門板が露出した状態で, 下大静脈から肝表までの liver tunnel が完成する.

　Pringle 下に Crush Clamping 法で肝実質を破砕, 脈管は LigaSure™ で閉鎖あるいは結紮切離した. Rex-Cantlie 線に沿って尾側から肝離断を開始した. V4 を同定して切離後, 中肝静脈本幹左側壁を露出した(図7b). 術者の左手を尾状葉背側に挿入し, これを目標に S1 PC の肝実質の離断を垂直に下大静脈腹側まで行い, 尾側は肝門板まで肝を離断した. この際に, グリソン右枝に施したテープが目標点となった.

　次に肝 S4 の左側縁を尾側から頭側に離断し, 中肝静脈は温存しながら, 周囲肝実質は除去することで, 下大静脈前面の視野を確保した. 尾側は肝門板まで肝離断を行い, グリソン左枝のテーピングも行った. 肝門板の頭側縁で PC や Sp へ向かう尾状葉枝を順次結紮切離した(図8). 下大静脈前面から肝表面まで肝 S4 の実質がボックス型にくり抜かれ, いわゆる liver tunnel が完成する(図9). 肝門板前面の広い視野を確保しておくことで, 中肝静脈や下右肝静脈などの主要静脈に腫瘍が浸潤している場合でも, 下大静脈前面を視野に入れながら, 確実に静脈を処理することができる.

Dos & Don'ts

☐ 尾状葉を完全に下大静脈から授動すると，左手を尾状葉背側に挿入することが可能となり，安全な肝離断を行うことができる．

☐ 肝門板周囲の視野を確保して，確実に尾状葉枝を結紮切離する．

☐ 系統的肝切除による surgical window を作っても，肝門板が開かれなければ，術野は深く，視野は不良である．

☐ 中肝静脈，下右肝静脈，下大静脈などの太い脈管に浸潤を認める場合は，授動後の右側からのみの切除は難しい．肝中央切除などの術野の良好な術式を選択する．

文献

1) 公文　正：肝鋳型標本とその臨床応用　尾状葉の門脈枝と胆道枝．肝臓 26：1193-1199, 1985
2) Kogure K, et al：Relation among portal segmentation, proper hepatic vein, and external notch of the caudate lobe in the human liver. Ann Surg 231：223-228, 2000
3) Kogure M, et al：Parenchymal-sparing approaches for resection of tumors located in the paracaval portion of the caudate lobe of the liver-utility of limited resection and central hepatectomy. Langenbecks Arch Surg 406：2099-2106, 2021
4) Takayama T, et al：High dorsal resection of the liver. J Am Coll Surg 179：72-75, 1994
5) Yamamoto J, et al：Anterior transhepatic approach for isolated resection of the caudate lobe of the liver. World J Surg 23：97-101, 1999

（小暮正晴，阪本良弘）

5 胆道再建を伴う肝切除，尾状葉切除

1）左肝切除（左三区域を含む）

重要ポイント

- ☐ 血管・胆管解剖は個人差が大きく，その内容により手術難易度が変化する．「北回り」の肝動脈後枝と右門脈後枝上枝（P7）・下枝（P6）別分岐は合併しやすい変異であり，左側肝切除の技術的難度は高くなる．
- ☐ 肝門部の血管剝離の肝側縁，肝切離面，胆管切離線が一致するように意識する．左肝切除では中肝静脈背側の右尾状葉切離面が右胆管切離線を規定する．意図的に調整できることが目標となる．
- ☐ 尾状葉切除の目的は，潜在的な癌浸潤領域である肝門部肝門板（胆管含む）を切除することである．右尾状葉頭側末梢側の全切除にはこだわらない．
- ☐ 尾状葉右側の境界は視認できないので，右尾状葉切除は外表解剖の代替メルクマールを使用する．
- ☐ 手術の全工程で意識すべきことは，出血量の最小化と副損傷の回避に尽きる．

A はじめに

　左肝切除（H1234-B）は，左側優位の肝門部領域胆管癌に対する定型的な術式である．本術式の侵襲は低いものの，肝内胆管切離にかかわる局所解剖は個人差が大きく技術的要求度は高い．また，左三区域切除（H123458-B）では，肝離断面が広大で出血量も多く，合併症，死亡率が高い高リスク手術である．本項では取り上げないが，この両者の中間に拡大左肝切除（H12345'8'-B-MHV）が存在し，左肝切除と同等の安全性と右後区胆管の深部切離が両立できる．このような手術を安全に遂行するためには，個々の症例の画像的解剖を十分に理解し，それに忠実に手術を遂行する術中判断，および実行可能な手技が必要不可欠である．

B 適応

　肝外胆管切除を伴う左肝(または左三区域)切除＋尾状葉切除の適応は，左側優位の肝門部領域胆管癌である．以下に示す内容を参照しながら，安全性を担保しつつ R0 切除の可能性が高い術式選択を行う．

根治性にかかわる因子

❶ 胆管浸潤

　右前区域胆管枝への癌浸潤範囲について，どの程度であれば左肝切除で対応できるかの明確な線引きはできない．右肝内胆管の合流様式や右門脈長も，その適応判断に関係するからである．前上区域枝(B8)と前下区域枝(B5)が合流して前区域枝を形成する一般的な合流様式で，この合流部より上流側に癌浸潤が広く及んでいれば前区域を全切除する左三区域切除の適応となる．合流部が健常もしくは軽度浸潤であるなら左肝切除の適応となる場合が多い．

　一方，右後区域胆管枝への癌浸潤範囲については，同枝の走行様式が「北回り」か「南回り」かに分けて考える必要がある[1]．通常，後区域胆管枝は右門脈の頭・背側を凸に走行する特徴的な形態(Hjortsjo's crook)をとり，この「北回り」例に対して左肝切除の最大切離線はその頂点を越えた背側くらいである．これは，温存する右(前区域)門脈が妨げとなるからである．左三区域切除を選択すれば，切離する右前区域門脈分の余裕が生まれ，より末梢側で後区域胆管枝を切離することができる．両術式で切除された後区域胆管枝の長さを標本上で比較すると，その差は約 7 mm であると報告されている[1]．一方，右後区域胆管枝は右門脈の尾側を走行する「南回り」の症例であれば，いずれの術式でもほぼ同じレベルで右後区域胆管枝を切離することができる．

❷ 主要血管浸潤

　左優位病変で右前区域門脈枝・動脈枝にまで癌浸潤が及んでいるか，それらの根部が処理できないときには左三区域切除を選択する．また，中肝静脈への浸潤や近接をしばしば認めるので，その場合は中肝静脈を含め前区域を一部切除する拡大左肝切除で対応できる．これら，肝動脈，門脈，肝静脈への癌浸潤範囲について，術前のMDCT(multi detector row CT)で十分に検討しておくことが，術式選択のみならず，手術の安全な遂行にも不可欠である．

C 手術手技

1 開腹

　上腹部正中切開に右肋弓下切開を加える逆 L 字切開で開腹する．腹腔内を検索し，腹膜播種，肝転移，肉眼的リンパ節転移の有無を検索する．次いで局所所見(主腫瘤の局在，漿膜浸潤の程度，Rouviere 溝浸潤の有無)さらには肝円索，小網，アランチウス管を

精査する．また，肝臓の外表所見(黄疸肝，脂肪肝，慢性肝炎，肝硬変，肝萎縮など)も観察し，これら外科所見は手術記録の第1ページにまとめて図示記載することが望ましい．また，切除側の多発小結節は肝膿瘍の可能性もあるため慎重に判断する(安易に多発肝転移とみなさない)．

　Kocherの授動を行ったあと，大動脈周囲リンパ節を1〜2個摘出し，迅速病理検査に提出する．同部位への転移を画像的に疑う場合は，No. 16a2，16b1領域の系統的リンパ節郭清(サンプリング郭清)を行い積極的に検索する．転移陽性の場合は原則的に非切除である．

2 | 肝十二指腸間膜のリンパ節郭清

❶ 総胆管の切離

　小網を開放し，尾状葉，膵頭部上縁の輪郭を確認する．右胃動静脈を胃壁近くでいったん切離する．十二指腸上動静脈を十二指腸壁に沿って順次切離する．血管が密に存在する部位であり，外表から視認できる動脈枝の裏に静脈が伴走する細い直角鉗子を柔らかく把持し，抵抗の少ない部位を探り通していく．胃十二指腸動脈(gastric duodenal artery：GDA)と，膵上縁の総胆管腹側を横切る後上膵十二指腸動脈(posterior superior pancreaticoduodenal artery：PSPDA)を確認する．

　膵頭を脱転しNo. 13aのリンパ節を郭清する．膵頭背側に張り付くように存在する静脈を露出させながら郭清を行うが，リンパ節に向かう小枝から出血しやすい．また，層を見誤り膵実質に切り込むと術後に膵液漏をきたすので注意が必要である．膵上縁レベルで胆管をテーピングする．

　総胆管をメッツェンで鋭的に切離し，3 mm以上の断端を迅速病理検査に提出する．6 Fr PTCDカテーテルを挿入し，術中胆道減圧を維持する．下流側の胆管断端は吸収糸で連続縫合閉鎖することを基本とし，余裕があるときは二重結紮で閉鎖する．胆管切離するとその背側にはNo. 12b〜12pの大きなリンパ節，奥には門脈の右側壁が確認できる．門脈腹側中央の右胃静脈の流入部，右背側の後上膵十二指腸静脈(posterior superior pancreaticoduodenal vein：PSPDV)の流入部を結紮切離する．ここで門脈は安全にテーピングできる．

❷ 総肝動脈，固有肝動脈，門脈のテーピング(図1)

　GDAを起点として頭側に剝離を延長すると固有肝動脈(proper hepatic artery：PHA)が露出され，その前面に右胃動脈根部を認識できるので再度結紮切離する．伴走する右胃静脈を丁寧に分離しておけば，その後の操作で同静脈からの不用意な出血を防止できる(すでに門脈流入部は切離されている)．PHA根部にテープをかけ，ここを神経叢郭清の尾側縁とする．右方向に神経叢に包まれた総肝動脈(common hepatic artery：CHA)が露出される．No. 8aを膵から剝離していくとCHAはさらに露出され，裏のNo. 8pリンパ節につながる．

　PHA右背側の神経叢を結紮切離すると門脈前面が露出される．次いで左背側の神経叢を切離すると門脈左壁が露出する．左胃静脈根部が視認できればこれらを結紮切

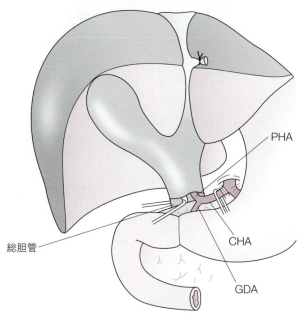

図 1 肝十二指腸間膜郭清のシェーマ，総胆管にテーピング
PHA：固有肝動脈，CHA：総肝動脈，GDA：胃十二指腸動脈.

離する．さらに脾静脈合流部を確認し小枝を処理する．No. 8p リンパ節と No. 12p リンパ節が門脈背側で膵頭部頭側に連続し，左側では腹腔神経節と連続する．これらの連続性を切離すると郭清リンパ節群の尾側が完全に遊離する．

3 | 肝門部脈管処理（図2）

❶ 右肝動脈の剝離

PHA の肝側で左肝動脈（left hepatic artery：LHA）は門脈臍部方向に向かうのに対し，右肝動脈（right hepatic artery：RHA）は胆管背側のやや深い層に潜り込むように分岐する．両者をテーピングし，LHA は結紮切離する．オリエンテーションに懸念があれば，LHA と思われる血管をクランプし，ドプラ超音波を用いて肝内血流を確認してから切離する．

総胆管断端を頭側腹側に挙上し，RHA にかけたテープを尾側に牽引することで視野を作り，RHA の外膜に沿って神経叢を切離し肝側へ進める．胆嚢動脈や無名枝（おそらく胆管枝）を結紮切離する．ここで ss インナー層の胆嚢摘出術を fundus first approach で施行し，胆嚢動脈を指標に総胆管右側の RHA に達し，血管テープをかけることも可能である．両テープ間で RHA を遊離するとやりやすい．

❷ 左門脈の切離

総胆管断端を頭側腹側に挙上しつつ，門脈右縁の肝十二指腸間膜切開線を Rouviere 溝方向に進める．右門脈後枝まで明らかにしたあとに，左右分岐部・左門脈を遊離する．その背側に認める尾状葉門脈枝（P1）を切離する．左門脈根部に余裕が確

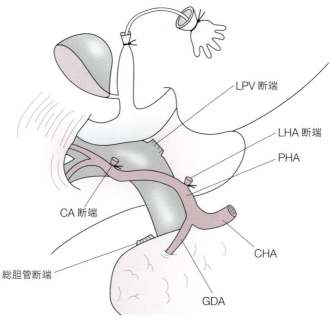

図 2　肝十二指腸間膜郭清のシェーマ，郭清終了
CA：胆囊動脈，LPV：左門脈，LHA：左肝動脈，CHA：総肝動脈，PHA：固有肝動脈，GDA：胃十二指腸動脈．

保できるようであれば左門脈を結紮（単結紮＋刺通結紮）して切離する．逆に「頸」が確保できないようであれば，門脈本幹，右門脈に血管鉗子をかけて左門脈をその根部で切離し，血管縫合糸で連続縫合閉鎖する（図 3）．

❸ 右門脈の剝離

右門脈の剝離を肝側に向かって進める．複数の P1 を切離し，尾側から見て前区域，後区域門脈枝の分岐部を確認し，右門脈を尾側に牽引し頭側から同分岐部も確認できるまで P1 の切離を進める．左三区域切除では，前区域門脈枝にテープをかける必要がある．この部位の門脈壁は薄くなりやすいので特に慎重に行う．結紮切離するか，余裕がなければ単結紮のみを行う．

❹ 右肝動脈肝側の剝離

RHA はできるだけ肝実質に入るところまで剝離し，後区域枝の分岐部を確認したのち前区域枝にテープをかけ末梢側まで剝離する．通常，胆管枝が存在するので切離する．左三区域切除であれば前区域動脈枝を結紮切離する．後区域動脈枝が右門脈の頭背側に分岐する（「北回り」）場合，これを前区域枝と誤認して切離しないよう注意する[2]．

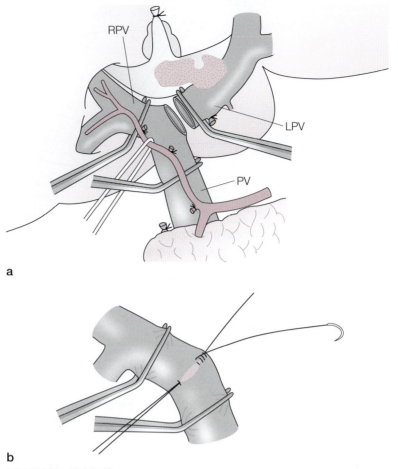

図3 左門脈根部の縫合閉鎖
左門脈を根部で切離した場合は，血管縫合糸を用いて連続横縫合で閉鎖する．
LPV：左門脈，PV：門脈本幹，RPV：右門脈．

4 肝左葉・尾状葉の授動

❶ 左外側区の授動

　肝鎌状間膜の切離を頭側に進め，肝静脈根部を剝離し右肝静脈と左・中肝静脈（共通幹）の「股」を露出する．下大静脈前壁まで行うと，あとの操作が容易である．左三角間膜内には血管や胆管が存在することがあるので結紮切離する．外側区域を反転し小網切開を頭側に連続させる．左胃動脈から肝臓への交通枝（あるいは異所性の左肝動脈）が存在すれば，これを結紮切離する．

❷ アランチウス管の処理

　左尾状葉の全貌が明らかになったところで，小網付着部に存在するアランチウス管を肝被膜外の索状物として大きくすくい切離する．アランチウス管断端と左肝静脈は密着しているので，注意しながら周囲の結合織を剝離する．左尾状葉の頭側で下大静脈左側壁を露出する．

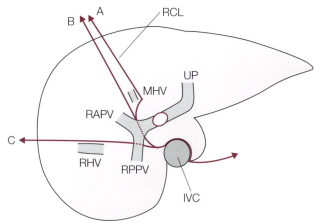

図4 横断面における肝切離面の概念
A：左肝切除の場合，B：拡大左肝切除の場合，C：肝左三区域切除の場合．
RCL：Rex-Cantlie 線，MHV：中肝静脈，RHV：右肝静脈，RAPV：右門脈前枝，RPPV：右門脈後枝，UP：門脈左枝臍部，IVC：下大静脈．

❸ 左尾状葉の授動

　左尾状葉を右腹側にめくりあげるようにして，尾側から頭側に向けて下大静脈から授動する．左頭側は下大静脈靱帯で固定されているので，この靱帯を結紮し切離する．不安を感じたなら，下大静脈側を連続縫合で閉鎖する．左側から右側に授動を進め，短肝静脈を適切な方法で処理する．すなわち，細いものはエネルギーデバイスを用いて切離し，ある程度のものは結紮する．太いものは連続縫合閉鎖する．授動は下大静脈右縁まで十分に行う．このラインを，右後区域と右尾状葉の外科的境界とする．強彎のケリー鉗子を下大静脈前面からまっすぐ肝上部に通すと，左・中肝静脈根部にテープをかけることができる．

5 | 肝切離

　肝の横断面で見た肝切離面の概念を図4に示す．

❶ 左肝切除の場合

a）中肝静脈の露出

　右葉と左葉の境界（Rex-Cantlie 線）上に出現する虚血境界が肝切離の開始線である．尾側から頭側に向かって離断し，中肝静脈分枝を切離し，本幹末梢側を離断面に露出する．中肝静脈本幹が肝切離の中間道標となる．全長露出するように頭側腹側の肝切離を完了させ，左肝静脈根部に到達する．

b）右尾状葉の切除

　中肝静脈のすぐ背側で右前区域グリソンが露出される．その頭側肝領域は右尾状葉である．細い枝を丁寧に処理しその背面が十分に露出されたら，右尾状葉をえぐるよ

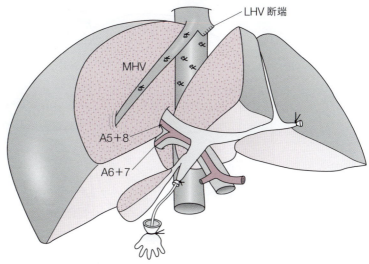

図5 左肝切除において肝離断が終了した段階
標本は右胆管のみで右肝とつながっている.
MHV：中肝静脈，LHV：左肝静脈，A5＋8：右肝動脈前枝，A6＋7：右肝動脈後枝.

うに切除する．その目標は下大静脈右縁である．ある程度進んだところで，左肝静脈を切離し，その断端は4-0血管縫合糸で連続縫合閉鎖する．

授動時のように左肝・尾状葉を裏返すように把持し，尾状葉背面の下大静脈右縁に電気メスでマーキングし，先の尾状葉切離面とつなげるように肝離断を進める．右尾状葉頭側の全切除にこだわる必要はないので，ここの肝離断中に右尾状葉グリソン枝を切離することになる（頭側末梢側が残る）．

この段階で術野を変え，尾状突起と後区域の間を尾側から頭側に向かって切離する．この境界は下大静脈右縁とRouviere溝を結んだ線とする．この線と先に頭側から進めてきた肝切離面とを連続させる．最後に右後区域グリソンとの間に残った肝実質を，グリソンを露出させるように丁寧に切離すると，右葉と左葉は右胆管のみでつながった状態となる（図5）．

❷ 左三区域切除の場合

a）右肝静脈の露出

右前区域と後区域の境界にdemarcation lineが出現しているので，これに沿って尾側から頭側に肝を離断していく．必要であれば術中エコーを用いて，右肝静脈，右下肝静脈の分岐様式と離断の方向を確認する．基本的には右肝静脈を露出しながら肝離断を行うが，正しい離断面で切離してもS6（右後下亜区域）とS5（右前下亜区域）境界の離断面に右肝静脈が出現する症例は約半数にすぎない[3]．特に，下右肝静脈が右肝静脈より優勢な症例においてはまず露出せず，肝静脈が出現する場合は中肝静脈枝である可能性が高い．一方，S7（右後上亜区域）とS8（右前上亜区域）の境界では右肝静脈が必ず離断面に出現する．MDCTを十分に検討し，このような情報は術前に確実に把握しておく．

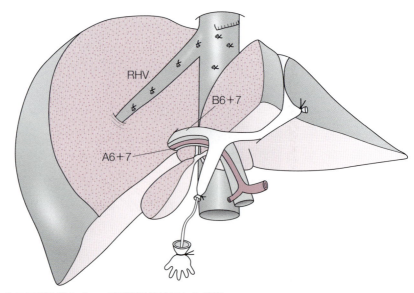

図6 左三区域切除において肝離断が終了した段階
標本は右後胆管のみで右後区域とつながっている.
RHV：右肝静脈, B6＋7：右後区域胆管枝, A6＋7：右肝動脈後枝.

b）頭側の肝離断，肝静脈切離，右尾状葉の切離

　右肝静脈の露出を頭側に進める．S8c（右前上背側区域）のグリソンは右肝静脈の頭側を通ってこれより背側に伸びているので，右肝静脈より右側頭側の肝離断面は横隔膜領域を全切除するように背側に切り込むようになる．S8cのグリソンを途中で切離して残肝側に残すと術後胆汁漏の原因となる．肝離断が右肝静脈根部まで到達したら先にテーピングしておいた中肝静脈，左肝静脈を切離し，血管縫合糸で連続縫合閉鎖する．右後区域と尾状葉の離断を頭側から尾側方向に行う．切離ラインは左肝切除の場合と同様に下大静脈右縁である．

c）右後区域グリソンの露出

　離断が肝門側に進んだところで，尾状突起と後区域の間を尾側から頭側に向かって切離する．この離断が進むと先に頭側から進めてきた肝切離面と連続し右後区域グリソンが露出する（図6）．

6│肝内胆管切離

❶ 左肝切除の場合

　胆管切離予定線を再確認し，同部よりも3mmほど末梢（奥）まで肝動脈を追加剥離する．胆道減圧用のチューブを抜去したあと，切除側の胆管を鉗子などでクランプし胆汁汚染リスクを最小化し，メッツェンバウム剪刀で鋭的に切離する．グリソン鞘断端には尾側からまず前枝が，次に右門脈頭側で後枝が現れる．通常の胆管合流様式の場合は，胆管切離断端は1-3孔を認め，時計回りにB5，B8，後枝の順に並ぶ（図7）．

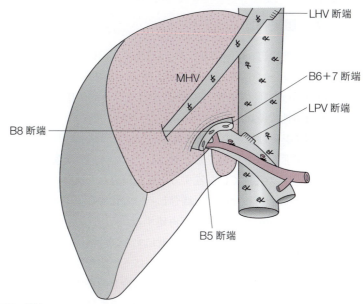

図7 左肝切除終了
MHV：中肝静脈，LHV：左肝静脈，B5：右前下区域胆管枝，B8：右前上区域胆管枝，B6＋7：右後区域胆管枝，LPV：左門脈．

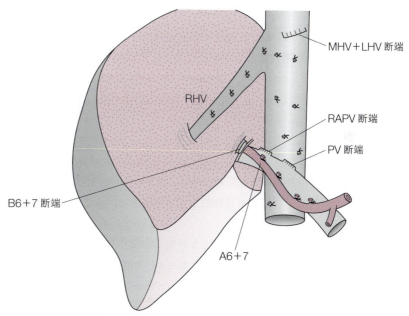

図8 左三区域切除終了
RHV：右肝静脈，MHV：中肝静脈，LHV：左肝静脈，B6＋7：右後区域胆管枝，RAPV：右門脈前枝，LPV：左門脈，A6＋7：右肝動脈後枝．

❷ **左三区域切除の場合**

この術式では，肝離断が終了した段階で，胆管右後枝と肝動脈右後枝，門脈右後枝は剝離された状態になっている．胆管右後枝一穴で切離する（図8）．

7 | 胆道再建

　上部空腸(Treitz 靱帯から 20 cm 前後)に約 10 cm の犠牲腸管を作成し，盲端から経腸栄養チューブを Witzel 式に挿入する．後結腸・後胃ルートで空腸脚を挙上し Roux-en-Y 方式に肝内胆管−空腸吻合を行う．通常 5-0 吸収糸を用いて吻合する．結節縫合が汎用性に優れる．

　ポイントは以下の通りである．
① 断端胆管枝を術前予想と照合し，その方向性を参考に命名する．
② 胆管枝の孔近くに合流する小枝を精査し，縫いつぶさないようにする．
③ 複数の胆管枝は隣同士縫合し，一穴化する(胆管形成)．
④ 内径 1 mm 以上の胆管は再建する．
⑤ 空腸側の孔は胆管の 7 割程度にする(吻合中に拡大していく)．
⑥ 術者から見て，奥もしくは縫いにくい胆管枝から再建する．
⑦ 術者の立ち位置を左右交代，手術台を調整するのも視認しやすくする一法である．
⑧ 細径胆管では，前壁に一針「吊り糸」をかけておくと視認しやすい．
⑨ 6 Fr PTCD カテーテルを減圧用チューブとして全胆管枝に挿入する(細枝除く)．

8 | ドレナージ，閉創

　Y 脚の空腸吻合を全層一層連続吻合で行い，腸間膜の孔を閉鎖する．止血，門脈血栓，異物遺残などを最終確認し，ドプラ超音波で残肝血流を確認する．19 F Blake® ドレーンを最低 2 本，Winslow 孔と肝離断面にまっすぐのルートで挿入する．必要に応じ追加し，ドレーン先端は血管に直接当たらないよう注意にする．

Dos & Don'ts

- 術中の残肝側胆道減圧は必須である．胆道ドレナージチューブの種類・本数・走行に応じて具体的な方法を事前に計画しておく．術中の胆汁流出状況も適宜確認する．
- 血管剥離は外膜直上を鋭的に切離して行う．線維化を伴う場合は肝動脈，門脈とも外膜が自然に剥離され，中膜層が露出する場合がある．一見して脆弱であり，損傷や血栓につながりかねない．愛護的に扱うと同時に剥離層を修正する．
- 左門脈の断端処理には複数の方法が存在する．剥離距離に余裕があれば二重結紮切離が可能であり，余裕がない場合は短軸もしくは長軸方向に連続縫合閉鎖するが，根部の膨らみ(たわみ)と狭窄(へこみ)に注意する．
- 胆管切離予定線を可及的に肝側で設定するためには，門脈と肝動脈を胆管から辛抱強く遊離する必要があり，尾状葉枝・胆管枝・左右交通枝に相当する細枝の切離が必要である．

文献

1) Natsume S, et al：Clinical significance of left trisectionectomy for perihilar cholangiocarcinoma. An appraisal and comparison with left hepatectomy. Ann Surg 255：754-762, 2012
2) Yoshioka Y, et al："Supraportal" right posterior hepatic artery：An anatomic trap in hepatobiliary and transplant surgery. World J Surg 35：1340-1344, 2011
3) Sato F, et al：A study of the right intersectional plane(right portal scissura)of the liver based on virtual left hepatic trisectionectomy. World J Surg 38：3181-3185, 2014

〔江畑智希，水野隆史，尾上俊介〕

2）右肝切除（右三区域を含む）

重要ポイント

- ☐ MDCTを中心とした画像診断にて肝門部領域の肝動脈，門脈，胆管の立体的な解剖，分枝形態を十分に把握してから手術に臨む．
- ☐ 潜在的に危険な手術であり，粗雑な剝離手技は慎んで，慎重かつ丁寧な手技に努める．
- ☐ 右肝切除において，左胃動脈から分岐する左肝動脈が小網内を走行する症例では，必ず温存する．
- ☐ 門脈塞栓術を施行した症例では，門脈本幹および左門脈に血管鉗子をかけてから右門脈を切離し，門脈内腔に塞栓，血栓が残存していないかを確認してから，狭窄にならないように短軸方向に縫合閉鎖する．
- ☐ 胆管切離の際には，切離予定部位の胆管を末梢まで確実に動脈と門脈から剝離しておく．

A 適応

　肝門部から右肝管に主座をもつ肝門部領域胆管癌（Bismuth Ⅱ，Ⅲa 型）[1]が，右肝切除のよい適応となる．また，右側優位の Bismuth Ⅵ型の腫瘍に対しては B4 合流部のわずかな浸潤のみで，門脈臍部（UP）右縁まで癌浸潤が及ばない症例では，右肝切除で切除可能であることが多い．一方で，Bismuth Ⅰ型であっても，右肝動脈から前後区域肝動脈浸潤が疑われる症例では，右肝切除を要することもある．
　B4 胆管合流部より上流側に癌浸潤を認める，あるいは癌浸潤が UP 右縁に及ぶなどにより，右肝切除の胆管切離線である UP 右縁では癌陰性が得られない症例が右三区域切除の適応となる．

B 術前門脈塞栓術

　右側肝切除は左肝切除に比べて，重篤な術後合併症，特に残肝容量不足に起因する肝不全を発症する頻度が高い．そのため，術前 MDCT から算出された CT volumetry にて残肝容量が不足と判断された症例に対しては，原則として術前門脈塞栓術（PVE）を行い，手術の安全をはかる[2]．一般的には残肝容量は 40% 以上が必要とされ，それ以下が PVE の適応とされている．

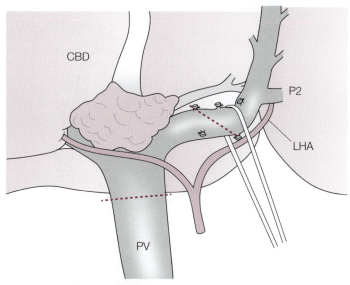

図1 門脈合併切除・再建を伴う肝切除
門脈合併切除・再建には，門脈臍部の立ち上がりの部位（P2起始部）に癌浸潤を認めないことが必須である．門脈切除の際は斜めに切離（点線）したほうが本幹との口径差がなくなり，かつ吻合による捻れが少なくなる．
PV：門脈本幹，CBD：総胆管，LHA：左肝動脈，P2：Segment 2 の門脈枝．

C 胆道再建を伴う右肝切除＋尾状葉切除

1 開腹

　肋弓下左右横切開，あるいはそれに正中切開を加えて開腹する．右側は第10肋間に切り上げて，中腋窩線まで切開を置き，十分な視野を確保する．開腹したらすぐに腹膜播種，肝転移などの術前診断されていない遠隔転移の有無を確認する．次いで，UP右縁の胆管切離予定線に癌浸潤が及んでいないことも確認して，予定している右肝切除の可否を判断する．さらに，肝十二指腸間膜を触診し，主病変の広がり，リンパ節腫脹の有無も確認する．

2 門脈浸潤を認める際の門脈合併切除の可否の判断

　肝十二指腸間膜の左側を切開し，門脈左枝および水平部の前面を露出して，その頭側の癌浸潤範囲を確認しておく．門脈合併切除再建には門脈臍部の立ち上がりの部位（P2起始部）に癌浸潤を認めないことが必須であり，その上流側でテーピングできるスペースが確保できれば，切除再建は可能と判断できる（図1）．

3 十二指腸側胆管切離と肝十二指腸間膜の郭清

　後腹膜を十二指腸下行脚外縁で切開しKocherの授動術を施行する．この際，大動脈周囲リンパ節（No.16a2, b1）を検索しサンプリングしておく．膵頭部背側のリンパ節

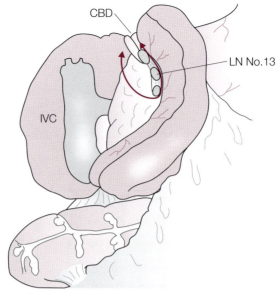

図2　Kocher の授動術
後腹膜を十二指腸下行脚外縁で切開し，大動脈周囲リンパ節の転移状況を検索する．膵頭背側のリンパ節（LN No. 13）は膵実質への細かい静脈交通枝を結紮しながら郭清する．
IVC：下大静脈，CBD：総胆管．

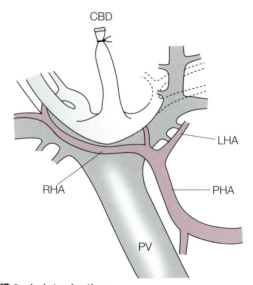

図3　肝十二指腸間膜の skeletonization
総胆管の結紮糸を頭側方向に牽引しながら，右肝動脈，門脈本幹を剝離し，肝十二指腸間膜内の郭清を進める．
CBD：総胆管，LHA：左肝動脈，RHA：右肝動脈，PHA：固有肝動脈，PV：門脈本幹．

(No. 13)は膵実質への細かい静脈交通枝を結紮しながら郭清していく(図2)．次に総胆管を膵上縁でテーピングし，肝臓側に牽引しながら膵内まで胆管を剝離露出し，胆管は刺入結紮を含む二重結紮後に切離し，その断端を術中迅速組織診断に提出する．

　総胆管の結紮糸を総胆管とともに頭側方向に牽引しながら，固有肝動脈，門脈本幹を剝離，テーピングをして，肝十二指腸間膜内の郭清を進める(図3)．左右肝動脈，

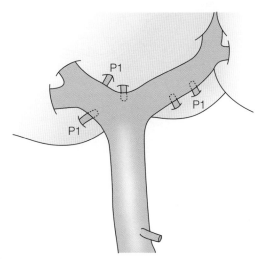

図4 尾状葉門脈枝
門脈の左右分岐背側，左枝から分岐する尾状葉門脈枝(P1)を順次，結紮切離していく．

中肝動脈の分岐とその走行を確認し，右肝動脈はその起始部で二重結紮切離する．中肝動脈が右肝動脈から分岐する例では中肝動脈分岐の末梢で切離し，中肝動脈に癌浸潤がない限り温存する．さらに固有肝動脈から総肝動脈根部までのリンパ節(No.8)を郭清し，郭清されたリンパ節を含む組織は門脈の背側を通して右側に引き出して胆管と一塊になるようにしておく．

4 ｜肝門部脈管処理

　左肝動脈は門脈左枝臍部の左側に入るところまで追求しておく．門脈は左枝，左右分岐部背側から分岐する尾状葉門脈枝(P1)を丁寧に結紮切離し(図4)，門脈右枝にテープを通す．ここで尾状葉門脈枝を十分に処理しておくと門脈右枝は余裕をもって結紮切離することが可能となる．門脈塞栓術を施行した症例では門脈本幹，門脈左枝に血管鉗子をかけ，右枝を切離後，左枝，門脈本幹内腔に塞栓物質や血栓などが存在していないかを必ず確認し，ヘパリン加生理食塩水でフラッシュアウトしてから，6-0血管縫合糸で横縫いの形の連続縫合で閉鎖する(図5)．門脈右枝切離後の門脈左枝から分岐する尾状葉枝をすべて結紮処理し，門脈臍部の立ち上がりまで完全に遊離しておく．

5 ｜尾状葉門脈枝の損傷による出血とその修復

　尾状葉門脈枝は門脈左右分岐部背側より分岐し，通常右枝から1〜2本，左右分岐部から左枝横走部にかけて3〜4本存在する(図4)．門脈左右分岐部を剝離する際に尾状葉枝を損傷してしまったときには，手指で軽く圧迫止血し出血部位の確認をして6-0血管縫合糸を損傷部に小さくかけて止血する．周囲があまり剝離されておらず，出血部位が同定されないときはテーピングした門脈本幹に鉗子をかけて一時的に血流

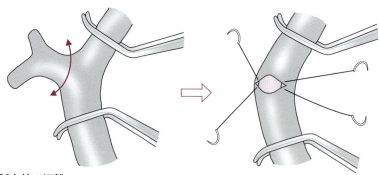

図5　門脈右枝の切離
門脈塞栓術を施行した例では，門脈本幹，門脈左枝に血管鉗子をかけ，右枝を切離する．左枝，門脈本幹の内腔に塞栓，血栓などが存在していないかを確認し，ヘパリン加生理食塩水でフラッシュアウトし，6-0血管縫合糸を用いて，横縫いの形の連続縫合にて閉鎖する．

遮断し，周囲を慎重に剝離し，門脈背側の視野をできるだけ展開してから出血部位の止血操作に移るとよい．

6｜肝の脱転と尾状葉の下大静脈からの授動

　肝右葉の冠状間膜，三角間膜，肝腎間膜を切離し右副腎から肝を剝離し，右側より肝を脱転していく．さらに下大静脈との間の短肝静脈を1本ずつ尾側から結紮切離しながら尾状葉を尾側より下大静脈から遊離していく．左尾状葉の中ほどにはやや太い短肝静脈を認めることが多く，これは血管鉗子をかけたうえで切離し，断端を血管縫合糸の連続縫合で閉鎖しておく．尾状葉の下大静脈からの授動は頭側では左・中肝静脈の共通幹の尾側まで行い，左肝静脈の左側も露出しておく．右下大静脈靱帯は結紮切離し，右肝静脈，中肝静脈の間に hanging maneuver[3]のためのペンローズドレーンを挿入し，尾側は右側に牽引した左尾状葉の左側残肝側のみ脈管の頭側に引き出しておく．原則として右からのアプローチのみで左尾状葉を含めて下大静脈からの遊離は可能である．ここで小網は結紮切離してアランチウス管は左肝静脈付着部で切離しておく．小網内に左胃動脈を分岐する左肝動脈が走行している症例では左肝動脈をテーピングし，必ず温存する．

7｜肝切離

　すでに Rex-Cantlie 線に一致した demarcation line が肝表面に出ているのでこれを電気メスでマーキングしておく．肝切離は CUSA® を用いて胆囊床の部分から開始する（図6）．中肝静脈本幹の右壁を露出するように肝切離を頭側に進め，さらに中肝静脈の背側からアランチウス管腹側に向かうように肝切離を進めていく．この際，右肝と左尾状葉を一塊として左手で右側に引き出し，右肝静脈，中肝静脈の間に挿入したペンローズドレーンを腹側に牽引しながら肝切離を進めていくと切離方向がわかりやすくなる（図7）．

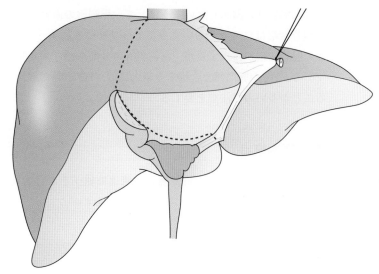

図6 肝切離ライン
胆囊左側より，Rex-Cantlie 線に沿って，肝切離を進めていく．肝門では肝門板から 1 cm ほど離れて切離し，胆管切離予定線に至る．

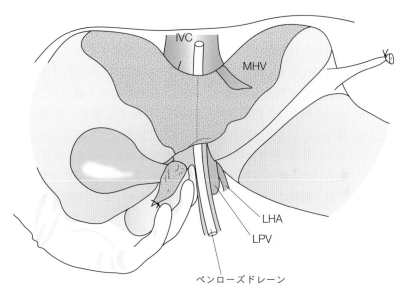

図7 肝切離
中肝静脈本幹の右壁を露出するように CUSA® で肝切離を進め，頭側より中肝静脈の背側からアランチウス管の腹側に向かうように肝切離を進めていく．この際，右肝，左尾状葉を一塊として，左手に入れて右側に引き出しながら，肝切離を行うと切離ラインがわかりやすい．
LHA：左肝動脈，LPV：左門脈，MHV：中肝静脈，IVC：下大静脈．

8 肝側胆管切離

　胆管切離の際には，胆管切離予定部位まで動脈・門脈が確実に剥離されていることが必須である．左尾状葉を一塊として左手に入れて右側に引きながら門脈臍部の立ち上がり右側で腹側から胆管を含む結合織を切離していく．切除側の胆管は鉗子でクラ

ンプして胆汁が漏出しないようにして，癌細胞の術野への散布を防止する．切離された胆管断端はロストしないように1つひとつ確認する．通常腹側よりB4, B3, B2の順で胆管断端が露出するが，左側胆管の分岐形態により胆管断端の数や位置が変わってくる．B2が肝門側で合流する場合には，B2がやや離れた背側にその断端が露出することが多いので注意を要する．

9 | 標本摘出

肝右葉を一塊にして右肝静脈に血管遮断鉗子をかけて切離し，標本を摘出する（右肝静脈は右側からの肝授動の際に切離しておいてもよい）．

10 | 胆道再建

胆道再建はRoux-en-Y吻合による胆管-空腸吻合により行う．その際，胆管断端の縫い代が少ないときには肝動脈，門脈から胆管を注意深く剝離して縫い代を確保するとよい．また，近接した胆管断端は可能な限り形成して吻合数を少なくする．結腸後経路にて挙上した空腸と胆管を5-0吸収糸で全層1層の結節縫合で吻合する．その際にはあらかじめ胆管の前壁に外-内に糸をかけて頭側に挙上すると拡張のない細い胆管でも胆管内腔が開き，後壁の縫合もしやすくなる．また，後壁縫合後の前壁縫合はすでに刺入した針糸を挙上空腸の前壁に内-外にかけるだけとなるので，確実に行うことが可能となる（図8）．次に，後壁の縫合が終了した時点で胆管チューブ（径2.5 mm）を吻合口を通過させ，経腸的に誘導する（図9）．胆道再建が終了した時点で空腸脚をサテンスキー鉗子でクランプした状態で，胆道チューブより生理食塩水と空気を注入し胆管-空腸の吻合部および肝切離面からのリークテストを行い，縫合が不十分あるいは切離面からの胆汁漏が疑われるようなバブリングを認めた場合は縫合を追加する．最後に，胆管-空腸吻合部から約40 cmの部位に空腸-空腸端側吻合を置く．

11 | ドレーン留置・閉腹

腹腔内を生理食塩水にて十分に洗浄してから，Morrison窩に閉鎖式ドレーン，肝切離面，胆管-空腸吻合部に閉鎖式低圧持続吸引フラットドレーンを留置し，閉腹する．術後の縫合不全，胆汁漏などからドレーンの交換を行うこともあるため，チューブはドレナージ部位になるべく直線的に留置する．また，閉腹時には腹壁を必要以上に強く持ち上げることを避けて，腹壁に固定されたドレナージチューブの位置がずれないように留意する．

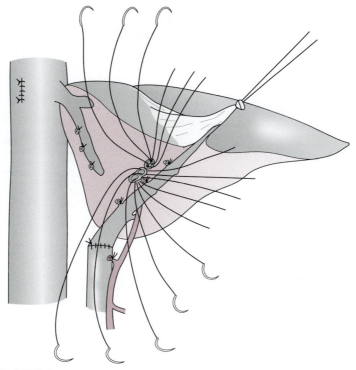

図 8　胆管-空腸吻合
結腸後経路にて挙上した空腸と胆管を全層 1 層の結節縫合で吻合する．あらかじめ，胆管の前壁に針糸をかけて吊り上げておくと，細い胆管の後壁吻合後も確実に前壁吻合が可能となる．

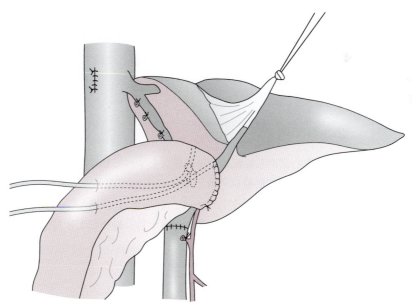

図 9　胆道再建
ステントチューブを後壁の縫合が終了した時点で吻合口に挿入し，経腸的に誘導し，固定する．

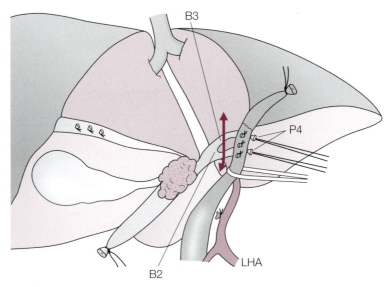

図10　肝切離
尾側より肝切離を進め，中肝静脈は左肝静脈との合流部で切離する．最後に門脈臍部(UP)左縁で胆管を切離(矢印)して標本を摘出する．
LHA：左肝動脈．

D　胆道再建を伴う右三区域切除＋尾状葉切除

1　肝門部脈管処理

　中肝動脈はその根部で切離し，左肝動脈は門脈左枝臍部の左側に入るところまで十分に追求しておく．門脈臍部の漿膜をその右側で開き，門脈内側区域枝(P4)を順次結紮切離していく．さらに門脈臍部背側から分枝する細い門脈枝を丁寧に結紮切離する[4]．この操作により門脈臍部が左側に脱転される．

2　肝切離

　肝臓を右側から脱転し，短肝静脈をすべて処理し，尾状葉を下大静脈から完全に遊離する．肝鎌状間膜に一致してdemarcation lineが肝表面に出てくるので，これを電気メスでマーキングしておく．肝切離はCUSA®を用いて尾側から頭側に進め中肝静脈は左肝静脈との合流部で切離する．最後にUP左縁で胆管を切離して標本を摘出する(図10)．

Dos & Don'ts

- ☐ 尾状葉門脈枝を結紮切離する際には，径が細く，頸が短いので，慎重な結紮切離を行う．剪刀は細い鋭利なものを用いたほうがよく，状況によってはメスを用いて切離する．
- ☐ 動脈の切離は刺通結紮を含む二重結紮を必ず行い，断端から出血を確実に予防する．門脈の細い分枝を切離する際も，結び代が不確実になりそうな場合は，躊躇せず刺通結紮を追加する．
- ☐ 剝離した血管は鉗子で直接把持せずに，周囲の神経組織や結紮糸などを用いて把持するほうがよい．動脈のテーピングも強く牽引すると内膜損傷をきたすので，愛護的に扱うことに留意する．
- ☐ 切除側の胆管は鉗子で必ずクランプして胆汁の術野への漏出を防止する．
- ☐ 胆管切離の際，切離された胆管断端は詳細に確認して，吻合するべき胆管を見逃さないようにする．

文献

1) Bismuth H：Surgical anatomy and anatomical surgery of the liver. World J Surg 6：3-9, 1982
2) Kokudo N, et al：The history of liver surgery：Achievements over the past 50 years. Ann Gastroenterol Surg 4：109-117, 2020
3) Belghiti J, et al：Liver hanging maneuver：a safe approach to right hepatectomy without liver mobilization. J Am Coll Surg 193：109-111, 2001
4) Nagino M, et al："Anatomic" right hepatic trisectionectomy(extended right hepatectomy)with caudate lobectomy for hilar cholangiocarcinoma. Ann Surg 243：28-32, 2006

（髙屋敷吏，大塚将之）

6 膵頭十二指腸切除術

重要ポイント

- □ **術前画像評価・解剖把握**：膵頭部周辺および肝門の脈管構造を dynamic CT にて詳細に検討し，腫瘍の局所進展とともに詳細なスケッチを術前に自作する．血管解剖の理解は PD において必須であり，手術本番は予想した解剖の答え合わせのつもりで臨み，手術記録にてその予想の正誤に関するフィードバックを行う．
- □ **郭清度・郭清範囲・脈管合併切除のプランニング**：詳細な術前検討に基づき，リンパの郭清範囲，処理する動脈枝，静脈枝などを手術チームで共有しておく必要がある．術中に迷い箸のようにならないように，術前に手術記事が書けるくらいのシミュレーションをしておくと完璧である．
- □ **細かい作法の定着**：いくら秀でた執刀医や指導的助手でも，作法を知らない相手とはよい手術はできない．お手本となる上級医の執刀ビデオを擦り切れるほど研究し，細かい手順を完全に覚える．
- □ **愛護的な操作**：肝胆膵高難度手術で最も重要なのは組織に対する愛護的な操作である．血管を拾うために層を分けずに強引に鉗子ですくったり，テンション不十分な組織を押切したりして出血した場合は，悪印象となることを知るべきである．ビデオ審査でよく指摘されるのは，デバイスの発する熱により組織が焦げたり変色したりしている場面である．特に動脈外膜露出の層での剥離時は，エネルギーデバイスは用いずにメッツェンバウムや剥離鉗子による cold dissection（鋭的剥離）を心がけるとよいだろう．
- □ **主体性**：術者が手術を支配して進めることは，高度技能審査において最も重要なポイントでもある．日々の手術で上記のポイントの意識をチームとしてどれだけ共有しているかが問われている．

A 術前の準備

1 症例の選択・手術適応

　膵頭十二指腸切除術（pancreaticoduodenectomy：PD）は，浸潤性膵管癌，膵管内乳頭粘液性腫瘍（IPMN），神経内分泌腫瘍，胆管癌，Vater 乳頭部癌，十二指腸癌などで適応となる．高度技能専門医審査でビデオ撮影をするにあたっては，① 高度の局所進展がない，② 胆管炎や膵炎の既往がない/少ない，③ 肥満がないことが望ましい．

上記を満たせば疾患は問わないが，膵管や胆管の適度な拡張をきたしやすい Vater 乳頭部癌などはよい条件が得られやすいだろう．また，悪性腫瘍に対して明らかに不十分な郭清を行っているビデオはよい印象を持たれない．過不足のない郭清を心がける．

2 | 術前評価・解剖把握

術前検査として，腫瘍マーカーを含む採血，X 線，呼吸機能検査，負荷心電図，胸〜骨盤部 CT（上腹部 dynamic study），EOB-MRI（肝転移の否定），上部・下部内視鏡検査によるスクリーニングを必須としている．特に dynamic CT は重要であり，腫瘍の診断に加え，それぞれの症例の血管解剖と腫瘍の位置をイラスト化し，十分に把握してから手術に臨むよう心がける．

B 手術手技のポイント

1 | はじめに

PD は，細かい切除工程（セクション）が集まって形成される手術であり，各セクションにはそれぞれ独自の術野展開，手順が求められる．開腹 PD であれば SMA（上腸間膜動脈）右側の剥離が最終工程となる Conventional 法と，SMA 周囲の郭清が最初にくる Artery-first 法が存在するが，本質的にはセクションの順序が異なるだけであり，実際各セクションで行われる操作は共通である．本項で紹介する PD は Supracolic anterior artery-first approach を用いているが[1,2]，実際には各施設の定型化に基づいた方法でかまわない．どのアプローチを用いるにしても，重要なポイントは疾患・病変の位置によって総肝動脈（CHA）〜腹腔動脈（CA），SMA 周囲神経叢の郭清の程度を決めておくことである．

郭清範囲に加え，門脈あるいは動脈の合併切除の要否も事前に決めてから手術を行うことが望ましい．近年の術前 CT 画像の進歩や術前治療の標準化により，術中に思わぬ癌の進展が判明し，急遽門脈や肝動脈の合併切除再建が必要になる症例は少ない．

2 | 実際の手術手順

開腹・術中診断

上中腹部正中切開で開腹する（図1）．まず小開腹（8 cm）より，触診，洗浄細胞診を行い，非切除因子がないことを確認する必要がある．腹腔内，特にダグラス窩や横隔膜下，肝表，腹膜を視触診にて確認する．腫瘍の漿膜浸潤を疑うような症例では，小腸間膜を創外に導出して視触診を丁寧に行う．明らかな非治癒因子がなければ臍下までの上中腹部正中切開で開腹する．さらに術中診断を続け，肝転移の診断には術中（造影）超音波，Kocher 時の傍大動脈リンパ節（PALN）サンプリングを進めつつ，腹水

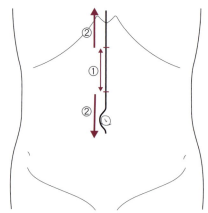

図1　上中腹部正中切開開腹
まず小開腹（8 cm，①）より，視触診・洗浄細胞診を行い，非切除因子がないことを確認してから，上下に切開を広げる（②）．

洗浄細胞診の迅速診断陰性まで確認し，局所に想定外の進展がないかも確認して初めて切除工程に進む．

ここからの手順は以下の通りであり，のちに詳述する．
- Section 1：Kocherization〜傍大動脈リンパ節（PALN）サンプリング
- Section 2：大網切離・膵頭部露出
- Section 3：SMA周囲郭清，空腸切離，空腸起始部神経叢，空腸間膜処理，Treitz靱帯切離
- Section 4：胃切離〜膵上縁・肝門部リンパ節郭清〜膵離断
- Section 5：膵離断
- Section 6：切除最終段階（門脈合併切除・再建）

動画1

Section ❶　Kocherization〜傍大動脈リンパ節サンプリング【動画1】

　助手が十二指腸下行脚を腹側に引き上げ，術者左手は後腹膜を右側に牽引してカウンタートラクションを作る．切離線は十二指腸沿いである．肝彎曲から右結腸の授動もある程度行うことで，下大静脈左側〜大動脈の広い視野が得られる．下大静脈や左の腎静脈を露出することは必須ではなく，膵頭部癌で膵頭部背側のマージンをしっかりとりたい場合のみでよい．それよりも膵頭部を包むTreitzの膵後筋膜を切除側に，そのすぐ裏の大動脈リンパ節群の縦の線維をしっかりと見極めて下に落とすことで，出血なくきれいな層での膵頭授動が可能となる（図2a）．下に落とされた後腹膜組織に傍大動脈リンパ節が含まれるため，サンプリングだけであれば肉眼的に認識可能なリンパ節を前後のリンパ管を結紮またはシールしながら切除する（図2b）．ここで，SMAやCAの根部の輪郭を確認しておくことも重要である．リンパ節鉤などの細めの鉤をWinslow孔に効かせることで，CA頭側の右横隔膜脚までこの視野で確認ができる．膵頭神経叢第1部（PL-Ph-1）を切除する予定であれば，この時点でその起始部である腹腔神経節との間を切離して外しておくことで，のちの膵上縁郭清の"底"を

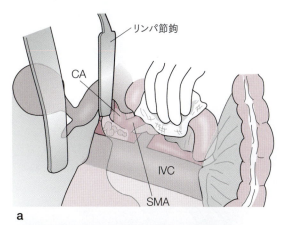
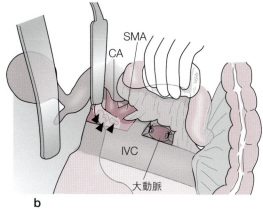
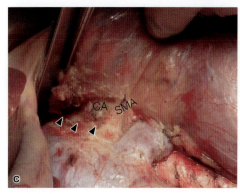

図2 Kocherization
a：助手が膵頭十二指腸をガーゼ越しに把持して腹側に牽引し，後腹膜からの授動を行う．右結腸の授動もある程度行うと視野が広くなる．リンパ節鈎などの細い鈎をWinslow孔に効かせることで腹腔動脈（CA）の頭側までよく見えるようになる．
b, c：傍大動脈リンパ節（16b1-int）のサンプリングを行い，SMA根部右脇のリンパ節（14p）を剝離，CA右側の軟部組織，神経，リンパ節とその背側の celiac ganglion（黒矢頭）との間を剝離しておくことで，PL-ph-1 の背側付着部の郭清を行うことになる．

作っておくことができる（図2b, c）．

動画2

Section ❷ 大網切離・膵頭部露出【動画2】

　まず大網の結腸付着部付近で盲嚢内に入る．正中線よりも左側の位置が最も盲嚢内に入りやすい．大網を切離して入った空間で胃の後壁が確認できれば盲嚢である．そのまま盲嚢内腔を開放するように大網を横行結腸から外していく．結腸に電気メスやエネルギーデバイスの熱が及ばないよう結腸より7〜10 mmほど離したラインで大網切離を行っている．同時に盲嚢内の癒着（胃対結腸間膜や，小網対膵臓など）も外していくことで本来の解剖が把握しやすくなる．盲嚢内に癒着のない症例はまれであり，何かしらの癒着が存在するものとして，優先的に癒着の剝離を行うとよい．その際の最もよいランドマークは胃壁である．ある程度胃と結腸間膜の癒着が外れれば，膵の下縁のラインもわかる．その後いわゆる bursectomy の層で，胃結腸間膜を剝離し，結腸間膜前葉を切除側にして剝離することで，中結腸動静脈を確認し，腫瘍が結腸間膜に近接していた場合でも間膜内脂肪織・リンパ節をen blocに切除可能である．結腸下の視野から結腸間膜をはじめから切除する，いわゆる mesenteric approach[3] は結腸間膜に癌の直接浸潤がみられる場合のみ適応としている．
　膵頭部が露出されてくると，ほとんどの症例で胃結腸間膜剝離の谷底に副右結腸静脈（ARCV）がHenleの静脈幹から分岐している．第2助手の横行結腸間膜展開の強弱

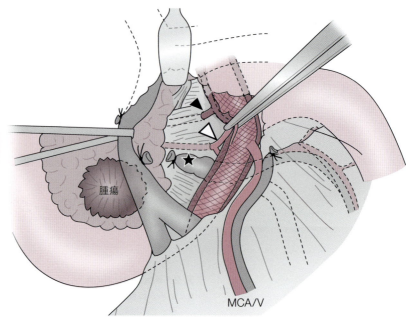

a　SMA右側の視野展開

図3　上腸間膜動脈(SMA)周囲の郭清(SMA周囲神経叢温存)(つづく)
a：膵頭部を右側に牽引しSMAに対する右方向の牽引を作り，助手が左手の鑷子でSMA周囲神経叢を把持し左方の牽引を生み出してカウンタートラクションとし，右手は細い筋鉤や長いクーパーなどで膵頭部を頭側に圧排してSMA長軸の視野を作る．術者は左手で細かいテンションを作りながらSMA右側を剥離し，術前画像のinspectionも頼りに処理すべきSMAからの枝〔第1空腸動脈＋下膵十二指腸動脈(IPDA)共通幹(白矢頭)/単独分岐のIPDA(黒矢頭)〕の根部を露出する．

をコントロールし，ARCVを裂かないように注意し，根部で結紮切離を行う．すると結腸間膜と膵頭十二指腸の間の橋渡しとなるものがなくなり，膵頭部が完全に露出されてくる．十二指腸と結腸間膜の間は十二指腸沿いに剥離を進め離れないことがポイントである．上腸間膜静脈(SMV)の背側まで十二指腸を十分に露出しておく．中結腸静脈(MCV)はほとんどの症例で温存が可能であるが，助手の過度の牽引により根部が裂けて出血しないよう，術者は常に展開に気を配る．また，膵癌などでMCVの根部が腫瘍に近い場合や，SMVの合併切除を予定している場合などはMCVも根部で切離し切除側にする．

　十二指腸と結腸間膜の間を剥離していくと，必ず十二指腸水平脚の腹側にSMVが走るため，ここでSMV周囲のsheathを切離してSMVを露出し，SMVをテーピングする．SMV壁に沿って剥離することで，小血管を同定しやくすなり，テーピングの際にも無駄な出血を避けることができる．SMVを剥離していくと，ほとんどの症例で太い空腸静脈幹(JVT)がSMAの背側に伸びていくのが確認できる．JVT根部に腫瘍が近ければ根部で結紮処理の上取り側にする(図3a)が，そうでなければJVTは温存し，そこから膵頭十二指腸に出る細かい静脈枝(IPDV)を切離していくのが主流である．JVTは，分岐の位置・太さに多様性があり，切離するかは症例によって決定する．JVTからの膵枝が多数存在し，温存に難渋しそうな場合は，JVT根部で

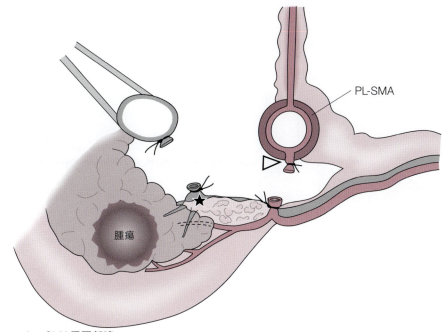

b SMA周囲郭清

図3 （つづき）

b：右側からartery-firstで郭清を行う場合は，SMAの左側まで十分に剥離しスペースを作っておき，切除側とした空腸静脈幹（JVT，★印）があればSMAから広く下に落としておく．

結紮切離してSMVから切り離してしまうと出血のリスクが少ない．Henleの静脈幹もこの段階で結紮切離しておく．

Section ❸ SMA周囲郭清，空腸切離，空腸起始部神経叢，空腸間膜処理，Treitz靱帯切離【動画3，4】

SMV周囲が膵下縁レベルまで十分に剥離されると，テープでSMVを右側もしくは腹側に牽引することでSMAの右側の視野を作ることができる．

動画3

動画4

a）Artery-first

Artery-firstでは，この段階でSMA右側の剥離に入る．膵頭部および十二指腸をオクトパスリトラクターなどで右側に牽引し，SMAに対する右方向の牽引を作り，助手が左手の鑷子でSMA周囲神経叢をもってSMAに左方の牽引を生み出してカウンタートラクションとし，右手は細い筋鉤や長いクーパーなどで膵頚部を頭側に圧排してSMA長軸の視野を作る．術者は左手で細かいテンションを作りながらSMA右側を剥離する（図3a）．SMAに沿って縦に走る線維はSMA周囲神経叢（PL-SMA）であり，その外側のリンパを膵頭部側につけるようにして，SMA腹側からSMA右側の輪郭を露出していく．PL-SMAは温存する．SMAを助手がピンポイントでローテーションするように左側腹側に牽引すると，SMAからの枝の根部があらわになる．慎重に動脈枝根部周囲を剥離しテーピングする．術前の解剖把握に基づき，IPDAを含

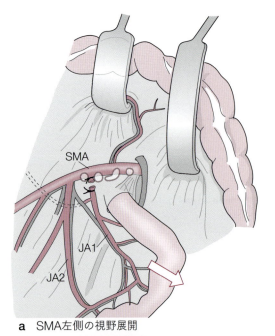
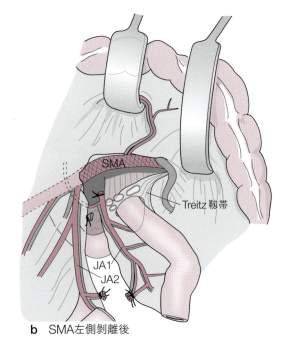

a SMA左側の視野展開

b SMA左側剥離後

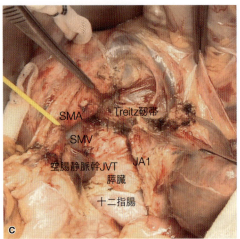

図4　SMA 左側の郭清

a：結腸間膜をオクトパスリトラクターなどで頭側に牽引固定し，JA1（第1空腸動脈）に当たる pedicle が左尾側方向に緊張するようなテンションをかける（白矢印）．JA1 は通常右側からの剥離で根部は下に落ちている．

b：SMA 左側のリンパ節が剥離され，JA1 切除のラインで空腸間膜が離断されている．Treitz 靱帯は空腸起始部の腸壁から連続するように扇がすぼまるように SMA 左側に向かって収束していく膜構造であり，これを認識して SMA から剥離すると，PL-SMA を温存する層で SMA 左側がきれいに露出される．

c：SMA 左側終了時点の術中写真

む空腸動脈の共通幹，単独 IPDA は二重結紮後切離する．

　SMA からの分枝を予定通り処理できたら，さらに SMA 背側の剥離を SMA 左側のレベルまで行っておく（図3b）．続いて切除予定の空腸間膜処理に移る．横行結腸間膜を頭側に挙上し，オクトパスリトラクターで固定し，間膜に緊張を作る（図4a）．近位空腸を左側に展開し SMA に対するカウンタートラクションを作り，空腸起始部を十二指腸側に追いかけるようにすると SMA の左壁が露出されやすい．SMA にはリンパ節がへばりついており，これに不用意に切り込むと出血するので，よく観察しながらリンパ節は切除側に起こすようにして SMA 周囲神経の縦筋を見つけるとよい．空腸起始部から連続的に扇が収束するように膜状の構造物が SMA 左壁に収斂していく．これが Treitz 靱帯である（図4b）．この扇様構造を SMA からはがすのは容易で

あり，SMA周囲神経がきれいに露出される．SMA根部に向けてTreitz靱帯が剝離されたら，これを結紮切離するとTreitz靱帯の処理が完了である．SMAの左側を背側に剝離すると右側ですでに剝離してできたスペースにつなげることができる．すでにJA1＋IPDAはSMA右側から処理済みで断端が下に落ちているため，JA1の領域を切除するラインで空腸間膜を切離し，空腸もステイプラーで離断する（図4b, c）．

　その後空腸間膜をSMA/Vの背側を通して右側に脱転し，SMAとの間にカウンタートラクションを作りながら，SMA右側の郭清を頭側に進める（図5a〜c）．すでにSMAからの枝が処理済みであれば残るは頭側のPL-ph-2のみである．視野がよい範囲で頭側までPL-ph-2を離断していくとCAの根部まで達することもできる（図5d）が，ここまでは必須ではなく，視野のよい範囲（例えばSMA根部レベルまで）の剝離にとどめて，残りは膵離断後の切除最終段階に回してもよい．

b）ConventionalなPD

　ConventionalなPDでは他臓器切離や，空腸および間膜離断ののちにSMA右側の剝離が最後に残る．術者は右側に回した近位空腸断端や，取り側の空腸間膜を左手鉗子で把持して右側に牽引し，助手はArtery-firstと同じくSMA周囲神経を把持してSMAにカウンタートラクションをかける．基本展開はArtery-firstと同様であるが，通常IPDAやJAとの共通幹は処理されておらず，SMAからのinflowが制御されていない状況での剝離となるため，うっ血性の出血をきたしやすい．後上膵十二指腸静脈（PSPDV）をなるべく温存しておくことで膵頭部のうっ血を最小化することができる．PL-ph-2をSMA根部まで視認しながらSMAから外していく〔Section ❻（☞p 244）に続く〕．

動画5

動画6

Section ❹　胃切離〜膵上縁・肝門部リンパ節郭清〜膵離断【動画5, 6】

　胃を幽門輪から4〜6 cmほどの位置で切離ラインを決め，右胃大網動静脈および右胃動静脈からの辺縁動静脈をそれぞれ結紮切離する．チューブを噛み込まないよう切離前に麻酔科医にNGチューブを35 cmの位置まで引き抜いてもらう（ENBD症例ではENBDは抜去）．3列の60 mmステイプラーを用いて胃を切離する．通常の体格であるとステイプラーを2発使用することになる．この際，胃壁に対してやや鈍角（95〜100°）に切り込み，同じく鈍角で切り抜ける形にしておくと，断端埋没がしやすい．

　続いて肝門部郭清ラインを決め，胃十二指腸動脈（GDA）・総肝管を切離し，門脈周囲を剝離する．CHA〜CA郭清は癌の局在や進展度によって郭清度を調整するが，ここでは標準的なD2郭清を解説する．肝外側区をオクトパスリトラクターなどで頭側に圧排し，第2助手が膵を尾側に牽引して肝十二指腸間膜に緊張を作る．まず肝十二指腸間膜の郭清上縁としてCalot三角のレベルの横ラインで漿膜を切開し（図6a，点線①），左縁の左肝動脈（LHA）または固有肝動脈（PHA）の輪郭を出す．この際，系統的リンパ郭清，いわゆるD2郭清であれば，動脈周囲神経を温存したouter-most layerでの剝離を意識する．この層には疎性結合織が存在し，漿膜およびリンパ節をen blocに動脈系より"脱がす"ことが可能である．これらの脂肪とリンパ節をPHA前面で観音開きにしながら，尾側に剝離する（図6a，点線②）と右胃動脈（RGA）の根部

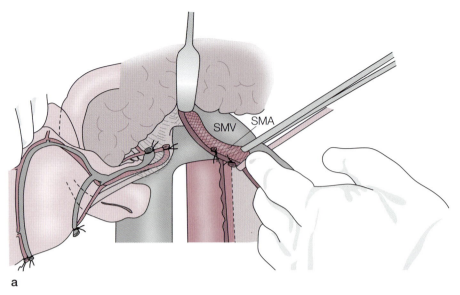

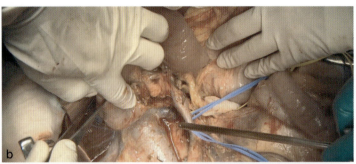

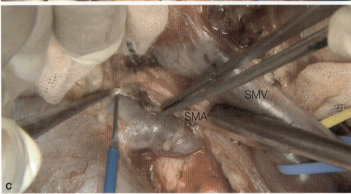

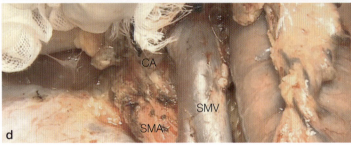

図5 SMA右側から根部に向けての郭清

空腸間膜をSMA/Vの背側を通して右側に脱転し，SMAとの間にカウタートラクションを作りながら（**a，b**），SMA右側の郭清を頭側に進める（**c**）．すでにSMAからの枝が処理済みであれば，残るは頭側のPL-ph-2のみである．視野がよい範囲で頭側までPL-ph-2を離断していくと腹腔動脈（CA）の根部まで達することもできる（**d**）．

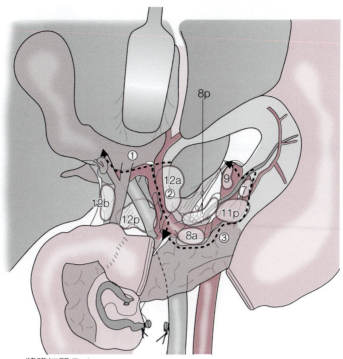

a 漿膜切開ライン

図6 膵上縁・肝門郭清（つづく）

a：胃を切離後に小網を切除して膵上縁の視野を最適化し，オクトパスリトラクターで肝を頭側に圧排して肝十二指腸間膜に緊張を作る．まず Calot 三角のレベルの横ラインで漿膜を切開し（点線①），左縁の左肝動脈（LHA）または固有肝動脈（PHA）の輪郭を出す．次に PHA 前面の脂肪とリンパ節を観音開きにしながら，尾側に剥離し（点線②）と右胃動脈（RGA）を二重結紮切離．続いて No. 8a リンパ節を下縁の漿膜を切りながら起こし，CHA の outer-most-layer を出すように 8a および周囲脂肪組織を漿膜につけて左方に剥離していくと，11p とのリンパ節境界に到達する．通常ここはリンパ節が癒合しており，11p, 7 を取り側にすると出血が少ない（点線③）．

に行き当たるため，ここで RGA を二重結紮切離する．右胃静脈（RGV）も伴走しているため分けて処理をしてもよい．

続いて No. 8a リンパ節を下縁の漿膜を切りながら起こし，CHA を確認する．次に第1助手が左胃動脈の pedicle を大きく把持して腹側頭側に牽引し，第2助手は膵頸部を尾側にガーゼ越しに牽引し，肝動脈系と漿膜に緊張を作る．CHA の outer-most-layer を出すように 8a および周囲脂肪組織を漿膜につけて左方に剥離していくと，11p とのリンパ節境界に到達する．通常ここはリンパ節が癒合しており，11p, 7 を切除側にすると出血が少ない（図 6a, 点線③）が，リンパのくびれている部分で結紮やシーリングデバイスなどで愛護的に離断をし，11p は残り側にしてもよい．ここで左胃静脈（LGV）も露出されることが多いが，リンパ節郭清のみであれば温存も可能である．切除する際は，LGA の前面で一度，および門脈流入部でもう一度確実な結紮切離をする．LGA Pedicle によい緊張が保たれていると，outer-most layer での剥離を腹腔動脈（CA）根部まで連続させることが可能である．No. 9 は複数あることもあり，CA の右側のものを取り側に含めることが多いが，あえて切除しなくともよ

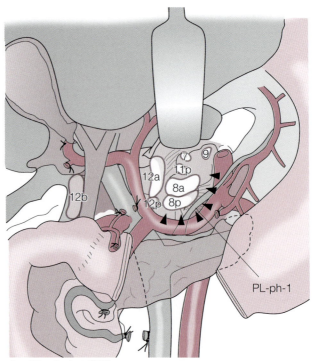

b PL-ph-1 の郭清

図6 膵上縁・肝門郭清（つづき）

b：CHA～CA から剥離してきたリンパ節群に向かって細かくて硬めの神経線維が複数出ている（黒矢頭），これらを認識して電気メスやデバイスで切離する．この操作は PL-ph-1 を CA から外していることになり，8p の郭清と一致する．Kocherization で PL-ph-1 の底を外していれば，ここで PL-ph-1 はすべて取り側となる．

い．CA から剥離してきたリンパ節群に向かって細かくて硬めの神経線維が複数出ており（図6b），これらを認識して電気メスやデバイスで切離する．この操作はすなわち，PL-ph-1 を CA から外していることと同義であり，8p の郭清ともいえる．CA の右壁および CHA が outer-most-layer で十分に露出されれば，一連のリンパ節群の郭清はいったん終了といってよく，その後門脈との間を剥離して門脈右側の切除膵頭部側に回すことが可能となる（図6c, d）．CHA を十分剥離すると胃十二指腸動脈（GDA）が露出される．可能なら outer-most-layer での剥離を連続させ，同じ層で GDA をテーピングする．ただし GDA 周囲に細かい血管があったり，背側に膵実質が平べったく張り付いていることもあり，出血しそうなときはあえて周囲神経の内側で剥離をしてテーピングでもよい．

GDA 剥離・切離のタイミングに規定はないが，① 必ずクランプテストで肝動脈血流を確認してから切離することが必須，かつ ② Artery-first の場合は，SMA 分枝を処理する前に個々の剥離とクランプテストをしておくことが推奨されている．特に ① は怠るとビデオは一発不合格となるため注意が必要である．また Artery-first 法を標準で行う施設では，SMA 周囲の郭清前に GDA 周囲を剥離，GDA をテーピングののちクランプテストを先に行っておくとよいだろう．GDA を処理する際は非吸

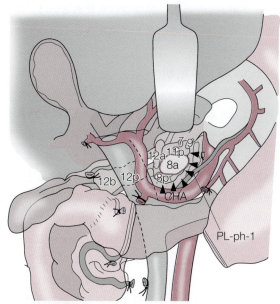

c 肝門郭清

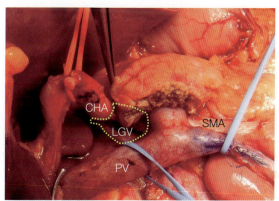

d PL-ph-1 郭清後

図6 （つづき）

c：Calotのレベルで剝離したラインを郭清上縁として，総胆管も切離する．膵上縁リンパ節群がCA〜CHAから外れたら，門脈の背側を通して右側に脱転することも可能であるが，視野が悪ければ膵離断後に行えばよい．

d：黄色点線の範囲が8pからPL-ph-1の存在したスペースであり，ここがしっかりと郭清されている．

収糸を含む二重結紮のあと，切離する．

　先ほどのPHA露出部から剝離を胆管前面，Calotまで進める．PHAからRHA（右肝動脈）が分岐し，RHAが総肝管と交差（多くは裏を回る）するところまで剝離しておく．Calotを剝離して胆囊動脈を処理後，胆囊を胆囊床から剝離し，先の横切開ラインにつなげ，総肝管を切離することとなる．総肝管の右側でもRHAを確認し，RHAの損傷に注意しながらその尾側で総肝管をテーピングする．胆管右側でのRHAテーピングは時に困難であり必須ではないが，胆管とRHAの間が十分剝離され，RHAの安全が確保されていることが動画上も確認できることが望ましい．総肝管は肝側をブ

ルドッグ鉗子で把持し，膵臓側は結紮あるいは，鉗子で把持し総肝管を切離，鉗子で把持した場合は，切離のあとに連続縫合で閉鎖する．

Section ❺　膵離断

　通常は，PV/SMV の直上でトンネリングのあと，膵を離断する．ただし，腫瘍の位置によっては，SMA の前面あるいは左側で離断を行うこともあり，その際はまず膵を SV ごとテーピングし，細い膵枝処理をしながら SV と膵の間を剝離，膵と SV を別々にテーピングしておくことが望ましい．また，CHA 根部付近から背側膵動脈が分岐することがあり，必要であれば結紮切離する．

- 膵離断前に主膵管の位置を超音波で確認する．
- 膵離断方法としては，硬化膵の場合は電気メスで切離，正常膵の場合は，メス，ハーモニック，あるいは Crush Clamping 法を用いる．Soft pancreas においては主膵管が細いため，エネルギーデバイスで知らぬ間に切ってしまうとあとから同定が困難となる．超音波で大体の位置を確認し，主膵管があると思われるエリアのみ鋭的な切離をすると主膵管の同定が比較的容易である．膵実質も含めてメスで一刀両断する際は，断端からの止血法を十分にトレーニング，定型化しておく必要がある．膵断端の細い動脈からの出血をモノポーラーでしつこく焼くことはのちの膵実や動脈の熱損傷から後出血になるおそれもあるため推奨されていない．審査員によっては大きな減点がつくこともあるため日常から避けるべきである．
- 膵に対して最も愛護的な止血法は，まずあらかじめ残り側を軟らかめの鉗子（小児用腸鉗子曲がりなど）でクランプし，わずかに緩めながら出血点を確認する．動脈性と思われる出血は 5-0，6-0 などの細い針糸での縫合止血が望ましい．静脈性の出血はバイポーラソフト凝固での止血，もしくは圧迫でも対応可能である．
- 膵切離後，主膵管に膵管チューブを挿入し，主膵管を見失わないようにするとともに，膵液漏出に伴う周囲組織の鹸化を予防する．

動画 6

Section ❻　切除最終段階【動画 6】

　Artery-first では，膵離断が終了した段階で残っているのは PL-ph-2 の残りと CA と膵頭部をつなぐ PL-ph-1 のみである．Section 1 で PL-ph-1 が腹腔神経節から外れ，Section 3 で PL-ph-1 が CA，CHA から外されていればこの工程は存在せず，Section 5 で膵離断がされた段階で切除は完了する．しかし両者ともやや視野どりが難しく経験を要するため，PL-ph-1 の剝離は膵離断後に残すことも多く，その際はこの工程が最終段階となる．膵頭部を右側に牽引し，尾側よりテンションをかけながら，PL-ph-1 順に切離していく．時折 CT にも映らないような動脈が中にあることもあるため，不確かな場合は結紮処理がよい．頭側まで丁寧に切離し，切除が完成する．

　Conventional 法では，膵離断が終了したのちに空腸間膜処理，SMA 右側の郭清（Section ❸ 参照）が行われ，本工程に至る．

a）門脈合併切除

　PV や SMV の合併切除再建は膵癌に対する切除で適応となる．当院では腫瘍が

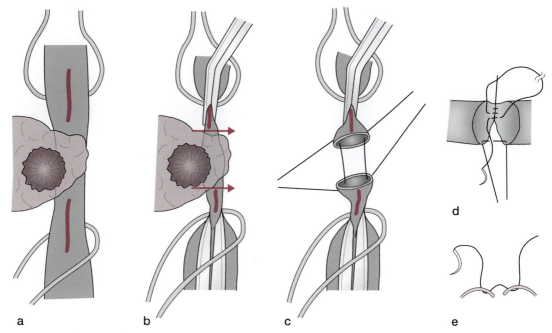

図7 門脈合併切除再建
切除最終段階で標本が門脈のみでつながっている状況まで進んだら，切除予定部の上下の前壁にピオクタニンなどでマーキングを行う(**a**)．SMAクランプ後に，切除部の上下の門脈を血管鉗子でクランプする．なるべく切除部から距離を長く取ったほうが再建がしやすい．門脈を切離し標本が摘出される(**b**，矢印)．門脈吻合は，5-0非吸収性モノフィラメント両端針2点支持を用い(**c**)，後壁intraluminal(**d, e**)，前壁over and overによる連続縫合で行う．

SMVまたはPVに少しでも接していれば，SMV/PV環状合併切除＋端々吻合を行うが，その適応・手法は施設ごとの方針でよいだろう．5 cm程度の門脈切離であれば，グラフトを用いずに直接吻合を行っている．切除最終工程でPL-ph-1まで完全に切除されると，膵頭部は門脈のみでつながっている状態となる．自然な配置で，まず門脈の前面にピオクタニンなどでマーキングを施す(図7a)．続いて，SMAをクランプ後に門脈切除部の前後をなるべく長い頸を作って血管鉗子でクランプする(図7b)．門脈吻合は，5-0非吸収性モノフィラメント両端針2点支持を用い(図7c)，後壁intraluminal，前壁over and overによる連続縫合で行う．最後に前壁と後壁の糸を結紮するが，その際は吻合門脈径と同等のgrowth factorを置いている．

　血管縫合は外翻が基本である．後壁のintraluminalはいわゆる垂直マットレスのように血管の内壁から針を入れて内壁に出す方法であり，きれいな外翻を作ることができる(図7d, e)．縫合ライン近くに枝の小孔がある場合なども修正がしやすいため，ぜひ日ごろから心がけ習得するとよい(図8)．

　門脈縫合にテンションがかかる場合は右結腸，あるいは全小腸の授動(Cattell-Braasch maneuver)を行うことで上流側のSMV断端が容易に挙上され，吻合時の緊張を減じることができる[4]．実はそこまで行わなくても，SMA/Vのpedicleを結腸下でつかんで頭側に一度牽引するだけでも1〜2 cm分はテンションを減じることが可能である．

　腫瘍接触部位により，脾静脈(SV)合併切除が必要な症例も多く，この場合はSVも

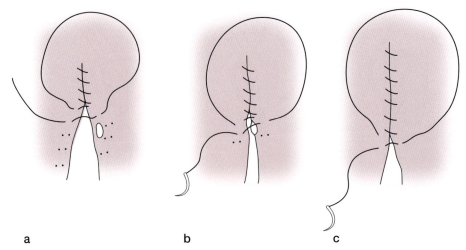

a   b   c

図8 Intraluminal法
門脈後壁の吻合は，いわゆる垂直マットレスのように血管の内壁から針を入れ内壁に出すintraluminal法を採用している．門脈断端に不整部や近傍の小孔などがあっても，外翻ができているとラインの修正がしやすい(b，c)．

テーピングし，合併切除を行う．近年，SV切離後の晩期合併症として左側門脈圧亢進症，およびそれに伴う消化管出血がトピックとなり[5]，当科でもSV合併切除症例では脾静脈再建(脾静脈-左腎静脈再建)を行っている．かなり経験を要する手技であり，ビデオ視野も深い操作となるため，上記が必要な症例は高度技能専門医ビデオには適さない．

b) 膵-空腸吻合

膵-空腸吻合については別項を参照されたい(☞ p 132，268)．

c) 胆管-空腸吻合

閉塞性黄疸症例で胆管の拡張・壁肥厚があれば，針糸は5-0モノフィラメント吸収糸を用いる．胆管径が5mm程度まで細く，壁も薄い場合は6-0を用いる．

空腸と胆管の間が10cmほどの距離になるように，腸鉗子で空腸壁を把持し，術野外に固定しておく(図9a)．吻合予定部の空腸壁に孔を開けるが，必ず胆管径より小さくする(胆管に対して6～7割の径)．これは運針している間に腸側孔が必ず広がるためである．まず漿膜筋層を切開して，その奥の粘膜を引き出して切開する．4点の6-0糸によるしつけを4方向に置くと，その後の吻合運針がしやすくなる．

1例として胆管-空腸吻合後壁(結節縫合)，前壁(連続縫合)の吻合法を解説する．あらゆる胆管径に対応可能な手法である．もちろん胆管径の大小に応じて，前後壁とも連続にしたり，結節にしたりと，多少の改変はあってよい．

- **後壁**(結節縫合)

まず両端を外内内外で運針し，結紮はせず両サイドで支持糸とする．続いて，後壁中央を内外外内でかけ，把持しておく(図9b)．後壁は，患者左側から開始する．胆管

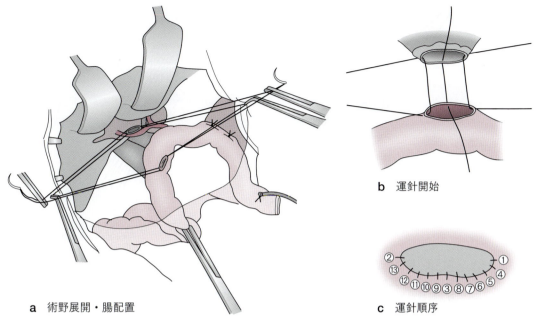

図9　膵頭十二指腸切除術における胆道再建
a：空腸と胆管の間が 10 cm ほどの距離になるように腸鉗子で空腸壁を把持し，術野外に固定しておく．
b：両端を外内内外で運針し，結紮はせず両サイドで支持糸とする．続いて，後壁中央を内外外内でかけ，把持しておく．
c：3針をかけ終わったら，左側より順に内外外内で結節縫合をしていく．胆管径に応じて間に何針入れるかをデザインする．

径から，後壁前半・後半でそれぞれ何針入れるかを決める．

　左側の端脇から，内外外内で運針し(図9c)，順次カスタネダなどで把持してケリーに通していく(図10a)．後壁中央の糸を越えて，右端まで順に埋めていく．後壁中央の糸はやや dissolution の早いものを用いて，外瘻 tube/lost stent の固定に用いることもある．

　後壁がかけ終わったら，ケリーに通したすべての後壁糸のカスタネダの束を，逆サイドからリスタで通し直し(図10b)，助手が胆管口直上で把持し，術者が空腸を胆管口に近づけ，密着させる．把持した糸の束を濡らしておくとやりやすい．その後，カスタネダの束をリスタに通したまま患者右サイド創外に置き，後壁の結紮作業に入る．後壁結紮中の第1助手は，左手で結紮前の糸をまとめて創外からテンションをかけ，右手指先で，挙上空腸を胆管に寄せて縫合線が見えるようにする(図11a)．この際単純に寄せるのではなく，腸を寄せつつ吻合口が上を向いて開くように，やや腸側にねじりを加えるのがコツである．術者が両端の糸を除いて患者左側から順次結紮をしていく．結紮した糸はそのつど切るが，knot が内側になるためなるべく短めに切る．

　後壁縫合が終わったら，ステントなしとするか，必要に応じて lost stent(吻合口の大小で 2.5/2.0 mm の胆管チューブを使い分けている)またはごく細径の胆管では不完全外瘻(同じく 2.5/2.0 mm の胆管チューブ)を胆管内に挿入，後壁中央糸で結紮固定する．外瘻の場合は，挙上空腸のチューブ導出予定部より，細長い鉗子を挿入し，胆管-空腸吻合部の空腸孔まで，膵管チューブ先端を迎えに行き，挙上空腸外へ導出する．

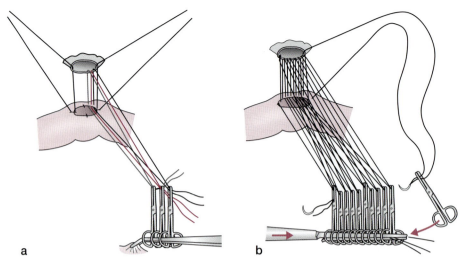

図10　胆管後壁結節縫合時の糸さばき
a：左側の端脇から，内外外内で運針し，順次カスタネダなどで把持してケリーに通していく．
b：後壁がかけ終わったら，ケリーに通したすべての後壁糸のカスタネダの束を，逆サイドからリスタで通し直して，後壁糸をまとめて把持し，結紮操作のために空腸を胆管口に寄せる．

● **前壁**（連続縫合）
　胆管前壁は連続縫合である．両端の糸を結紮し，吻合部左側から右へ運針を行うが，あらかじめ右端から1, 2針迎え糸を進めておくと，最後の視野がよくなる．最後の結紮が縫合線をまたぐように，右の迎え糸を胆→腸でかけ（図11b），左の糸は逆に腸→胆で運針していく必要がある（図11c, d）．

d）胃-空腸吻合
　胆管-空腸吻合から約40 cmのポイントで胃-空腸吻合を結腸前に行う．胃の断端付近の後壁大彎側に空腸を2針（5 cm間隔）で縫合仮固定し，胃と空腸壁に小孔を穿って，自動縫合器を挿入し，functional end-to-endの要領で吻合する（図12a）．縫合器挿入孔は，手縫い連続縫合で閉鎖（図12b）．Lembert縫合による補強を適宜追加する（図12c）．

e）Braun 吻合
　胃空腸吻合部から輸入脚10 cm/輸出脚約15 cmほどの距離に，Braun吻合を置く．経験的に輸出脚を長めにしておくと胃内容排泄遅延（delayed gastric emptying：DGE）が起こりにくい印象がある．

f）閉腹へ
　挙上空腸盲端からの外瘻チューブや腸瘻があればWitzel縫合を施す．腹腔内洗浄は，温蒸留水3,000 mL＋温生理食塩水2,000 mLで行い，洗浄，止血確認後にGDA断端を肝円索にて被覆する．Winslowドレーンを，右腹部から創外へ導出する．

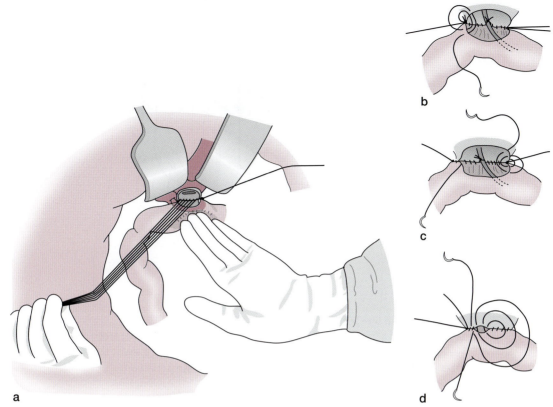

図11 胆管後壁結節結紮，前壁連続縫合

a：結紮時の助手展開；結紮や糸切りはすべて右側の術者が行う．助手は左手で，結紮前の糸をまとめて創外からテンションをかけ，右手指先で挙上空腸を胆管に寄せて縫合線が見えるようにする．
b：前壁連続縫合1；両端の糸を結紮し，右端から1,2針迎え糸を進めておく．胆管→腸壁の順で運針しておく．
c：前壁連続縫合2；左端から本運針を腸壁→胆管の順で運針していく．
d：前壁連続縫合3；左側からの運針が右からの迎え糸を越えたら，両者を結紮して胆管−空腸吻合が完成する．

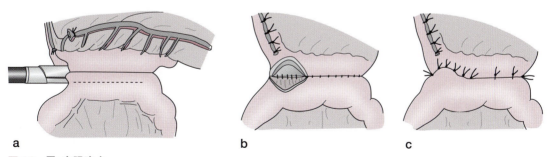

図12 胃−空腸吻合

胃の断端付近の後壁大彎側に空腸を仮固定し，胃と空腸壁に小孔を穿って3列の自動縫合器を挿入し，functional end-to-end で吻合する(a)．縫合器を挿入した共通孔は，手縫い連続縫合で閉鎖(b)．Lembert 縫合による補強を適宜追加する(c)．

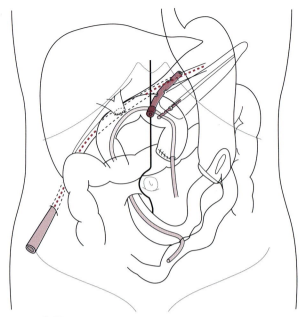

図13 閉創・ドレーン留置
Winslowドレーンを，右腹部から創外へ導出し，閉腹糸は1-PDSを用いて結節縫合で閉鎖する．Soft pancreasで膵液瘻のリスクが高いと判断された場合は，正中創より膵-空腸吻合に最短距離になるようにスタンダードプリーツ8 mm（濃いピンク色）を留置する．腸瘻や外瘻チューブがあれば，挙上空腸間膜にテンションがかからない自然な位置で腹壁に挙上・固定してチューブを体外に導出する．

g）閉腹

閉腹糸は1-PDSを用いて結節縫合で閉鎖する．Soft pancreasで膵液瘻のリスクが高いと判断された場合は，正中創より，膵-空腸吻合に最短距離になるようにスタンダードプリーツ8 mmを留置する（図13）．皮下を真皮埋没縫合で閉創して手術を終了する．

Dos & Don'ts

□ **出血時対応**：まずは圧迫でコントロールし，術者が自由に動ける状況を作る．可能ならば，両手が動ける状態までむやみな止血操作はせず，周囲の血だまりを洗浄吸引して出血点・動脈性/静脈性の別・出血の勢いを見極め，鉗子把持・結紮，縫合止血，止血剤などの使用の可能性を推定する．出血点がはっきりしない状況での，むやみなエネルギーデバイス凝固や，縫合止血は悪印象である以上に，患者の致命的な術後合併症の原因となりうる．

□ **展開不十分での剝離操作/膜構造を意識した剝離**：助手との協調動作と，定型化された術野展開の下，「これからどこを剝離・切離しようとしているのか」が第3者にも伝わるような展開・剝離操作を心がける．第2助手やリトラクターまでフルに活用し，これから切るラインによいテンションがかかるまでは動かないぐらいの意識でよい．鉗子やエネルギーデバイスを組織間にねじ込んで切離，といった操作はスピーディではあるが組織の識別が難しく，時

に重要構造物の誤認切離など合併症の原因となるため，印象が悪い．

☐ **脈管把持**：脈管周囲の剝離には適切なテンションが必要であり，門脈系静脈は血管用鑷子でピンポイントとならぬように接地面を大きく把持することは許容される．動脈について許容されるのは動脈周囲神経の把持までである．外膜が露出している動脈の直接把持は禁忌に近く，剝離用のテンションが必要な場合は血管テープをかけての牽引や鉗子の柄での圧排までに徹する．

☐ **結紮操作**：結紮操作の鍛錬は前提であるが，悪条件での結紮を避ける工夫も重要である．脈管の縛り頭が短い状況では，結紮＋結紮→間の切離は断端が抜けるリスクが高いため，取り側を鉗子把持にして切り離してから結紮をする．助手が手を放して術野展開が崩れそうな場合は術者や第2助手が結紮を行う．また大きくかぶりこんでの結紮は精度が落ちるうえにビデオ視野の妨げにもなるため，最も体勢の楽な者が結紮すればよい．

☐ **運針のコツ**：運針をする際はまず持針器がどの角度で腹腔内に入るかが重要である．深い部位での操作になるほど持針器の角度は立ってくる．その限られた角度で対象物を正確に貫通するためには針の持ち方を持針器の角度に合わせて傾ける必要があり，針が斜めに把持されている状況では回転運動ではなく直線運動で運針を行う．実際動脈の刺通結紮や胆管-空腸吻合，膵管-粘膜吻合に至るほとんどの運針が直線運動で可能である．"運針は針の回転運動で行うもの"という固定観念にとらわれないことが重要である．

文献

1) Inoue Y, et al：Pancreatoduodenectomy With Systematic Mesopancreas Dissection Using a Supracolic Anterior Artery-first Approach. Ann Surg 262：1092-1101, 2015
2) Inoue Y, et al：Technical Details of an Anterior Approach to the Superior Mesenteric Artery During Pancreaticoduodenectomy. J Gastrointest Surg 20：1769-1777, 2016
3) Nakao A, et al：Isolated pancreatectomy for pancreatic head carcinoma using catheter bypass of the portal vein. Hepatogastroenterology 40：426-429, 1993
4) Del Chiaro M, et al：Cattell-Braasch Maneuver Combined with Artery-First Approach for Superior Mesenteric-Portal Vein Resection During Pancreatectomy. J Gastrointest Surg 19：2264-2268, 2015
5) Ono Y, et al：Sinistral portal hypertension after pancreaticoduodenectomy with splenic vein ligation. Br J Surg 102：219-228, 2015

〈井上陽介，小野嘉大，高橋　祐〉

7 膵体尾部切除術

重要ポイント
- 確実に脾動脈根部にアプローチする．
- 膵体尾部背側の解剖を理解して，適切な層で剥離する．
- 腹腔動脈合併膵尾側切除(DP-CAR)は，腫瘍の立体的な浸潤範囲を意識して腹腔動脈根部にアプローチする．
- DPにおける門脈再建は難易度が高く注意を要する．
- 膵断端からの膵液瘻は一定頻度あるため，確実なドレーン留置を心がける．

A 膵体尾部切除の適応と切除範囲

　膵体尾部切除(distal pancreatectomy：DP)は膵体尾部の悪性腫瘍に対して行われる標準術式である．

　従来は悪性腫瘍に対しては開腹膵体尾部切除(ODP)が標準的に行われてきたが，2016年には腹腔鏡下膵体尾部切除(LDP)が膵癌に対しても適応拡大され，リンパ節郭清を伴うLDPも保険収載された．また，2020年にはロボット支援下膵体尾部切除も新たに保険収載された．今後はロボット支援下手術が低侵襲手術の主役となると思われるが，LDPはすでに経験が蓄積され手技が定型化されているという利点もある．

　膵体尾部癌に対するODPとLDPの治療成績として，いくつかの大規模な後ろ向き観察研究がある．欧州の後ろ向き観察多施設共同試験(DIPLOMA試験)では，生存期間中央値は同等であった[1]．ただし，これまでの後方視的検討ではLDPを癌治療として標準術式とするエビデンスは弱いと言わざるをえない．今後のランダム化比較試験の結果をもとに慎重な評価が必要である．膵体尾部癌に対しては，遺残なく切除することが基本原則であることを念頭に置いて，開腹か腹腔鏡かのアプローチの選択を行わなければならない．

　ODPの手術手技として，radical antegrade modular pancreatosplenectomy (RAMPS)が提唱され，わが国でも標準的に普及している方法である．脾動静脈の切離，膵離断を先行し，内側から外側へ切離を進め，腎前筋膜(Gerota's fascia)の前方，あるいは腎前筋膜を切除側につけて後方に入る．左副腎を温存するラインにするか，さらに深く副腎背側に入る層で切離するかを選択する．通常，膵癌に対する切除では，容易に後方進展するため腎前筋膜背側で切離を行う．開腹手術で用いられているこれらの手術指針は，腹腔鏡手術にも適用可能である．腹腔鏡視野では背側からの視野がよいため，膵背側から剥離層を決定するアプローチの有用性が報告されている．

近年,「Lap-RAMPS」という用語がよく使われている．RAMPSの要点は内側から外側への剝離アプローチであったと思うが，それについては言及されておらず，後方の剝離面が左副腎を合併切除するかどうかによってanterior/posterior RAMPSという用語を使い分けていることが多いようである．後方の剝離層のことだけで，RAMPSという言葉を使うべきかどうかについては，意見が分かれるところである．それを避けるために，2021年にわが国で行われたコンセンサス会議PAM-HBP(Precision Anatomy for Minimally Invasive HBP)ミーティングでは，後方の剝離層をラインA/B/Cとすることが提案された[2]．腹腔鏡下での良好な視野のもと，特に膵背側に関しては腫瘍マージンを確保できる層を選択して剝離できることは腹腔鏡下膵体尾部切除術の利点だと思われる．

膵体尾部癌のなかで，腹腔動脈，総肝動脈(CHA)に浸潤，あるいは周囲神経叢への浸潤がある場合は，腹腔動脈合併尾側膵切除(distal pancreatectomy with en bloc celiac axis resection：DP-CAR)が適応となる．CHAを切離するため，肝血流は上腸間膜動脈(SMA)から膵頭部の胃十二指腸動脈(GDA)を経由する血流に依存する．GDAが温存できることがDP-CARの条件である．また，DP-CARを検討する症例は必然的にborderline resectable膵癌(BR)やunresectableな局所進行膵癌(UR-LA)であり，術後合併症も少なくない高侵襲な術式であることを念頭に置いて，十分な術前化学療法を行ったうえで慎重に症例選択を行わなければならない．

B 手術の実際

膵体尾部切除(DP)

膵体尾部癌に対して行うDPについて説明する．Artery-first approachとして脾動脈処理を優先し，RAMPSに準じて腫瘍の後方への浸潤の程度によって内側から外側へ剝離する際に深さを選択する．開腹で行う場合も，腹腔鏡で行う場合も手順，切離ライン，郭清範囲は大きくは変わらないため，以下に併記しながら概説する．

❶ 開腹・トロカール配置

ほとんどの症例では正中切開で行うが，腹腔内脂肪が多く脾臓周囲の視野が確保できない症例は左横切開を加えるか，最初からL字切開で行うことも検討する(図1a)．

腹腔鏡の場合はカメラトロカールを臍部から挿入し気腹する(図1b)．右側に2本，左側に2本挿入する．腹腔内を観察し，遠隔転移病変，播種を検索する．洗浄腹水細胞診を行う．

❷ 網嚢の開放と結腸間膜からの授動

胃を頭側に，横行結腸を尾側に牽引して，大網を離断して網嚢腔を開放する．このとき，播種病変がないか，胃の背側，観察しづらい脾上極付近などよく確認する．

大網を左側，脾臓下極に向かって離断を進め，結腸脾彎曲部と膵尾部脾臓との間に緊張が得られるよう展開し，結腸間膜を温存して疎性結合組織を剝離する．脾臓下極

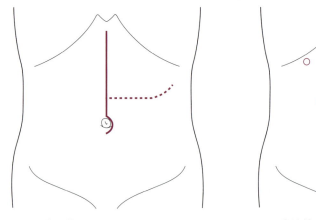

a 開腹手術　　　　　　　　　　　　　　b 腹腔鏡下手術
図1　開腹創とトロカール配置
a：正中切開で行う．腹腔内脂肪が多い症例は左横切開を加えるかL字切開も検討する．
b：カメラトロカールを臍部から挿入して気腹し，右側と左側に2本ずつ挿入する．

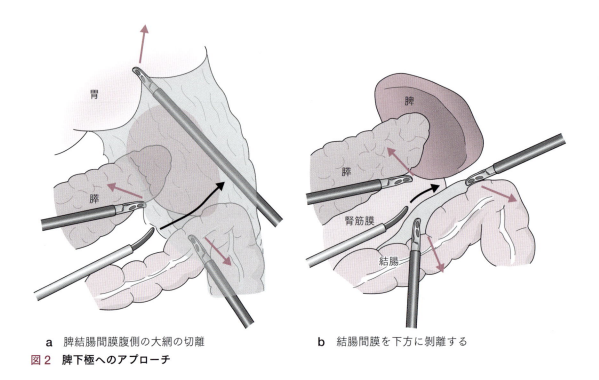

a　脾結腸間膜腹側の大網の切離　　　　b　結腸間膜を下方に剥離する
図2　脾下極へのアプローチ

背側に至って，腎前筋膜を露出し確認する（図2）．

❸ 膵上縁の郭清と脾動脈の確保

　胃膵間膜を頭側に牽引し，膵頭体部実質を愛護的に尾側に牽引して，膵上縁の膜に緊張がかかるようにする．No.8a，8pリンパ節をCHA周囲の神経叢を温存しつつ郭清する．CHA周囲神経叢と膵実質との間を剥離して門脈前面を確認する．CHA

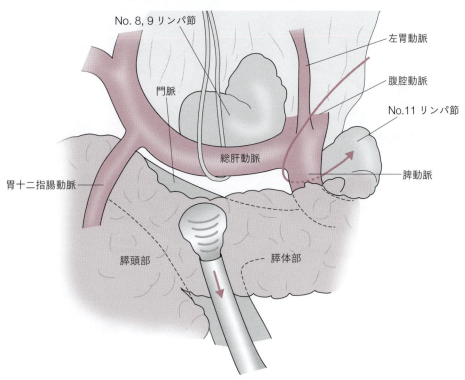

図3　膵上縁の剥離と総肝動脈，脾動脈の確保

をテーピングして確保する．

　左胃動脈を起始部から露出し，脾動脈(SpA)・CHA分岐部の剥離を進める．腹腔動脈の左側，右側を露出し横隔膜脚の筋層を確認する．No.7，9リンパ節を郭清する(図3)．SpAとCHA分岐部と膵実質の間を剥離する．この際，背側膵動脈がSpAやCHAから膵実質背側に向けて分枝を出すことがあるので，術前CTで認識しておくことが望ましい．CHA周囲の神経叢は温存するが，SpA根部の神経叢は切離し血管外膜を露出する．次にSpAをテーピング確保する．十分に結紮できる切り代があるときは，この時点で結紮切離する．SpAの起始部が深い場合や動脈の走行形態によっては，膵離断を先行したあとにアプローチしたほうがよいことがしばしばある．動脈先行切離にこだわると，かえって腫瘍を圧迫してしまったり膵実質を損傷したりすることがあるので臨機応変に対応したほうがよい．

　横隔膜脚左側から膵体尾部上背側の腎前筋膜の層を認識して，左副腎を確認する．副腎を合併切除しないなら副腎の腹側面に，合併切除するなら副腎の上縁から背側の層に剥離を進めるとあとの操作で深さを認識しやすい．さらに胃脾間膜背側に離断ラインを連続させて，短胃動静脈背側の剥離を行う．そのほうがあとで胃脾間膜処理を行いやすい．

❹ 上腸間膜静脈の露出と膵トンネリング

　膵下縁を剥離し，上腸間膜静脈(SMV)を確認して門脈直上で膵トンネリングを行う．その際，膵下縁から脾静脈(SpV)・SMVに流入するCIPV(centro-inferior pancre-

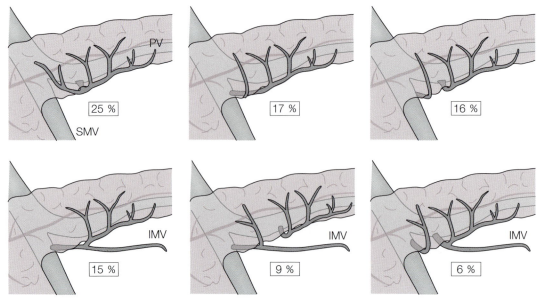

図4 膵下縁に流入する CIPV の型
CIPV(centro-inferior pancreatic vein)はさまざまな型で SMV あるいは IMV，脾静脈に流入する．
〔Hongo N, et al：Anatomical variations of peripancreatic veins and their intrapancreatic tributaries：multidetector-row CT scanning. Abdom Imaging 35：143-153, 2010 より改変〕

atic vein)に留意する必要がある．出血すると止血困難であるので，確実に処理したほうがよい(図4)[3]．

❺ 膵離断

　膵離断部位は術中超音波検査で腫瘍の位置を確認し，原則門脈直上で膵実質が最も薄い場所で離断する．膵体尾部切除の短期合併症として，膵断端からの膵液瘻の発生が最大の問題であり，その閉鎖方法についてはこれまでもさまざまな方法が研究されてきた．腹腔鏡手術では自ずとステイプラーによる膵切離にならざるをえないが，SpV を一括して離断するか，個別処理するべきかについて，わが国で多施設共同前向きランダム化比較試験が行われた．SpV 一括処理(n＝157)と個別処理(n＝159)を比較した結果，膵液瘻発生率(ISGPS Grade B/C)は 28.6% vs. 27.1% と差を認めず，一括処理の非劣性が示された[4]．吸収性不織布でステイプラーが補強されたデバイスは製品化もされており，標準的なステイプラーよりも膵液瘻を減らす効果が期待できる．その他，フィブリン糊などで膵断端に付加する方法，予防的な膵管ステント，漿膜パッチなどで閉鎖する方法，膵断端の腸との吻合などさまざまな工夫が行われてきているが，標準といえる方法は確立されていない．われわれは先行圧挫を行ったあと，ステイプラーによって 10 分以上かけて離断している．

　腫瘍が膵頭部側に近い場合など，マージンを確保するために GDA を剥離して膵頭部側で膵離断しなければならない症例などではステイプラーが使用できない場合もある．従来からの膵管結紮，手縫いによる fish mouth 法も習得すべき手技である．

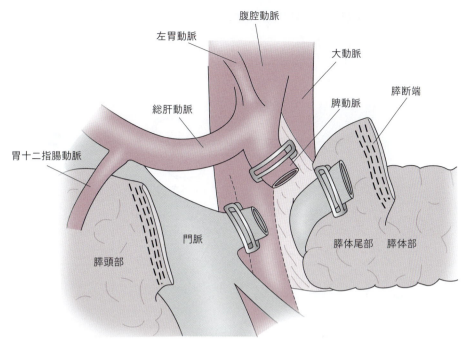

図 5　脾動静脈の切離

❻ 脾動静脈の切離

　膵離端を左側に牽引し，脾動静脈根部を確認する．このとき SpA が切離されていない場合は，SpA，SpV の順に切離する．膵体部癌で腫瘍が近接していて脾動脈周囲の展開が困難な場合は，脾動脈は単結紮あるいはクランプのみにして血流を遮断し，SpV を先に切離して SpA 起始部の展開をよくしてからアプローチすることも選択肢である（図 5）．

❼ 門脈合併切除が必要な場合

　SpV 流入部が腫瘍浸潤を受けている場合の門脈合併切除は，再建の難易度が高いので注意が必要である．楔状に切離しても形成が難しく，環状切除した場合も端々吻合が難しく門脈狭窄しやすい．パッチ形成やグラフトを用意するなど周到な準備が必要である．2 cm 以上の門脈環状切除にはグラフト間置を予定しておいたほうがよい（図 6，7）．

動画 1

❽ 内側から外側へ膵体尾部を後壁から剥離する【動画 1】

　膵体尾部背側と SMA の間を剥離する．その際，しばしば SMA から直接分岐する背側膵動脈が膵実質に流入するので，適宜処理する必要がある．SMA 神経叢を温存する層で剥離して，SpA 背側神経叢を離断し腹腔動脈根部（左腹腔神経節）から立ち上がる左側の線維を切離する．SMA 方向への浸潤を疑う場合は SMA 神経叢を半周程度切離することもあるが，予防的な神経叢郭清は行うべきではない．

　膵下縁を剥離する際に，横行結腸間膜の根部が膵背側に入り込んでいる症例があ

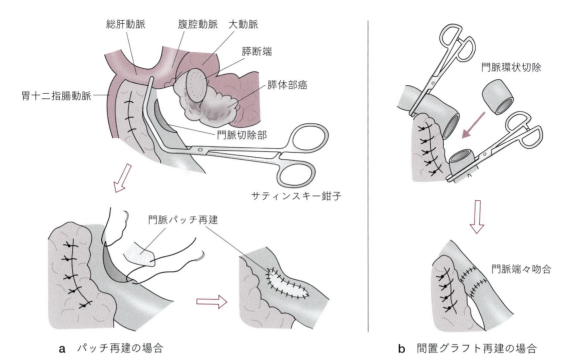

図6 膵体尾部切除時の門脈合併切除再建
a パッチ再建の場合
b 間置グラフト再建の場合

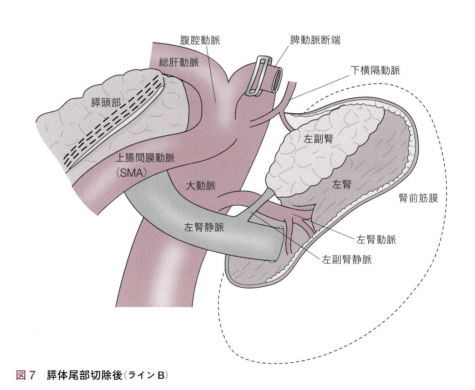

図7 膵体尾部切除後（ラインB）

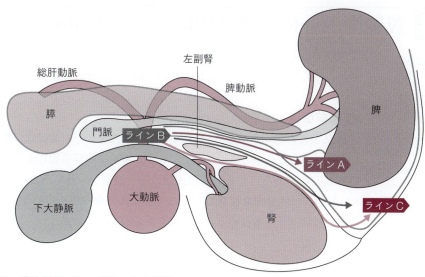

図8 膵体尾部切除の背側の切除範囲

り，腫瘍が浸潤・近接している場合は結腸間膜を合併切除したほうがよいことがあるので注意する．

膵体尾部の背側を切離する層を深さによってラインA〜Cとして示す（図8）．ラインAは腎前筋膜の腹側の層，ラインBは腎前筋膜の背側の層，ラインCは副腎も合併切除し，腎被膜を露出する層である．

a）**左副腎を温存する場合**（anterior RAMPS，ラインB，図8）

左副腎静脈の左腎静脈への流入部を確認してその高さで剝離を頭側に進め，副腎を露出しつつ外側への剝離層に連続させる．このとき先行して膵上縁で腎前筋膜が切離されているほうが層を認識しやすい．これは腹腔鏡のときに特に利点を感じる．腎前筋膜は切除側に付着させる．

b）**左副腎を合併切除する場合**（posterior RAMPS，ラインC，図8）

左副腎を合併切除する際は，左腎静脈を確認後，左副腎静脈の流入部で切離し周囲脂肪織とともに大動脈左側縁を意識しながら左副腎の背側の層に入る．この際に，左腎動脈の走行に留意する必要がある．左腎静脈腹側をしばしば腎動脈の分枝が走行するので盲目的な離断は禁物である．

さらに左側へ剝離を進め，脾下極・上極の後腹膜との連続を切離して標本を摘出する．

❾ ドレーンの留置と術後管理

腹腔内を温生理食塩水で十分に洗浄し，出血がないことを確認する．膵断端に閉鎖式ドレーンを留置する．ドレーン管理指針については，いまだ標準的な管理方法がなく本項では割愛する．

C 腹腔動脈合併尾側膵切除（DP-CAR）【動画2】

動画2

現状では DP-CAR は腹腔鏡・ロボット支援などの低侵襲手術の適応はない．膵離断，後壁の剝離などについては DP の手術手技と変わらないので割愛する．

❶ 術前準備

DP-CAR の適応として，SMA からの膵頭部を介した側副血行路が確保されることが条件である．必須とまではいえないが，術前に血管造影による血流の評価があったほうが安心である．われわれは術前に血管造影で CHA あるいは腹腔動脈閉塞下に SMA からの肝血流を確認している．切除後の虚血性障害の予防のために CHA や，左胃動脈のコイル塞栓術を行う施設もあるが，その効果についてコンセンサスはなく必須ではない．

❷ 腹腔動脈根部へのアプローチ

DP-CAR が必要となる膵体部癌は SpA，CHA，腹腔動脈に直接浸潤，周囲神経叢に浸潤している症例であり，SMA の腹側から左側の神経叢もしばしば浸潤している．BR～UR-LA 相当の症例であり，化学療法，あるいは放射線療法によって術前治療されていて組織は治療や炎症で線維化が強固で剝離に難渋することが多い．必然的に組織の可動性が不良で視野展開も難しいことを想定しなければならない．また，動脈硬化が進行している患者も多いため愛護的な操作を行うよう気をつける．

腹腔動脈根部にいかに安全に到達するかがポイントとなる．重要血管が視野の背側にある中で，腫瘍の局在や浸潤範囲を立体的にイメージしながら，浸潤のない切離ライン切離を進行する．コツとして，正常組織を進んで大動脈壁から腹腔動脈根部の目標地点に早めに到達できるとよい．定型的なアプローチというより，症例ごとに周囲臓器合併切除，動脈再建，門脈再建などの複数の選択肢をもちつつ臨機応変に進めることが肝要である（図9）．

左胃動脈血流を失うことによる残胃の虚血障害の合併症が本術式の問題点の1つである．左胃動脈の分岐形態や，腹腔動脈周囲浸潤の程度から根治性が見込めるかどうかが条件にはなるが，左胃動脈を温存し CHA，SpA 分岐部より中枢の腹腔動脈を切離する modified DP-CAR も術式選択の1つとして知っておきたい．

a）CHA の切離

胃を挙上し膵上縁から GDA と CHA の分岐部を露出する．このとき，GDA との分岐部手前で CHA を確保しテストクランプして，肝血流があることを確認する．CHA と膵実質の間を剝離して，門脈前面を露出確認する．

b）膵切離

膵下縁から SMV 前面を剝離して，門脈直上で膵をトンネリング確保する．超音波で腫瘍境界を確認して GDA を温存して膵離断する．

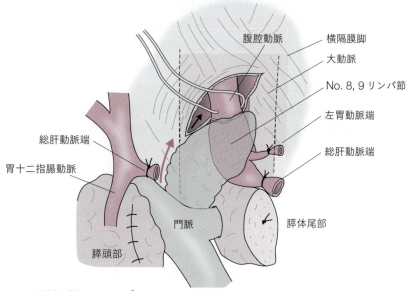

a 頭側右側からのアプローチ

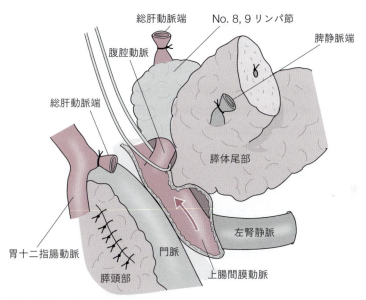

b SMAからのアプローチ

図9 腹腔動脈合併尾側膵切除（DP-CAR）のアプローチ

c）膵体部の剥離（腹腔動脈根部を確認するまで）

No.8a，8pを切除側につけて膵体部を左側下方に牽引して，右横隔膜脚方向に露出し，右腹腔神経叢も離断して大動脈壁から腹腔動脈根部を露出する．その際に左胃動静脈も切離する．SpVが閉塞している症例はSpVへの血流のドレナージに配慮する必要がないので，SpVを先に切離したほうが展開がよい．SpVが開存している場合は，切離後に切除側のうっ血による出血がありうるので，テストクランプなどして状況を確認することも一考である．

門脈に浸潤がある症例は，DP の項目でも記載したが門脈再建について配慮が必要である．DP-CAR 症例のときに門脈再建をする場合は切除の途中で行うことになり，視野も悪く門脈の可動性が悪いので細心の注意が必要である．

SMA との固着が強い場合，SpV を切ったあと，SMA 神経叢ごと腹腔動脈につけて腹腔動脈に至るのも有用なアプローチである（図 9b）．SMA 腹側の神経叢を半周剝離し，腹腔動脈と SMA の間を切離して神経叢を腹腔動脈側につける．そのまま腹腔動脈根部まで進み，大動脈からの腹腔動脈の高さで神経叢を切離して腹腔動脈根部の血管外膜を露出する．

❸ 腹腔動脈の切離

腹腔動脈周囲神経叢を切離して，腹腔動脈を結紮切離する．膵体部を左側に牽引し，大動脈の深さで左側に剝離を進める．副腎を合併切除するかどうかは腫瘍進展範囲による．左副腎を切除する場合は，大動脈から分岐する左副腎動脈を結紮切離しなければならない．また，左副腎動脈が左下横隔動脈から分岐することもあるので，大動脈左縁から副腎背側に入るときに確認したい血管である．

❹ ドレーンの留置と術後管理

膵断端に閉鎖式ドレーンを留置する．DP-CAR の膵離断面近くには主要血管断端があり，確実なドレナージを意識する必要がある．術後早期から，発熱，腹痛，食欲低下など虚血性胃炎の症状がないか留意する．虚血性胃炎を疑った場合は胃内視鏡の粘膜所見で診断できる．ほとんど保存的に加療できるが，全身状態に影響を及ぼすような虚血性胃炎の場合は再手術として残胃切除も選択肢となる．

Dos & Don'ts
- ☐ 症例ごとの血管解剖を術前に把握して手術に臨む．
- ☐ 残膵に対して愛護的な操作を意識する．
- ☐ CIPV に注意する．
- ☐ 脾動脈起始部浸潤を伴う進行症例は膵離断を先行する．
- ☐ 2 cm 以上の門脈環状切除再建にはグラフトを用意する．

文献

1) van Hilst J, et al：Minimally Invasive versus Open Distal Pancreatectomy for Ductal Adenocarcinoma（DIPLOMA）：A Pan-European Propensity Score Matched Study. Ann Surg 269：10-17, 2019
2) Ban D, et al：International Expert Consensus on Precision Anatomy for minimally invasive distal pancreatectomy：PAM-HBP Surgery Project. J Hepatobiliary Pancreat Sci 29：161-173, 2022
3) Hongo N, et al：Anatomical variations of peripancreatic veins and their intrapancreatic tributaries：multidetector-row CT scanning. Abdom Imaging 35：143-153, 2010
4) Yamada S, et al：Safety of Combined Division vs Separate Division of the Splenic Vein in Patients Undergoing Distal Pancreatectomy：A Noninferiority Randomized Clinical Trial. JAMA Surg 156：418-428, 2021

（伴　大輔）

8 Frey 手術

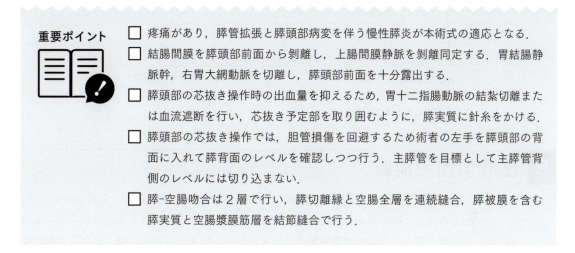

重要ポイント
- 疼痛があり，膵管拡張と膵頭部病変を伴う慢性膵炎が本術式の適応となる．
- 結腸間膜を膵頭部前面から剝離し，上腸間膜静脈を剝離同定する．胃結腸静脈幹，右胃大網動脈を切離し，膵頭部前面を十分露出する．
- 膵頭部の芯抜き操作時の出血量を抑えるため，胃十二指腸動脈の結紮切離または血流遮断を行い，芯抜き予定部を取り囲むように，膵実質に針糸をかける．
- 膵頭部の芯抜き操作では，胆管損傷を回避するため術者の左手を膵頭部の背面に入れて膵背面のレベルを確認しつつ行う．主膵管を目標として主膵管背側のレベルには切り込まない．
- 膵–空腸吻合は2層で行い，膵切離縁と空腸全層を連続縫合，膵被膜を含む膵実質と空腸漿膜筋層を結節縫合で行う．

A はじめに

慢性膵炎に対する外科的治療は，内視鏡治療を含む内科的治療に抵抗性の難治性疼痛，胆道狭窄・十二指腸狭窄・仮性囊胞・仮性動脈瘤・膵性胸腹水などの局所合併症，癌合併を疑う場合に適応となる．特に，疼痛対策として行われる外科的治療は膵切除術と膵管減圧術に大別される．

Frey 手術は膵管拡張と膵頭部病変（主膵管内に膵石が嵌頓，膵頭部の二次膵管にも膵石が存在，膵頭部腫大など）を伴った慢性膵炎に対し，膵体尾部の主膵管切開に連続して膵頭部組織の芯抜き（coring out）を行い，膵管の十分な減圧とともに疼痛の原因である膵頭部病変の除去を一括して行う術式である[1]．高い除痛率とともに幽門輪温存膵頭十二指腸切除術や，十二指腸温存膵頭切除術と比較したランダム化比較試験において，合併症発生率が有意に少なく，安全性においても優れていることが報告されている[2,3]．わが国のガイドラインでも，膵管拡張と膵頭部病変を伴った慢性膵炎に対する術式として推奨されており[4]，慢性膵炎に対し最も適応となる機会の多い術式である[5]．

高度の慢性膵炎症例で，胆管狭窄を伴う場合は，同時に胆道再建が必要となる場合がある．

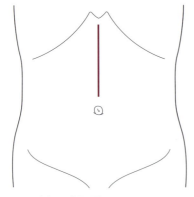
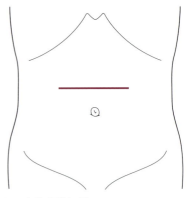

　　　　a　上腹部正中切開　　　　　　　　　b　上腹部横切開
図1　皮膚切開
左右腹直筋の幅の横切開で十分なことが多い．

B 皮膚切開・開腹

　皮膚切開・開腹は上腹部正中切開で行うのが一般的である（図1）．患者がやせ型で，胆道再建などの必要がない場合は，創部が小さく整容性に優れた上腹部横切開でも施行可能である．ここでは横切開について述べる．切開創は頭側に寄り過ぎると術野の展開が困難になることがあり，さらに肋弓下からは，ある程度離したほうが創の牽引による術後疼痛が軽減されるため，横切開はあまり頭側に寄らないほうがよい．筋膜切開は左右の腹直筋外縁までとし，wound retractor などにより創縁保護ののち，創上縁左右に Kent 鉤をかける．創は小さめでも術野操作部位に応じ，Kent 鉤による牽引方向の調整や，左横隔膜下へのガーゼ挿入などによりほとんどの症例で操作は十分可能である．しかし，術野の展開が不良で手術操作に困難性を認めた場合は，躊躇せず切開創と筋膜切開の延長を行う．

C 膵頭十二指腸の授動【動画1】

動画1

　十二指腸外側の後腹膜を切開し，膵頭十二指腸の授動を行う．この操作の目的は，のちに行う膵頭部芯抜き操作の際に，膵頭背側に左手を挿入して膵後筋膜の深さを常に確認し，胆管損傷を回避するためである．また膵頭部芯抜き操作時の出血コントロールや止血操作を容易にするためにも必須の手術操作である．十二指腸下行脚と膵頭部背面が授動されれば十分で，十二指腸水平脚の背面は剝離する必要はない．

D 網囊開放・膵頭部～体尾部前面の露出（図2）【動画2】

動画2

　胃結腸間膜を胃大網動静脈アーケードの結腸側で切開し，網囊腔を開放する．この操作を左右に進め，左側は膵尾部が露出されるまで行う．膵前面に癒着した幽門後壁を前方に剝離し，胃十二指腸動脈の走行を確認しておく．
　結腸間膜を膵頭部前面から剝離し，副右結腸静脈を切離する．続いて上腸間膜静脈

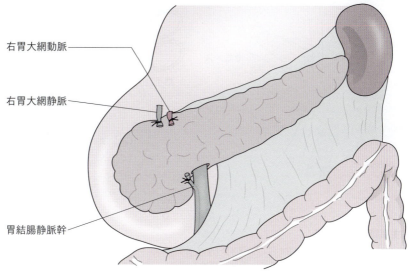

図2　膵前面の露出
網嚢を開放し，結腸間膜を膵頭部前面から剝離する．上腸間膜静脈を剝離同定し，胃結腸静脈幹根部，右胃大網動脈根部を切離する．膵前面を全長にわたり露出する．

を剝離し，走行を確認したあとに胃結腸静脈幹根部を結紮切離する．続いて右胃大網動脈を根部で結紮切離する．以上の操作で膵前面が全長にわたって露出される．

E　主膵管の同定と切開【動画3】

動画3

　術中超音波検査を行う．膵石の位置，主膵管の位置と拡張の程度を評価する．門脈右側では主膵管が背側に潜り込み，門脈損傷などのおそれがあるため，なるべく最も拡張が顕著な膵体部の主膵管を，膵管切開の起点とする．

　まず，超音波ガイド下に拡張膵管を24Gのエラスター針で穿刺する．膵液の逆流を確認したあとにその頭・尾側にそれぞれ支持糸をかけて，電気メスでエラスター針をガイド下に膵実質を切離し，主膵管前壁を切開する（図3a）．膵管壁は炎症性に肥厚していることも多く，確実に切開する必要がある．また，膵管拡張が軽度な場合には，主膵管を見失うことがある．そのような場合には，膵の切開を左右に延長するのではなく，膵の長軸に対し直交するように膵実質を少し切開し，主膵管を探索する．主膵管が同定され，主膵管前壁が切開されたら，主膵管に鉗子の先端を挿入する．鉗子をガイドにして，膵前面組織を電気メスで切離し，主膵管を長軸方向に切開開放する（図3b）．

　膵実質は線維化のため，ほとんど出血しないが，動脈性出血は縫合止血する．尾側膵管内に結石が存在すれば，除去しつつ膵管切開を尾側に進める．尾側の変化が乏しければ，膵管切開は必ずしも膵尾側端まで行う必要はないが，膵尾側の二次膵管まで結石が充満している場合には，尾側膵切除術を付加する．その場合，脾臓温存を考慮するが，癒着の程度により脾摘を行わざるをえないこともある．

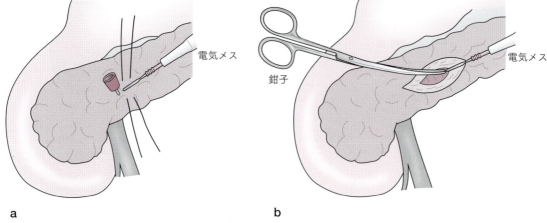

図3 主膵管穿刺と切開
a：超音波ガイド下に拡張膵管を24Gのエラスター針で穿刺する．
b：主膵管に挿入した鉗子をガイドにして，膵前面組織を切離し，主膵管を長軸方向に切開開放する．

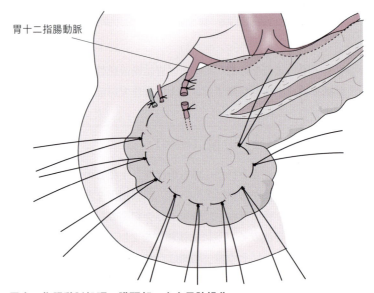

図4 胃十二指腸動脈処理，膵頭部の出血予防操作
胃十二指腸動脈の結紮切離または血流遮断を行い，芯抜き予定部を取り囲むように膵実質に針糸をかける．

F 胃十二指腸動脈切離と膵頭部の出血予防操作（図4）【動画4】

動画4

　膵体部から主膵管切開を膵頭側へ延長すると，膵頭部前面を走行する胃十二指腸動脈を横断することとなるため，胃十二指腸動脈の処理が必要となる．膵の切開予定線の上下で胃十二指腸動脈を全周性に剝離し結紮切離する．高度の炎症のため動脈剝離が困難な場合，膵組織ごと動脈に針糸をかけ結紮し，動脈の血流遮断を行う．この場合には，総肝動脈の走行を十分確認し，その損傷を回避することが重要である．
　続いて，膵頭部芯抜き操作に先立ち，出血量を抑制する目的で，芯抜き予定部を取り囲むように針糸をかける．十二指腸内側縁から1cm程度の膵実質に腹側膵頭部

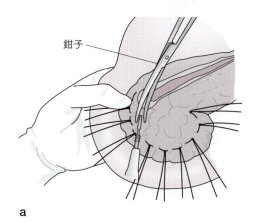
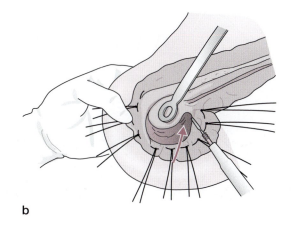
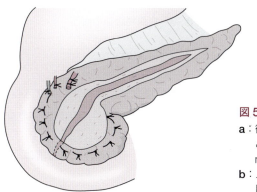

鉗子

a
b
c 膵頭部芯抜き後

図5 膵頭部の芯抜き
a：術者の左手を膵頭部の背面に入れ，主膵管に挿入した鉗子を目標として，先に十二指腸内側縁に沿ってかけた針糸の結紮線の数 mm 内側の膵実質を，電気メスで切り込んでいく．
b：上腸間膜静脈の右側に沿ってかけた針糸の数 mm 内側に沿って，膵の切離線を頭側に折り返して膵頭部の芯抜きを行う．
c：膵頭部芯抜き後．

アーケードの内側に沿うように，4-0吸収性モノフィラメント糸を用い，それぞれが一部重複するように，数針，針糸をかけていく．膵頭部の左側では上腸間膜静脈右縁より1cm程度の膵実質に結紮点がくるように設定し，膵頭部を取り囲むように針糸をかける．

G 膵頭部の芯抜き【動画4】

動画4

　術者の左手を膵頭部の背面に入れて膵背面のレベルを確認しつつ，主膵管に挿入した鉗子を目標として，先に十二指腸内側縁に沿ってかけた針糸の結紮線の数 mm 内側の膵実質を，電気メスで切り込んでいく（図5a）．主膵管は胃十二指腸動脈の右側では膵頭部背面に深く潜り込んでいく．Frey手術の適応となる慢性膵炎では，膵頭部は腫大しており，通常2cm以上の深さを切り込んでいくこととなるが，あくまでも主膵管を目標として主膵管背側のレベルには切り込まないことが重要である．そうすれば，膵胆管合流異常がない限り胆管が視野に現れることはない．主膵管内や二次分枝膵管内に嵌頓した膵石を除去しつつ，主膵管が十二指腸に流入する直前まで膵頭部を切開すると，切開線の底に主膵管が開放される．続いて上腸間膜静脈の右側に沿ってかけた針糸の数 mm 内側に沿って，膵の切離線を頭側に折り返して膵頭部の芯抜

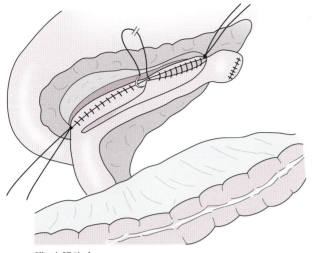
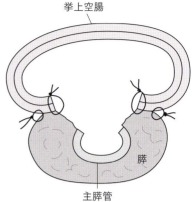

a 膵-空腸吻合
b 膵-空腸吻合部の断面

図6 膵-空腸吻合
b：膵切離面に開口する分枝膵管のドレナージ不良とならないよう，膵切離縁に大きく針糸をかけすぎない．

きを行う（図5b）．膵鉤部の膵管2次分枝内の膵石が多い場合には膵鉤部を掘り込むように切除するが，切離面に膵管2次分枝がドレナージされていることが重要である．膵頭部芯抜き面からの動脈出血は確実に縫合止血しておく．

以上の操作で，主膵管が全長にわたり開放される（図5c）．吻合操作に移る前に，膵切離部からの止血を十分に確認する．

H 膵-空腸吻合【動画5】

動画5

空腸起始部から約20 cmの空腸を自動縫合器で切離し，肛門側断端を埋没縫合する．膵頭部に対応する結腸間膜に作成した小孔を通し，結腸後経路に空腸を挙上する．吻合は2層で行う．内層は膵切離縁と空腸全層を連続縫合，外層は膵皮膜を含む膵実質と空腸漿膜筋層を結節縫合で行う．内層・外層いずれにも4-0吸収性モノフィラメント糸を用いる．

まず後壁の外層吻合を左側より開始し，右側の膵頭部切開部右側端まで5 mm間隔で縫合する．続いて空腸壁を電気メスにて切開し，後壁の内層縫合を行う．主膵管切開部左側端から開始し，膵頭部切開部右側端まで，膵切開部端と空腸全層を連続縫合する（図6a）．前壁の内層縫合も左側から右側へ連続縫合し，膵頭部近傍で全周性に全層吻合を完了する．この際，膵切離面に開口する膵管分枝のドレナージが不良とならないように，膵切離縁に大きく針糸をかけすぎないことが重要である（図6b）．最後に前壁の外層縫合を行い，吻合を終了する．膵頭部右側では，膵実質の縫い代が確保できず，空腸漿膜筋層と十二指腸漿膜筋層の縫合となることが多い．縫合操作時の胃十二指腸動脈，総肝動脈，脾動脈，上腸間膜静脈損傷は，術後に重篤な消化管出血をきたすため，血管損傷には十分注意しながら行うことが重要である．

膵-空腸吻合部から30〜40 cm肛門側の空腸でRoux-en-Y脚を作成し，間膜を固定・閉鎖する（図7）．

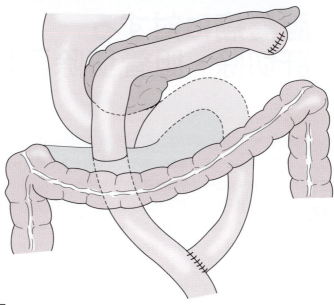

図7 再建図

　腹腔内を十分に洗浄，止血を確認後，右側腹部より膵-空腸吻合部前面に閉鎖式ドレーンを1本留置する．腹壁・皮膚を層々に縫合閉鎖する．

> **Dos & Don'ts**
> - 主膵管開放の際に主膵管を見失ったときは，膵の切開を左右に延長するのではなく，膵の長軸に対し直交するように膵実質を少し切開し，主膵管を探索する．
> - 膵尾側の変化が乏しければ，膵管切開は必ずしも膵尾側端まで行う必要はない．
> - 膵-空腸吻合前には，止血を十分確認し，吻合操作時には主要脈管の損傷に十分注意する．
> - 膵-空腸吻合の際，膵切離面に開口する分枝膵管のドレナージ不良とならないよう，膵切離縁に大きく針糸をかけすぎない．

文献

1) Frey CF, et al：Description and rationale of a new operation for chronic pancreatitis. Pancreas 2：701-707, 1987
2) Izbicki JR, et al：Extended drainage versus resection in surgery for chronic pancreatitis：a prospective randomized trial comparing the longitudinal pancreaticojejunostomy combined with local pancreatic head excision with the pylorus-preserving pancreatoduodenectomy. Ann Surg 228：771-779, 1998
3) Izbicki JR, et al：Duodenum-preserving resection of the head of the pancreas in chronic pancreatitis. A prospective, randomized trial. Ann Surg 221：350-358, 1995
4) 日本消化器病学会（編）：慢性膵炎診療ガイドライン2021（改訂第3版）．南江堂，pp 62-64, 2021
5) Matsumoto I, et al：Surgical treatment for chronic pancreatitis：A single-center retrospective study in Japan. J Hepatobiliary Pancreat Sci 27：632-639, 2020

〈松本逸平〉

9 胆嚢癌に対する肝切除・胆管切除再建

重要ポイント

- [ ] 肝門部の血管や胆管の走行には破格が多く認められるので，術前画像をもとに局所解剖を十分に把握してから手術に臨む．
- [ ] 膵上縁～肝十二指腸間膜のリンパ節郭清に際しては，残すべき脈管（肝動脈，門脈）の外膜を損傷することなく露出し，リンパ節およびリンパ管網を含む残りの組織をすべて en bloc に摘出する意識が重要である．
- [ ] No. 13a リンパ節郭清に際しては，膵実質表面を走る小血管や膵実質自体を損傷しないように丁寧に剝離を進める．
- [ ] 胆嚢床切除に際しては，術中超音波検査を用いて，肝切離マージンを癌浸潤先進部から 2 cm 確保できるように切離面を設定する．胆嚢板に近接しないように肝切離を進めて前区域グリソン鞘本幹に到達し，胆嚢板を前区域グリソン鞘枝への移行部で切離する．
- [ ] 肝 S4a の切除に際しては，原則，門脈臍部の右側で S4a のグリソン鞘枝を結紮切離し，その阻血領域を確認後に肝切離を実施する．また，肝 S5 の切除に際しては，肝 S4a の切離を先行して実施したのち，肝門部で前区域グリソン鞘枝を露出・同定し，そこより分岐する S5 のグリソン鞘枝を肝内で結紮切離してその阻血域を確認後に肝切離を実施する．

A はじめに

　胆嚢癌は生物学的悪性度が高く，肝臓や肝十二指腸間膜をはじめとする種々の隣接臓器・構造物に容易に浸潤をきたすことや，癌が胆嚢壁内にとどまる pT2 の段階より高率にリンパ節転移が認められることが知られている．多様な進展様式を呈する胆嚢癌に対して癌遺残のない外科切除（R0 切除）を安全に達成するためには，個々の症例の局所解剖と病巣の進展範囲を術前画像・術中所見から十分に把握して，適切な根治術式を選択・遂行することが大切である．
　本項では，肝胆膵高難度外科手術手技に取り上げられている進行胆嚢癌に対する胆管切除・再建を伴う肝 S4a＋S5 切除およびリンパ節郭清を伴う胆嚢床切除の手術手技の詳細を解説する．

B 適応

1954年にGlennとHaysが，担癌胆嚢を胆嚢床および肝十二指腸間膜リンパ節とともにen blocに摘出する根治的胆嚢摘出術(Glenn手術)を胆嚢癌に対する根治術式として提唱した[1]．切除可能な胆嚢癌の主たる進展様式である肝内進展とリンパ行性進展の両方に着目した術式であり，それ以降，本術式を基本としてさまざまな術式が提唱されて今日に至っている．

1 | 肝切除範囲

進行胆嚢癌に対しては，胆嚢の解剖学的局在から，適切な切離マージンを確保するためには肝切除を併施する必要がある．癌の局所進展度が漿膜下層にとどまるpT2胆嚢癌や肝への直接浸潤が比較的軽度なpT3胆嚢癌に対しては，グリソン鞘沿いの癌進展(肝内リンパ管浸潤が主体)を制御するための肝切離マージンの確保(癌進展部から2〜3cm)を目的とする胆嚢床切除と胆嚢静脈〜門脈を介して生じる肝内微小転移の制御を理論的背景とする肝S4a+S5切除が現在広く実施されている[2,3]．両者を比較して，肝S4a+S5切除の優越性を示す明確なエビデンスは現在までに示されておらず，R0切除が達成できれば肝切除術式は術後遠隔成績に影響を及ぼさないと考えられる[2,3]．肝右葉のグリソン鞘枝への癌進展や高度な肝浸潤を認める場合は，拡大肝右葉切除が必要となる．

2 | リンパ節郭清範囲

進行胆嚢癌の根治手術に際しては，pT2胆嚢癌の約半数(40〜50%)がリンパ節転移陽性である事実が示す通り，リンパ節郭清を重視する必要がある．至適なリンパ節郭清範囲に関しては，胆嚢からのリンパ流，転移頻度，郭清効果を勘案すると，肝十二指腸間膜内(No.12c, 12b, 12a, 12pリンパ節)，総肝動幹(No.8a, 8pリンパ節)，上膵頭後部(No.13aリンパ節)リンパ節が妥当である[4,5]．リンパ行性進展の主経路が，胆嚢管・胆管リンパ節〜膵頭部(上半分)背側・門脈背側・総肝動脈背側のリンパ節〜大動脈周囲リンパ節と生体の背側寄りに存在することは，リンパ節郭清を実施する際に留意すべき事実である[4,5]．

3 | 肝外胆管切除

肝外胆管に直接浸潤のない胆嚢癌に対する予防的肝外胆管切除は，原則，行う必要はないと考えられている．肝外胆管切除が適応となる状況としては，胆管に癌浸潤を認める場合のほか，肝十二指腸間膜内のリンパ節転移や間質への浸潤が疑われR0手術を遂行するために必要である場合と考えられる．

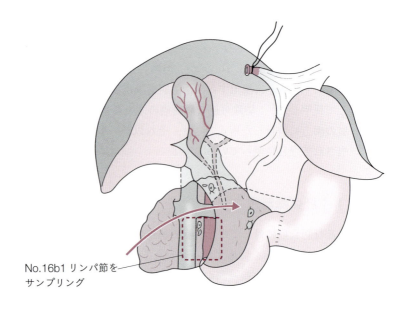

No.16b1 リンパ節を
サンプリング

図1　Kocher授動術
十二指腸下行脚外縁に沿って後腹膜を切開し，十二指腸および膵頭部を大動脈左縁が明らかになるまで十分に後腹膜から授動する．大動脈周囲リンパ節のサンプリングを行い，迅速病理診断に提出する．

C　胆管切除・再建を伴う肝S4a＋S5切除

1　開腹

　剣状突起下から臍上部までの上腹部正中切開に右肋弓下の横切開を加える逆L字型切開で開腹する．肝円索は臍近傍で切離し，肝側断端を牽引用に把持しておく．両側肋骨弓に牽引鉤をかけて，肋骨弓を頭側に挙上して術野を十分に確保する．

2　Kocher授動術およびステージング

　腹腔内を検索し，肝転移，腹膜播種の有無を最初に確認する．腹膜や肝内に転移を疑う小結節を認めた場合，これらを摘出して迅速病理診断に提出する．次に，十二指腸下行脚外縁に沿って後腹膜を切開し，Kocher授動術を大動脈左縁まで行うことで膵頭部を完全に後腹膜から遊離する（図1）．大動脈周囲および領域リンパ節転移の有無を確認する．大動脈周囲リンパ節のサンプリングを行い，迅速病理診断に提出する．これらの迅速病理診断で遠隔転移が確認された場合，原則，根治切除を中止する．ただし，遠隔転移が少数の大動脈周囲リンパ節のみの場合，患者の耐術能，手術侵襲度，予測される予後などを勘案したうえで，切除を実施する場合もある．領域リンパ節に転移が明らかな場合，症例に応じて，No.16a2，16b1リンパ節の郭清を追加する．原発巣を確認し，周囲臓器・構造物への進展の有無を視触診や術中超音波検査で確認する．手術記録には，術中ステージングの詳細を必ず記載する．

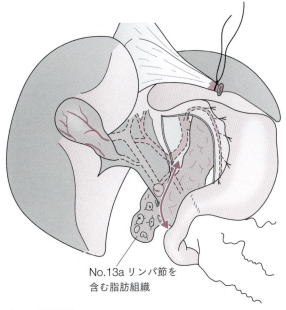

図2 No. 13a リンパ節郭清
膵頭部背面(上半分)よりリンパ節を含む脂肪組織を剥離する．十二指腸下行脚壁に流入する小血管〜十二指腸球部頭側縁の上十二指腸動静脈を結紮切離し，膵頭部頭側面を露出するように郭清を進める．

3 │ No. 13a，8 リンパ節郭清と十二指腸側胆管の切離

　膵頭部背面(上半分)よりリンパ節を含む脂肪組織を剥離して膵実質を露出していき，No. 13a リンパ節郭清を実施する(図2)．郭清範囲の膵頭部背側の十二指腸下行脚壁に流入する小血管〜十二指腸球部頭側縁の上十二指腸動静脈を結紮切離して十二指腸を押し下げ，膵頭部実質の頭側面を露出するように郭清を進める．膵実質自体やその表面を走行する動静脈枝を損傷しないように丁寧に剥離を進めることが肝要である．

　胃のアーケードを温存する部位で右胃動静脈を結紮切離し，続いて小網を切開する．膵上縁で No. 8a リンパ節および神経叢を郭清しつつ総肝動脈を露出してテーピングする(図3)．総肝動脈から腹腔動脈幹右側を露出し，前面から No. 8p，9(右側) リンパ節をこれらの脈管より剥離しておく．この過程で，左胃静脈は通常結紮切離する．総肝動脈から続けて固有肝動脈起始部，胃十二指腸動脈を露出してテープをかける．胃十二指腸動脈より分岐する後上膵十二指腸動脈(PSPDA)を同定する．

　No. 13a リンパ節郭清を過不足なく実施するために PSPDA は起始部と膵実質への流入部の2か所で結紮切離する(図3，両矢印)．この部位は術後出血の好発部位であり，本手技はその予防にも必要な手技と考えている．PSPDA は総胆管前面を横切っており，この高さより十二指腸側で総胆管を確保・テーピングし，これを切離する．PSPDA は総胆管に付着して分節状に切除される．十二指腸側胆管断端を迅速病理診断に提出し，悪性所見がないことを確認する．残存側胆管断端を連続縫合で閉鎖する．

　膵頭部上縁の郭清を進めつつ，胃十二指腸動脈および固有肝動脈の背側を走行する門脈を露出してテーピングする．後上膵十二指腸静脈を確認し，結紮切離する．門脈にかけたテープを牽引し，残っている No. 13a リンパ節を上腸間膜動脈起始部に向

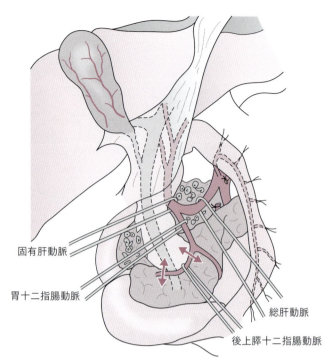

図3 No. 8aリンパ節の郭清と後上膵十二指腸動脈切離
膵上縁でNo. 8aリンパ節および神経叢を郭清しつつ総肝動脈を露出してテーピングする．総肝動脈から腹腔動脈幹右側を露出し，前面からNo. 8p，9(右側)リンパ節をこれらの脈管より剝離する．総肝動脈から続けて固有肝動脈起始部，胃十二指腸動脈を露出してテープをかける．胃十二指腸動脈より分岐する後上膵十二指腸動脈を同定する．No. 13aリンパ節郭清を過不足なく実施するために後上膵十二指腸動脈は起始部と膵実質への流入部の2か所で結紮切離する．

かって郭清する．続けて，門脈の背側で膵鉤部頭側面の膵実質を露出させながら郭清を進め，No. 12p，8p，9(右側)リンパ節の郭清ラインへとつなげる(図4)．これらのリンパ節とNo. 16リンパ節との間に介在するリンパ管などの組織を数回に分けて結紮切離し，郭清リンパ節を後腹膜より完全に遊離させる．

4 │ 肝十二指腸間膜内リンパ節(No. 12)の郭清

固有肝動脈，左肝動脈に沿って臓側腹膜を前面左側寄りで縦切開して肝十二指腸間膜を開く．これらの動脈にテープをかけ，No. 12aリンパ節を郭清する(図5)．固有肝動脈を露出する過程で，右胃動脈を起始部で結紮切離する(先ほど胃壁寄りで結紮切離しており二度切りとなる)．右肝動脈起始部を同定してテーピングする．また，中肝動脈(右・左肝動脈のいずれかより分岐)を同定しテーピングする．左・中肝動脈を肝実質への流入部まで露出・剝離し，これらの動脈周囲のリンパ節を郭清する．切離した総胆管断端を挙上して右肝動脈を肝側に向かって露出・剝離していくと，総肝管との交差部(通常は総肝管の後面)で頸の短い胆管動脈枝が分岐するので，これを起始部で結紮すると総肝管が右肝動脈から遊離される．右肝動脈を肝実質への流入部(右前・後区域動脈枝の分岐部を目安)まで露出し，その周囲のリンパ節を郭清する．この過程において，

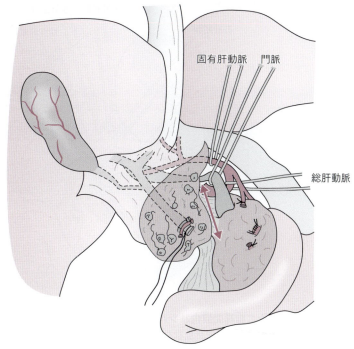

図4 No. 12p,8p,9（右側）リンパ節の郭清
門脈の背側で膵鈎部頭側面の膵実質を露出させながら郭清を進め，No. 13aリンパ節の郭清ラインをNo. 12p，8p，9（右側）リンパ節の郭清ラインへとつなげる．

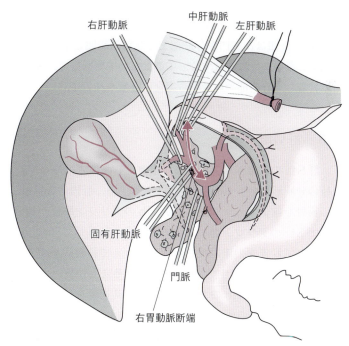

図5 肝十二指腸間膜内リンパ節の郭清（No. 12aリンパ節郭清）
固有肝動脈，左肝動脈に沿って臓側腹膜を前面左側寄りで縦切開して肝十二指腸間膜を開く．これらの動脈にテープをかけ，No. 12aリンパ節を郭清する．固有肝動脈を露出する過程で，右胃動脈を起始部で結紮切離する（胃壁寄りでも結紮切離しており二度切りとなる）．

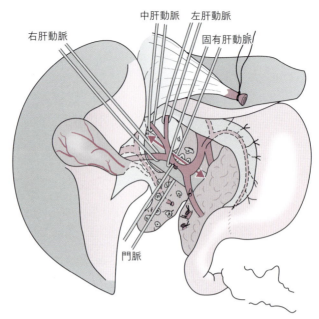

図6 肝十二指腸間膜内リンパ節の郭清（No. 12pリンパ節郭清）
肝十二指腸間膜内の脂肪組織を門脈前面左側寄りで頭側に向かって縦切開し，門脈を露出させつつ，No. 12pリンパ節を郭清する．

右肝動脈から分岐する胆囊動脈を起始部で結紮切離し，No. 12cリンパ節を郭清する．

次に，肝十二指腸間膜内の脂肪組織を門脈前面左側寄りで先ほどテーピングした部位より頭側に向かって縦切開し，門脈を露出させつつ，No. 12pリンパ節を郭清する（図6）．肝側は左右門脈分岐部までを郭清範囲とする．肝門部では，門脈尾状葉枝を損傷しないように注意する．ここまでの手術操作で，郭清リンパ節は総胆管〜総肝管に付着して肝門部の血管から完全に遊離される（図7）．

5 肝切離

肝S4aの切離から開始する．術前CT画像で把握しておいたS4aとS4bへの門脈枝の分岐形態を術中超音波検査で確認する．肝円索を牽引し，門脈臍部を垂直に立てて術野を確保する．S4aおよびS4bのグリソン鞘枝が別分岐の場合，門脈臍部の右側でS4aのグリソン鞘枝を肝外で同定・剝離してテーピングし，これをテストクランプして肝表面の阻血域を確認したうえで結紮切離する．通常，細いものを含めて3〜4本のS4aのグリソン鞘枝を処理することが多い．

一方，S4aとS4bのグリソン鞘枝が共通幹を作って分岐している場合は，肝外での処理にこだわらずに門脈臍部の右側に沿って肝切離を先行し，切離面に現れるグリソン鞘枝のうち尾側方向へ分岐するグリソン鞘枝のみを結紮切離する．その際にも切離前にテストクランプして肝表面の阻血域を確認することが望ましい．

阻血域に沿って肝表に電気メスでマーキングし，S4a領域の肝切離を進めていく（図8）．肝切離は，門脈本幹と固有肝動脈をクランプして肝流入血を遮断して行う．

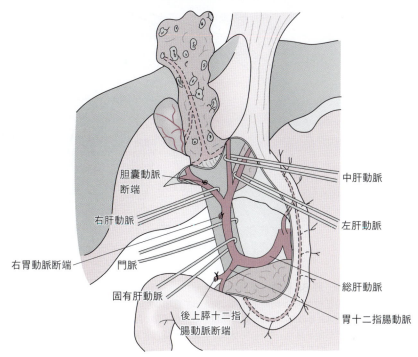

図 7　領域リンパ節郭清の終了図
ここまでの手術操作で，郭清されたリンパ節は総胆管〜総肝管に付着して肝門部の血管から完全に遊離される．

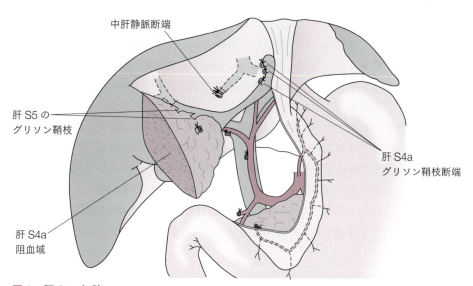

図 8　肝 S4a 切除
門脈臍部の右側で S4a のグリソン鞘枝を同定し，結紮切離する．外側区域との間の肝切離から始め，次いで S4b との境界の肝切離を行う．Rex-Cantlie 線付近で中肝静脈を切離面に露出し，これを結紮切離する．肝下面に術野を移し，肝門板の高さで右方向に S4a 領域と尾状葉との間の肝切離を行う．S4a 領域を右方向にめくるように肝切離を進めると，切離面に右前区域グリソン鞘枝が露出される．

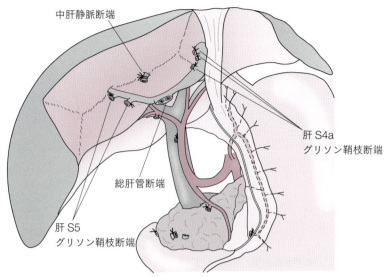

図9　肝S5切除～総肝管切離
右前区域グリソン鞘枝を肝内に向かって露出していくと，尾側・腹側方向に分岐するS5のグリソン鞘枝が露出されるので，これを結紮切離する．肝S5の阻血域が明らかになるので，S5とS8およびS6との間の肝切離を進め，さらに尾状葉との間の肝切離を実施する．最後に，左右肝管合流部直下で総肝管を切離し，標本をen blocに摘出する．

外側区域との間の肝切離から始め，次いでS4bとの境界の肝切離を行う．Cantlie線付近で中肝静脈を切離面に露出し，これを結紮切離する（図8）．肝下面に術野を移し，肝門板の高さで右方向にS4a領域と尾状葉との間の肝切離を行う．この際には，左肝管の損傷に注意を要する．そのままS4a領域を右方向にめくるように肝切離を進めると，切離面に右前区域グリソン鞘枝が露出される（図8）．胆嚢板を右前区域グリソン鞘枝への移行部で結紮切離する．右前区域グリソン鞘枝を肝内に向かって露出していくと，尾側・腹側方向に分岐するS5のグリソン鞘枝が露出される．これをテストクランプして阻血域を確認したあとに結紮切離する．S5のグリソン鞘枝も数本みられることが多い．

　これで肝S5の阻血域が明らかになるので，切離予定線を肝表に電気メスでマーキングする．S5とS8およびS6との間の肝切離を進め，さらに尾状葉との間の肝切離を終えると，標本は肝門部の胆管でのみつながっている状態となる．最後に，左右肝管合流部直下にブルドッグ鉗子をかけ，総肝管を切離し，標本をen blocに摘出して切除を終了とする（図9）．肝側胆管断端を迅速病理診断に提出し，悪性所見のないことを確認する．断端陽性の場合は，可能な範囲で追加切除を試みる．

6　胆道再建

　Roux-en-Y法で空腸脚を後結腸経路で挙上して胆道再建を行う．Treitz靱帯から20 cm程度離れた部位で，肝門部まで十分に挙上できることを確認後，自動縫合器を用いて空腸を切離する．挙上空腸の切離断端は，漿膜筋層縫合で埋没する．横行結腸間膜の無血管野を切開し，そこを通して切離した空腸の肛門側を肝門部まで挙上す

る．腸間膜が捻じれないように注意する．挙上空腸の側壁に吻合する胆管の口径よりやや小さめに切開を加える．5-0 吸収糸を用いた全層 1 層の連続縫合で，肝管-空腸吻合を端側吻合で実施する．肝管-空腸吻合部から約 40 cm 肛門側で端側の空腸-空腸吻合を Albert-Lembert 縫合または層々縫合で実施する．挙上した空腸脚を横行結腸間膜と 3～4 針固定する．その際には，肝管-空腸吻合部に緊張がかからないように配慮する．小腸間膜の間隙を閉鎖する．

7 | ドレーン留置・閉腹

　腹腔内を生理食塩水で洗浄し，止血を確認する．肝管-空腸吻合部と肝切離面とにガーゼを約 5 分留置して，胆汁漏のないことを確認する．通常，肝切離面から肝管-空腸吻合部前面にかけてと Winslow 孔とに閉鎖式ドレーンを計 2 本挿入している．腹壁は，L 字型切開創の横切開創は 3 層，正中切開創は 2 層に閉鎖し，手術を終了する．

D リンパ節郭清を伴う胆嚢床切除

1 | リンパ節郭清

　胆管切除・再建を伴う場合は，肝切離の前までのリンパ節郭清を中心とした手術手技は前項（胆管切除・再建を伴う肝 S4a＋S5 切除）と同じである．一方，胆管を温存してリンパ節郭清をする場合は，術後の胆管虚血に起因する胆道狭窄の予防を意識する必要がある．胆管は主として右肝動脈と PSPDA から動脈血の供給を受けているので，胆管を温存する場合は，通常温存する右肝動脈に加えて，PSPDA を温存する．また，胆管周囲のリンパ節郭清をする際には，右肝動脈および PSPDA から分岐するいわゆる 3 o'clock artery・9 o'clock artery および胆管の血管網を温存する層で剝離を進める．すなわち，肝外胆管の周囲にわずかに結合組織を残すこと，肝外胆管と右肝動脈および PSPDA とを剝離しないことで，胆管虚血を予防できる（図10）．

2 | 肝切離

　胆嚢床切除における肝切離予定線は，術中超音波検査を用いて，癌浸潤先進部から 2 cm の肝切離マージンを確保できるように設定し，これを肝表に電気メスでマーキングする．中肝静脈とそれに合流する分枝の走行も術中超音波検査で確認しておく．固有肝動脈，門脈にブルドッグ鉗子をかけて肝流入血を遮断し，肝切離を行う．胆嚢板に近づかないように肝切離を進めて前区域グリソン鞘枝本幹に到達する．胆嚢板を前区域グリソン鞘枝への移行部で切離する（図10）．

　胆管切除・再建を伴う場合は，この後，左右肝管合流部直下でブルドッグ鉗子をかけて総肝管を切離して標本を en bloc に摘出し，次いで胆道再建を行う．胆管を温存する場合は，胆嚢板が切離された時点で，標本が en bloc に摘出される．いずれの場合も，肝切離面と Winslow 孔とに閉鎖式ドレーンを計 2 本挿入し，閉腹して手術を終了する．

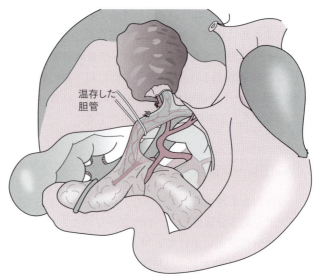

図10 胆嚢床切除（胆管温存）

胆管を温存して胆管周囲のリンパ節郭清をする際には，右肝動脈および後上膵十二指腸動脈から分岐するいわゆる3 o'clock artery・9 o'clock artery および胆管の血管網を温存する層で剥離を進める．胆嚢床切除の際の肝離離予定線は，術中超音波検査を用いて，癌浸潤先進部から2 cm の肝切離マージンを確保できるように設定する．胆嚢板に近づかないように肝切離を進めて前区域グリソン鞘枝本幹に到達する．胆嚢板を前区域グリソン鞘枝への移行部で切離し，標本を en bloc に摘出する．

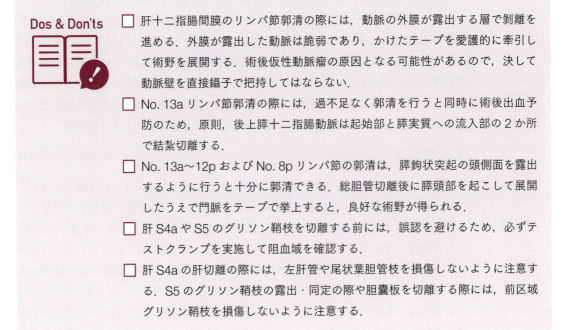

Dos & Don'ts

- 肝十二指腸間膜のリンパ節郭清の際には，動脈の外膜が露出する層で剥離を進める．外膜が露出した動脈は脆弱であり，かけたテープを愛護的に牽引して術野を展開する．術後仮性動脈瘤の原因となる可能性があるので，決して動脈壁を直接鑷子で把持してはならない．
- No. 13a リンパ節郭清の際には，過不足なく郭清を行うと同時に術後出血予防のため，原則，後上膵十二指腸動脈は起始部と膵実質への流入部の2か所で結紮切離する．
- No. 13a〜12p および No. 8p リンパ節の郭清は，膵鉤状突起の頭側面を露出するように行うと十分に郭清できる．総胆管切離後に膵頭部を起こして展開したうえで門脈をテープで挙上すると，良好な術野が得られる．
- 肝 S4a や S5 のグリソン鞘枝を切離する前には，誤認を避けるため，必ずテストクランプを実施して阻血域を確認する．
- 肝 S4a の肝切離の際には，左肝管や尾状葉胆管枝を損傷しないように注意する．S5 のグリソン鞘枝の露出・同定の際や胆嚢板を切離する際には，前区域グリソン鞘枝を損傷しないように注意する．

文献

1) Glenn F, et al：The scope of radical surgery in the treatment of malignant tumors of the extrahepatic biliary tract. Surg Gynecol Obstet 99：529-541, 1954
2) Wakai T, et al：Mode of hepatic spread from gallbladder carcinoma：an immunohistochemical analysis of 42 hepatectomized specimens. Am J Surg Pathol 34：65-74, 2010
3) Horiguchi A, et al：Gallbladder bed resection or hepatectomy of segments 4a and 5 for pT2 gallbladder carcinoma：analysis of Japanese registration cases by the study group for biliary surgery of the Japanese Society of Hepato-Biliary-Pancreatic Surgery. J Hepatobiliary Pancreat Sci 20：518-524, 2013
4) Shirai Y, et al：Radical lymph node dissection for gallbladder cancer：indications and limitations. Surg Oncol Clin N Am 16：221-232, 2007
5) Sakata J, et al：Relevance of dissection of the posterior superior pancreaticoduodenal lymph nodes in gallbladder carcinoma. Ann Surg Oncol 24：2474-2481, 2017

〔坂田　純，若井俊文〕

10 生体肝移植

1）ドナー肝切除

> **重要ポイント**
> - 生体肝移植はドナーの安全性が第1に優先されるため，出血量の軽減，肝臓の愛護的操作などの合併症予防が重要である．
> - ドナー残肝の胆管に狭窄や損傷をきたさないように，胆管切離の際には術中胆道造影を行い，切離ラインを正確に確認すること．
> - 左・中肝静脈共通幹や右肝静脈を確保する際に，各静脈の背側を損傷しないように細心の注意をはらう．
> - 残肝側はドナーに，切離側はレシピエントに必要な肝臓となるため，肝門部剝離時の肝動脈，門脈，胆管を愛護的に操作する．

A はじめに

　本項では，生体肝移植におけるドナー肝切除の手術手技の手順やコツを述べる．手術は，左肝切除（H234-MHV）[1]，右肝切除（H5678）[1]に関して述べる．なお，当科では2012年より肝臓の授動のみ腹腔鏡下で行っている[2]．肋弓下切開を避けることにより，腹直筋や肋間神経を切離せず，比較的小さな上腹部正中切開のみで手術を行い，生体ドナーに対して少しでも手術侵襲を軽減することを目的としている．

B 皮膚切開・開腹，ポート挿入

　剣状突起の約2cm尾側から8cmの上腹部正中切開を置き開腹する（図1）．開腹し，肝円索を結紮切離したあと，肝鎌状間膜を切離する．切離を進めて左右冠状靱帯を切離し，右肝静脈を露出・確認し右肝静脈根部右縁を確認しておく．ここまで開腹操作で剝離しておくにより腹腔鏡操作の際の目安となり，右肝静脈や下大静脈の損傷を防止することができる．
　開腹創から確認しながら臍部に5mmのカメラポートを挿入し，正中切開創にGelPort®を装着し，気腹を開始する．気腹圧は8〜12mmHgで気腹し，右側腹部に5mmの鉗子用ポートを挿入する．

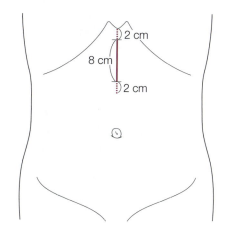

図1 皮膚切開
8 cm の上腹部正中切開，腹腔鏡操作後に 12 cm まで延長する．

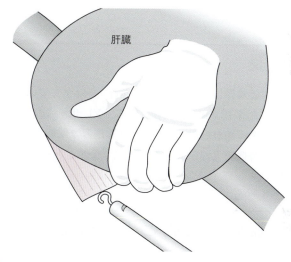

図2 肝右葉授動
腹腔鏡操作，助手の左手で肝臓を牽引する．

C 腹腔鏡補助下での肝右葉授動

　患者の体位を頭高位にして腸管を下腹部へ移動させ，第1助手がGelPort®から左手を腹腔内へ挿入し肝臓を授動する（図2）．右三角間膜，肝腎靱帯，右冠状靱帯の順に切離し，先ほどの右肝静脈根部の剝離部分まで切開をつなげる．さらに右副腎や下大静脈右壁が露出できるところまで剝離を行う．ここまでの剝離操作を行っておけば正中切開より下大静脈周囲を直視下に観察・操作することができる．これで肝切離ライン（Rex-Cantlie線）が正中創の真下に肝臓を脱転できるようになる．左肝切除，右肝切除でもここまでの剝離は最低限必要である．

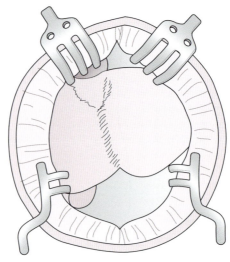

図3 創の延長
肝静脈流入部が直視下にくるように創を広げる．

D 創の延長

　腹腔鏡操作を終了し，GelPort® をはずして頭側に2 cm，尾側に2 cmの創を延長し，合計12 cmの切開創とする．XLサイズのwound retractorを装着し，Kent鉤で創を両側から牽引し，尾側は開創器で創を左右に広げる．この広げた創で下大静脈や肝静脈流入部が直視下に確認できることが，安全に手術するうえで重要である（図3）．

E 肝臓の脱転・授動と下大静脈周囲の剝離

　ここでは，それぞれ右肝切除と左肝切除に分けて，肝臓の授動・脱転と下大静脈周囲の剝離や右肝静脈や左・中肝静脈共通幹の確保に関して述べる．授動・脱転の際には，被膜下血腫を作らないように愛護的に肝臓を扱う必要がある．

1 右肝切除を行う場合

　まず肝臓をガーゼで被覆，脱転し，下大静脈周囲から遊離していく．肝部下大静脈，尾状葉の尾側より肝臓と下大静脈との間の剝離を開始する．尾側から頭側へ下大静脈の前面を剝離し，肝臓を脱転していくと剝離していた右副腎が肝臓下面に付着しているのを確認できる．右副腎の肝臓への癒着程度は個体差が大きく，電気メスのみで剝離可能な場合もあるが，副腎静脈が短肝静脈や下大静脈へ合流している場合もあり，認識せずに損傷や切離した場合には大出血につながるため，細心の注意を払う．

　右副腎の剝離が困難な場合は，まず副腎の周囲の剝離容易な部分から剝離し，下大

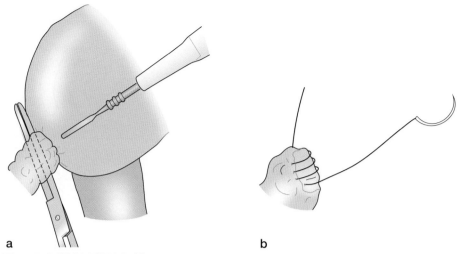

図4 下大静脈と副腎を切離
下大静脈と副腎の間に鉗子を通して切離し(**a**), 出血があれば, 4-0非吸収性モノフィラメント糸の大きな針で止血する(**b**).

静脈と副腎との間にスペースを確保しテーピングをかけ, 結紮してから副腎を切離する. 切離した副腎断端から出血している場合は, 4-0非吸収性モノフィラメント糸の大きな針を用いて副腎実質を大きく連続縫合して止血を行う(図4).

次に肝臓と下大静脈周囲の間の剝離を進める. 短肝静脈を結紮切離し, 太い下右肝静脈は5-0非吸収性モノフィラメント糸で連続縫合する. レシピエントで吻合する予定の太い下右肝静脈は, グラフト肝のうっ血予防のために切離せずに温存しておき, グラフト摘出の際に切離を行う. 下大静脈周囲の剝離は, 腹側を12時とした場合, 1〜2時の位置まで剝離しておくことで, 短肝静脈の損傷を予防することができる. 副損傷を避けるコツとして, 下大静脈の壁を露出する層を意識するとよい.

下大静脈を頭側に剝離していくと, 下大静脈靱帯が残ってくる. 下大静脈靱帯は, 右肝静脈の尾側で終わっており, この間には疎な結合組織がある. ここに向かって下大静脈靱帯の尾側から挿入した鉗子の先端で鈍的に剝離を進める. この操作では, 鉗子で下大静脈を背側へ圧排しながら確実に落としながら進んでいく. この部分では靱帯の背側がブラインド操作を行うことになるが, 靱帯の左約1cm程度には危険な短肝静脈は少なく, 丁寧に剝離操作を行う. 下大静脈靱帯を確保できれば, 肝臓側, 下大静脈側の両側ともに鉗子をかけ切離し, 5-0非吸収性モノフィラメント糸で連続縫合する(図5).

下大静脈靱帯を切離すると視野が展開し, 右肝静脈を尾側から確認することができる. 肝頭側から右肝静脈左縁の右・中肝静脈の間を剝離し, ブラインド操作とならないようにしておく. その後, 下方から鉗子で右肝静脈を確保・テーピングし, 肝臓の脱転, 右肝静脈の剝離を終了する.

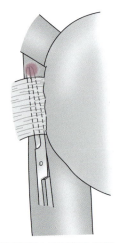

図5　下大静脈靱帯の頭側縁を剝離
右肝静脈尾側，下大静脈腹側の疎な部分へ鉗子を通す．

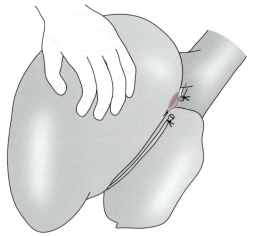

図6　アランチウス管を左肝静脈根部で切離
下大静脈と共通幹の間の疎な部分を剝離する．

2　左肝切除を行う場合

　肝表面をガーゼで被覆し，尾側へ牽引しながら下大静脈前面の剝離を進める．冠状靱帯の剝離を進め，右肝静脈と中肝静脈根部の間を確認し，下大静脈前面をしっかり剝離する．術者の指が入るくらいまで剝離をしておくことが望ましい．この操作をすることにより左・中肝静脈共通幹のテーピングがしやすくなる．

　外側区域の背側，胃・脾臓の前面にガーゼを挿入し，胃・脾臓を損傷することなく左三角間膜と左冠状靱帯を剝離することが可能となる．左肝静脈の左縁を露出し，左肝静脈の頸をレシピエントの吻合のために長くし，必要があれば左横隔静脈の結紮切離を行う．

　次に肝外側区域を右側に愛護的に脱転して小網を切離し，左肝静脈左縁まで切開をつなげる．途中，左胃動脈から分岐する左肝動脈の破格や副左肝動脈がある場合は，吻合可能な中枢側まで剝離し温存しておく．

　外側区域背側で尾状葉腹側を走行するアランチウス管を肝静脈付着部付近傍で剝離して結紮切離する（図6）．アランチウス管断端を頭側に牽引して，Spiegel葉の頭側の漿膜を剝離すると，左肝静脈の尾側縁と下大静脈左壁が確認できる．この際，Spiegel葉頭側から下大静脈へ尾状葉枝が流入していることがあり，その場合は結紮切離する．Spiegel葉を尾側へしっかり牽引すると，左・中肝静脈共通幹と下大静脈の間を確認することができる．この部分は疎な結合組織となっており，肝静脈の背側の壁を意識しながら，鉗子の向きが直角に入るように剝離を行う（図7）．この際に肝静脈共通幹右縁に向かって，斜め右上方向へ鉗子を挿入すると共通幹背側を損傷することがあり，下大静脈に対して直角方向へ剝離することが重要である．剝離を進めると抵抗がなくなる部分があり，右肝静脈と中肝静脈の間隙に挿入した術者の左中指（あるいは示指）に向かって方向を変えると鉗子を通すことができ，左・中肝静脈共通幹を確保しテーピングをしておく．

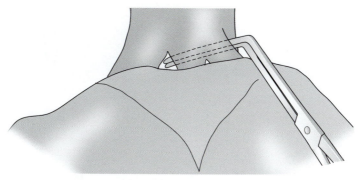

図7 左・中肝静脈共通幹の確保
左・中肝静脈共通幹にテーピングする．

F 肝門部操作

　肝右葉を脱転した部位にガーゼを入れ，肝門部，肝切離ライン（Rex-Cantlie線）が正中創直下にくるようにしておくと，その後の操作は容易となる．まず胆嚢摘出を行い胆嚢管より造影用のチューブを留置しておく．

　ドナー肝切除における肝門部操作では，切除側の肝十二指腸間膜を剝離し，肝動脈・門脈・胆管をばらして個別処理を行う方法と，切除側のグリソン鞘を一括確保し肝切離先行し，最後に肝十二指腸間膜を処理する方法がある．現在，われわれはグリソン鞘を一括確保する方法に移行しているが，肝胆膵高度技能専門医としては，個別処理，グリソン鞘一括確保の両方ができることが望ましい．グリソン鞘一括確保を先行する利点として，手術時間の短縮，胆管や動脈の破格に対応可能なこと[3]，またグラフトとしてレシピエント側での胆管周囲の血流温存ができることと考えている．ここでは肝ドナーにおいてのグリソン鞘一括確保に関して説明する．

　まず肝十二指腸間膜を尾側へ牽引，肝を頭側へ牽引し，肝門部を広げるように視野展開を行う．右グリソン鞘（前区域グリソン鞘）と左グリソン鞘を確認し，その間の肝付着部の肝十二指腸間膜を切開し，グリソン鞘を確認する．肝実質との境界部分で肝実質からグリソン鞘に剪刀などを用いて鈍的に剝離する．肝実質側の被膜とグリソン鞘を意識しながら丁寧に剝離する．ドナー肝は正常肝であり，比較的容易に被膜を確認，剝離することができる．小さな脈管が肝実質へ流入していることもあり，その場合は4-0絹糸で結紮切離する．グリソン鞘の後面まで十分に剝離を行い，鉗子を入れて広げておく．次に，後面から鉗子を抜く部分を確認する．後面の出口の間膜を切開し，肝実質とグリソン鞘の間を剝離したあと，前面より鉗子を入れてグリソン鞘を確保する．この際に決して無理をせず，一部肝実質内へ鉗子が入ってもグリソン鞘や尾状葉枝を損傷しないように大回りで確保することが重要である．

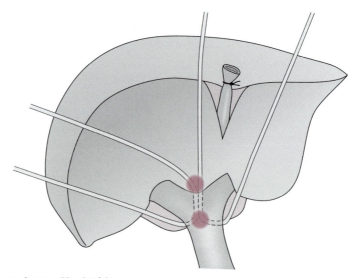

図8 左右のグリソン鞘一括確保
右グリソン鞘,左グリソン鞘の入口,出口はほぼ同じ部位に通す.

　ドナー右肝切除,左肝切除いずれでも鉗子を抜く部分は一緒である.一般的な肝切除と違い,ドナー肝切除では,レシピエントでの吻合が必要であり,左右の胆管や門脈を可能な限り長く摘出する必要がある.そのため,右グリソン鞘から尾状葉突起への分枝,左グリソン鞘からSpiegel葉枝の間で鉗子を抜くことになる(図8).一括確保したグリソン鞘にテーピングをかけておく.

G 肝実質切離

　切離側のグリソン鞘を確保しており,流入血を一時的に血流遮断を行い,肝表面に描出されるdemarcation lineに沿って,電気メスで切離予定線をマーキングする.肝切離前に1回目の術中胆道造影を行い,肝門部の切離ラインで,胆管の左右合流部付近であることを確認しておく.また,術中超音波にて,中肝静脈とV5・V8枝の関係を確認しておく.肝切離の途中でV5・V8枝を処理する必要があり,肝切離面のどの辺りに出てくるかの目安をつけておく.また左肝切除では,中肝静脈をグラフト側に付ける必要があり,一般的な拡大左葉切除に相当する.

　肝切離線の尾側縁の左右に支持糸をかけ,この間の肝臓を楔状に切除してゼロバイオプシー(グラフトのレシピエント移植前の状態のこと)として病理検体として提出する.肝切離を開始し,頭側,肝門部側へ切離していく.当科では,肝切離の際には,CUSA®と水流滴下式バイポーラを用いて肝門部での血流遮断を行わずに肝切離を行ってきた.最近では,CUSA®の代わりにウォータージェットメス(ERBE JET® 2)を用いて肝切離を行っている.ウォータージェットメスでの利点は,血管損傷や胆管損傷を回避できることと考えている.ドナー肝切離において出血量の減少と合併症の軽減に役立つとの報告もある[4].ここで右肝切除と左肝切除に分けて肝切離を紹介する.

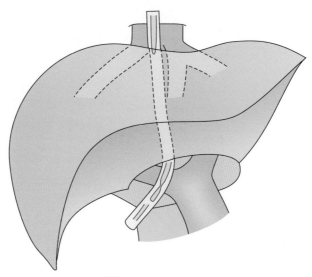

図9 右肝の hanging maneuver 操作
肝下部下大静脈から右・中肝静脈の間隙に向けて鉗子を通し，下大静脈前面にペンローズドレーンを留置し，右グリソン鞘に通し直す．

1 | 右肝切除を行う場合

　肝切離前に，前述で確保した右肝静脈と中肝静脈の間から下大静脈前面を通り，右グリソン鞘の肝臓側へペンローズドレーンを通してhanging maneuverを行う（図9）．通した牽引テープが特に深部の肝実質切離のガイドとなるため，切離ラインに迷うことなく安全に手術が可能となる．

　肝切離線にかけた支持糸を左右に牽引し，下大静脈前面の尾状葉を切離しその部分にペンローズドレーンをかけ，頭尾側へ牽引しhanging maneuverを行い，肝切離を開始する．肝切離を開始すると中肝静脈の末梢枝を確認することができる．通常V5の末梢であり，この血管を切離し中肝静脈の中枢側を確認することにより中肝静脈を温存するラインで肝切離を行うことができる．しかし，どの末梢枝か不確かな場合はその静脈を温存しながら，術中超音波で随時確認しながら肝切離を行っていく．中肝静脈沿って，hanging maneuverをしながらペンローズドレーンに向かって肝切離を進める．V5/V8枝をレシピエントで吻合する場合は，中肝静脈の分岐付近で切離し，吻合する縫い代を残し，リガクリップ®などで外せるように止血しておく．肝切離の際には，グラフト側，残肝側に適度に牽引をしながら左右に肝臓を開き，頭尾側はhanging maneuverで牽引しながら肝切離を行うことがコツで，ある適度のテンションがかかっていれば，自然とウォータージェットメスで肝臓が割れ，索状脈管のみ残っていく．そして，肝切離を終了すると，右肝静脈（あれば下右肝静脈），右グリソン鞘のみでつながったグラフトとなる．

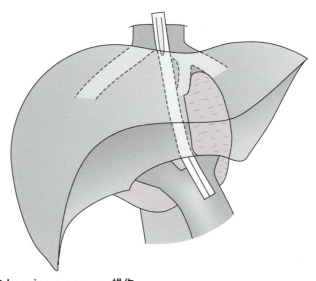

図 10 左肝の hanging maneuver 操作
右・中肝静脈の間を通り，尾状葉前面にペンローズドレーンを留置し，左グリソン鞘に通し直す．

2 | 左肝切除を行う場合

　肝切離前に，前述で確保した左・中肝静脈共通幹と右肝静脈との間から Spiegel 葉前面，尾状葉と外側区域の付着部を通り，左グリソン鞘の肝臓側へペンローズドレーンを通して hanging maneuver を行う（図 10）．肝切離は右肝切除と同様に，demarcation line に沿いながら肝切離線にかけた支持糸を左右に牽引し，肝切離を開始する．肝切離を開始し始めたところに出てくる大きな脈管として中肝静脈の末梢枝を確認することができる．左肝切除ではグラフトに中肝静脈を含むラインで切除を行う．中肝静脈の V5，あるいは V4 の枝を確認し，hanging maneuver をしながらペンローズドレーンに向かって肝切離を進める．左肝切除では，中肝静脈の末梢枝と右グリソン鞘が非常に近く，右グリソン鞘へぶつからないように，中肝静脈本幹が出たらすぐに肝の左側，ペンローズドレーンへ向かって切除していく必要がある．右グリソン鞘に当たり熱凝固などで術後胆汁瘻のリスクも高くなり，右グリソン鞘を見ないラインに入っていくことがコツである．そのために hanging maneuver をしながらペンローズドレーンを意識しながら肝切離を進める．
　右グリソン鞘をすぎると，残る太い脈管は V5/V8 の中肝静脈の枝のみであり，太い静脈は両側をクランプし 6-0 非吸収性モノフィラメント糸などで縫合閉鎖をする．太い脈管を結紮すると，あとで結紮糸が抜けたりして胆汁瘻や出血のリスクとなるため，縫合閉鎖や刺通結紮をするほうがよい．
　さらに肝切離を進めると，最後に尾状葉と外側区域の境に入り，アランチウス管を再度末梢側で切除することになる．また，先述したグリソン鞘一括確保で述べたSpiegel 葉への尾状葉枝など，数本の尾状葉へ合流する脈管がペンローズドレーンの上に残ってくる．この尾状葉枝は術後胆汁瘻の最も大きな原因となりうるため，直視

下に腹側から縫合閉鎖や刺通結紮で確実に閉鎖する．尾状葉枝を切除すると肝切離は終了となり，左・中肝静脈共通幹，左グリソン鞘のみでつながったグラフトとなる．

H グリソン鞘の剝離

　肝切離後グリソン鞘の個別処理を行い，各脈管を確保する．肝切離を先行する理由を前述したが，手術時間の短縮，脈管の破格にかかわらず安全な肝切除が可能[3]，グラフト胆管の血流温存などのほかに，肝切離後にはグリソン鞘のみ残り，肝切離で大きく開いたグリソン鞘を視認でき，操作が容易になることも利点である．特に脈管の破格のある場合などは，安全に個別処理を行うことができる．

1 右肝切除を行う場合

　脈管の個別処理をする場合，右肝動脈が早期分岐したり，総胆管背側に前区域枝が隠れている可能性もあり，特に動脈周囲に関しては慎重な操作が望まれる．胆囊管を腹側に牽引しながらCalot三角部の疎な結合組織を剝離すると，総胆管の背側に右肝動脈を同定することができる．右肝動脈の1次分枝を肝側，中枢側に剝離を行う．2次分枝が肝外で分枝している場合は，損傷を予防するため1次分枝までに剝離をとどめておく．しかし，2次分枝がかなり早期に分枝していることがあり，その場合は右肝管の背側に前区域枝が存在し，右肝管切離時に損傷することがあるため，右肝動脈は右肝管からしっかりと剝離しておく．また，右肝動脈の切離範囲はレシピエント手術での吻合には長いほうが望ましいが，総胆管背側から完全に剝離すると総胆管の血流が乏しく狭窄を起こす懸念もあり，総胆管左側までにとどめておく．また肝動脈にテーピングし強く牽引すると内膜剝離を起こすためテーピングを行わない．

　右肝動脈を頭側に愛護的に牽引し，門脈右枝を同定する．門脈壁を鉗子でしっかり把持，外側へ牽引しながら門脈右枝の1次分枝を確認し周囲を剝離する．門脈周囲は疎な結合組織で覆われており容易に剝離可能である．尾状葉突起へ向かう枝は温存し，切離ラインにかかるような小さな尾状葉枝は結紮切離しておく．

　右肝動脈，門脈右枝を剝離し右グリソン鞘を一括確保しているテーピングを引き算し，右肝門板のみをテーピングする．これで右肝門板と右肝管のみを確保することができる（図11）．右肝門板より右肝動脈，門脈右枝が十分に剝離できたあと，肝門板の予定切離ラインを決定し，その部分に目印となる杉田クリップをかけ，2回目の胆道造影を行う．胆道造影で左右分岐部より距離があり，閉鎖縫合する距離も考慮に入れ，肝門板の切離を行う．切離は剪刀で切断し，切断面からの出血には6-0非吸収性モノフィラメント糸で縫合止血する．この際に止血操作で電気メスを用いて凝固すると熱損傷や血流障害をきたすおそれもあり，胆汁瘻や胆管狭窄のリスクもあり，縫合止血が望ましい．止血を終えたあと，右肝管断端は6-0吸収性モノフィラメント糸にて連続縫合で閉鎖する．これで，グラフトは右肝動脈，門脈右枝，右肝静脈でつながった状態のみとなる．

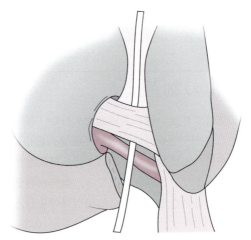

図11　右グリソン鞘での脈管の個別処理

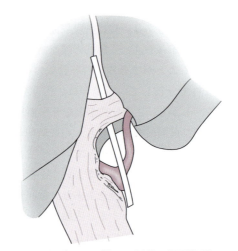

図12　左グリソン鞘での脈管の個別処理

2 ｜ 左肝切除を行う場合

　肝十二指腸間膜を広げるようにしっかりと尾側へ牽引し，間膜内に左肝動脈を触診で確認し，剝離を進める．左肝動脈を同定し中枢側へ剝離を進め，固有肝動脈と右肝動脈の分岐部まで剝離を行う．中肝動脈がある症例では，中肝動脈も右肝動脈との分岐部まで剝離しておく．また，時に右胃動脈が左肝動脈から分岐している場合は，右胃動脈は結紮切離しておく．左肝動脈の右側を肝側へ剝離を行っていくと，背側に門脈左枝水平部が確認できる．門脈左枝周囲を剝離し中枢側は門脈本幹の左壁を確認するまで剝離を行う．門脈壁を鉗子でしっかり把持，尾側へ牽引しながら門脈左枝頭側を剝離しテーピングを行う．そして左グリソン鞘を一括確保しているテーピングを引き算し，左肝門板のみをテーピングする．これで左肝門板と左肝管のみを確保することができる（図12）．

十分に剥離できたあと，肝門板の予定切離ラインを決定し，右肝切除と同様に行う．左肝切除では特に後区域枝が左肝管へ流入する場合には損傷に注意が必要である．右肝切除と同様に切離は剪刀で切断し，切断面からの出血には 6-0 非吸収性モノフィラメント糸で縫合止血する．左肝管断端は 6-0 吸収性モノフィラメント糸にて連続縫合で閉鎖する．これで，グラフトは左(＋中)肝動脈，門脈左枝，中左肝静脈でつながった状態のみとなる．

I グラフト肝摘出，閉腹

　グラフトが動脈，門脈，静脈のみでつながった状態としたあと，グラフト内の血栓予防のため麻酔科医にヘパリン 1,000 単位(1 mL)を静注してもらう．1 分以上経過したあと，それぞれの肝動脈はドナー側を 3-0 絹糸で二重結紮し，グラフト側は杉田クリップをかけ，ポッツ剪刀にて切離する．

　次にそれぞれの門脈の根部付近で縫合閉鎖できる距離をとってベビーポッツ鉗子をかけ，グラフト側にはブルドッグ鉗子をかけて切離する．この際，門脈縫合閉鎖後に狭窄をきたさないようにベビーポッツ鉗子の向きは門脈本幹に対して短軸方向にかけている．

　最後に肝静脈の切離を行う．右肝静脈は，下大静脈側にアダルトポッツ鉗子をかけ，グラフト側にはベビーポッツ鉗子あるいはスプーン鉗子をかけ，その間を切離する．左・中肝静脈共通幹は，下大静脈側にはスプーン鉗子をかけ，グラフト側にはベビーポッツ鉗子をかけ，その間を切離する．しかし，肝静脈の切離部分は本手術の中でも最深部での操作となり，鉗子がはずれる危険があるため注意を要する．肝静脈部分が深く操作が困難な場合は，カッター機能のない自動縫合器で切離するか，鉗子をかけたあと，切離側の下大静脈側に 5-0 非吸収性モノフィラメント糸をかけて把持しておく．万が一鉗子がはずれた場合を想定している．グラフト摘出後，肝静脈切離部は 5-0 非吸収性モノフィラメント糸を両端にかけて連続縫合閉鎖する．次に，門脈切離部を 6-0 非吸収性モノフィラメント糸で縫合閉鎖する．

　グラフト摘出，血管断端の閉鎖を終了したあと，腹腔内の止血を確認する．その後，3 回目の胆道造影を行い，胆汁リークや狭窄のないことを確認する．また 10 倍希釈したインジゴカルミンを注入し，視覚的にもリークのないことを確認する．その後，胆嚢管からの造影用チューブを抜去し，胆嚢管を 3-0 絹糸で二重結紮，あるいは 3-0 絹糸で結紮，3-0 吸収性モノフィラメント糸で刺通結紮する．

　腹腔内の癒着防止のため，癒着防止フィルム貼付する．特に左肝切除の場合，胃壁や十二指腸が肝切離部に癒着し胃内容排泄遅延などを発症することもあり，胃壁前面，十二指腸前面に癒着防止フィルムを貼付している．腹腔ドレーンは留置せず，腹壁を 3 層で閉鎖し手術を終了する．

Dos & Don'ts

- ☐ 肝臓の授動の際には被膜下血腫を作らないように，愛護的に肝臓を操作する．
- ☐ 肝動脈の内膜剥離を起こさないように肝動脈のテーピングは行わない．
- ☐ 右グリソン鞘の個別処理を行う際には，右肝動脈と右肝門板は十分に剥離する．
- ☐ 肝門板（肝管）切離をする際には，必ず胆管の直接造影を行い，胆管の方向，剪刀を入れる方向に注意する．

文献

1) Nagino M, et al：Proposal of a new comprehensive notation for hepatectomy；the "new world" terminology. Ann Surg 274：1-3, 2021
2) Soyama A, et al：Standardized less invasive living donor hemihepatectomy using the hybrid method through a short upper midline incision. Transplant proc 44：353-355, 2012
3) Takasaki K, et al：Highly anatomically systematized hepatic resection with glissonean sheath code transection at the hepatic hilus. Int Surg 75：73-77, 1990
4) Vollmer CM, et al：Water-jet dissection for parenchymal division during hepatectomy. HPB(Oxford)8：377-385, 2006

〔伊藤孝司，波多野悦朗〕

2）レシピエントの手術

重要ポイント

- [ ] 術前の正確な解剖把握し（各脈管，側副血行路，癒着の有無，門脈血栓の有無など），手術計画，シミュレーションを行うことが重要．特に再建が必要な症例ではさまざまなオプションを準備する．
- [ ] 癒着，側副血行路の発達，肝疾患進行度を考慮した出血量予測と十分量の血液製剤を準備する．
- [ ] 開創リトラクターを効果的に用い，広い視野で十分な術野を展開する．
- [ ] 動脈内膜剝離，門脈壁裂傷，側副血行からの出血などを防ぐための組織を愛護的に操作する．
- [ ] 消化器外科手技のみならず，血管外科手術や術中・術後のドプラ超音波検査などの経験が必要である．

A はじめに

　肝移植は一般に，ほかに有効な治療法がない，進行性で致死的な不可逆性の肝疾患に対して行われる外科治療である．基本的には，制御不能な肝胆道系以外の悪性腫瘍や耐術困難な合併症，活動性の感染症など，禁忌となる条件がないことが前提である．
　肝移植は大きく脳死肝移植と生体肝移植に分けられる．本項では，特に拡大左葉グラフトを用いた生体肝移植手技を紹介する．適宜，右葉グラフトでの生体肝移植についても概説する．

B 手術手技の実際

1 | 手術の要点

　基本的に大きな切開で，良好な視野で手術を行う．脾臓摘出，左側後腹膜シャントの処理を行うことが多いため，メルセデスベンツ切開を標準としている．Omni-Tract®リトラクターを用い，頭方向のみならず，尾側方向への牽引固定を自在に行い，第2助手以降は吸引，糸のさばき，水かけなどに集中する．吸引管は，必ず2本以上準備する（図1）．必要なデバイス（電気メス，アルゴンビームコアギュレーター，ソフト凝固，エンドステイプラー，sealing device など）も術前の凝固系，血小板数，腹水量などに応じて綿密に準備しておく．

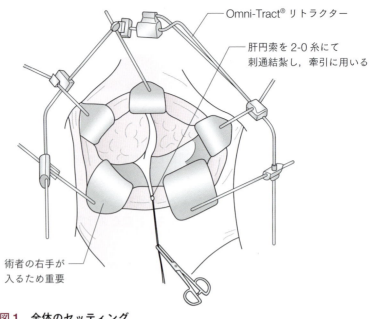

図1　全体のセッティング

2 体位と皮膚切開

❶ 開腹，メルセデスベンツ切開

　体位は仰臥位とし，自施設では残留効果を考慮して，オラネキシジングルコン酸塩（オラネジン®）にて胸腹部皮膚を消毒し，術野をイソジンドレープで覆っている．出血が患者背部や術者などに流れこまないように工夫する．剣状突起から正中切開＋両側肋弓下切開の皮膚切開にて開腹する．腹壁に側副血行路の発達を認めたら，アルゴンビームコアギュレーターや電気メスにて止血する．腹水は一部細菌培養に提出する．

❷ 肝授動

　電気メス，sealing device などで冠状間膜，三角間膜を切離し，授動を進める．肝臓の右側から剝離を進め，横隔膜との癒着剝離し，肝下面にて下大静脈(IVC)を露出する．副腎が肝と固着している場合は，まず肝下部の IVC 前面を露出し，IVC 前面に添うように IVC 右縁に向け吸引管，鉗子などで抵抗を感じながら，抵抗の低いほうへ剝離を進める．愛護的に操作を進め，決して"えいや"の気持ちで雑な操作を行わないようにする．

　副腎と肝臓との固着部は sealing device にて離断することもあるが，通常刺通結紮する．下大静脈周囲の結合織を鑷子でテンションをかけつつ，吸引管または剝離鉗子にて剝離しながら，IVC 側壁を全長に露出させていく．助手の肝右葉把持，牽引のバランスが大切である．

　短肝静脈は基本 IVC 側は 3-0 吸収糸にて結紮，肝臓側はクリッピングし両者間で切離する．径が 4 mm 以上程度ある短肝静脈は 4-0 吸収糸にて刺通結紮することが多い．7 mm 以上のものは血管鉗子をかけ，4-0 非吸収糸にて二重連続縫合閉鎖す

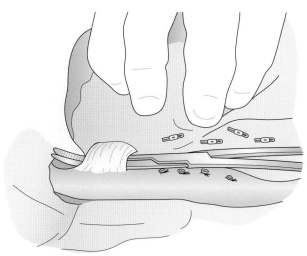

図2　肝右葉授動，IVC露出，短肝静脈処理，右肝静脈確保

る．Spiegel葉が左から下大静脈背側を回り込んでいる場合，剝離に難渋することがある．尾側から下大静脈と肝臓の間を剝離したあとに，右肝静脈の根部を確認する．さらに頭側から中肝静脈と右肝静脈の間隙を確認し，下大静脈前面に抵抗のない部分でペアン鉗子やケリー鉗子などの器具を通し，肝静脈をencirclingする（図2）．短肝静脈，副腎，IVCからの出血がある場合はKocher授動を行い肝下部IVCを同定し，テーピング，クランプすると出血を制御しやすい．同部は腰静脈が少なくencirclingしやすい．この時点で肝門部処理に移る．

3 | 肝門部処理

　まず，肝十二指腸間膜にプラスチックテープおよびターニケットをかけ，いつでもPringle法が施行できるように備える．胆囊管，胆囊動脈を結紮切離したあと，胆囊周囲の鞘を肝門方向へ電気メスにて切離を進め，右門脈枝，門脈本幹の側壁を露出する．右肝動脈，門脈左右分枝部を同定し，吸引嘴管，剝離鉗子を用いて門脈と周囲結合織の間の剝離を進め，門脈左右の分岐を再度確認し，門脈右枝をテーピングする．同部での門脈右枝，肝動脈右枝の確保が困難な場合は，左側より左肝動脈，左門脈の剝離を行い，右側へ至ると早いこともある．著明な肝門部の側副血行の発達などで出血傾向が強い際は，Pringle法を施行しつつ剝離を進める．

　左側から左肝動脈を確保，その右側に中肝動脈を同定，確保し，各々テーピングする．動脈の背側では門脈左枝を同定し，テーピングする．その後，左右の肝管の確保を行う．先に各肝動脈を肝側寄りで切離しておいてもかまわない．門脈本幹と総胆管の間を剝離し，総胆管を周囲組織を含めてテーピングする．次に左右肝管合流部と肝実質との間に，もしくは肝実質を掘り，メッツェンバウム剪刀，吸引管などでスペースを作り，左右の肝管を肝門板を含むように確保する．これは肝細胞癌に対する肝切除の際のグリソン一括処理の要領である（図3）．この際はPringle法を用いると出血制御が容易になり，Pringle開放後は実質部にサージセル綿を詰め込んで止血してお

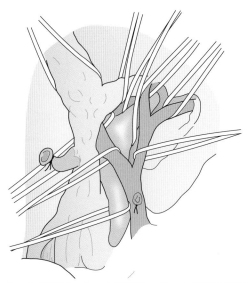

図 3　肝門処理，左・中・右肝動脈，左・右門脈枝，左・右肝管を可及的高位で確保

く．胆管の確保が終了したあとに肝動脈の切離に移り，左・中・右肝動脈を二重結紮切離する．

　次に左・右の肝管を切離する．この際はかけていた血管テープを引き，なるべく肝側に剝離鉗子を各々かける．その後，別々に鉗子ギリギリで左右肝管を切断する．総胆管側断端は切り離した状態のままとする．胆管周囲組織より持続的な動脈性の出血を認める場合は，4-0, 6-0 吸収糸にて縫合止血，もしくは動脈と一括し，ブルドッグ鉗子をかけてコントロール可能である．これで，肝臓は肝門部では門脈のみでつながった状態となる．門脈は周囲のリンパ組織を全周に剝離したあとに余裕をもって血管鉗子をかけられるように，十分に膵頭部まで剝離しておく．

　肝門が癒着などで剝離困難な場合は，Pringle 法にて流入血を遮断した状態で肝静脈系の剝離，切離を行い逆行性に肝全摘に向かうこともある．肝摘出後に肝門脈管の剝離を慎重に行う[1]．

4 ｜左側からの尾状葉剝離，肝全摘

　小網を sealing device にて切開する．Spiegel 葉と下大静脈の間の剝離を行う．患者左側からも短肝静脈を結紮処理しながら，Spiegel 葉を把持し，剝離を進める．短肝静脈は 3-0 吸収糸にて IVC 側は結紮，肝側はクリップする．左側から可及的に剝離を進め，アランチウス管を結紮切離し，左・中肝静脈幹を確保する．この時点で encircling 困難な場合はのちにステイプラーで，右肝静脈を切離してからでもかまわない．

　その後，ドナー手術とタイミングを合わせて，肝全摘に移る．門脈本幹に小児用ポッツ鉗子を垂直にかけ，左右分枝を剝離鉗子でクランプし，可及的に肝臓側で切離する．門脈本幹側は切りっぱなしとする．

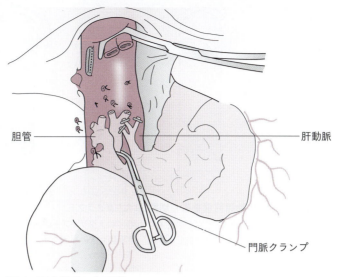

図4　肝全摘後，無肝期

　ドナー手術との時間調整が合わず，レシピエント病的肝からの出血，制御が困難なときは肝全摘を先行する．この場合，門脈系のうっ血が高度な際は一時的門脈-下大静脈吻合を作成し，血行動態の安定をはかることもある．グラフト移植直前に切離し，吻合に備える．

❶ 左葉グラフトの場合[2]

　右肝静脈にかけたテープを牽引し，スペースを作ったあとに血管用60 mmステイプラーを挿入し，右肝静脈を切離する[3]．先に述べたように，この時点で左・中肝静脈共通幹をプラスチックテープにて確保し，テーピングしてもよい．右肝静脈をステイプラーにて切離すると，のちの吻合用IVC前壁切開の際に右肝静脈縫合糸が開放される危険がなく，安全である．左・中肝静脈共通幹にサテンスキー鉗子をかけ，肝臓側はケリー鉗子などをかけ，両者間で切離して肝全摘を完了する（図4）．

　筆者の施設では，十分な視野とワーキングスペースと広い吻合口を確保するため，IVCクロスクランプを行っている．その場合は，肝下部IVC周囲を剝離し，肝下部IVCをテーピングする．さらに肝上部IVC周囲を剝離し，プラスチックテープで確保する．剝離終了後，通常，肝下部IVCでテストクランプを施行し，麻酔科医へクロスクランプが施行可能であるかどうかを確認する．サイドクランプで行う場合は，トラブルシューティングのため，肝静脈をクランプした鉗子より一回り大きいクランプを手元に準備しておく．

　グラフト移植に備えて，肝下部IVCをポッツ鉗子にてクランプし，肝上部にIVCをサテンスキー鉗子をかけて，クロスクランプのグラフト肝静脈吻合径に合わせ，右斜め下方向へIVC前壁切開を施行し，広く吻合口を作成する．グラフト肝静脈の径に合わせて，通常35〜45 mmまで拡大することが多い（図5）．右肝静脈を吻合に用いないことで吻合径のコントロールが自在に可能で捻れも少ない．

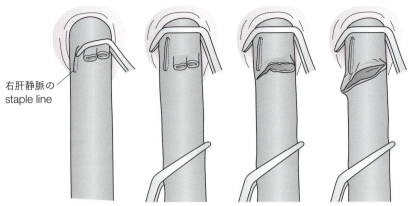

図5　下行大動脈前壁を広く切開（拡大左葉グラフト）
拡大左葉グラフト肝静脈吻合のためのIVCクロスクランプ＋wide cavotomy．腰静脈開存の場合はIVC足側クランプにサテンスキーなどを用い，腰静脈も含め垂直方向にクランプをかける．

❷ 右葉グラフトの場合

肝全摘までは左葉系グラフトの場合と変わらないが，右葉グラフトの移植では右肝静脈吻合以外に，右下肝静脈，V5，V8の再建を伴うことも多い．バックテーブル内での脈管系の評価，自己静脈，同種凍結保存血管などを用いた再建を行い，グラフトの吻合に備える．レシピエントの肝静脈は右肝静脈にサテンスキー鉗子をかけ，切離する．左・中肝静脈幹はプラスチックテープでテーピングし，自動縫合器にて切離する[3]．

5 ｜ バックテーブル

左・中肝静脈間の隔壁を切離し，5-0非吸収糸にて形成を施行する．バックテーブルでは肝静脈の吻合のためのカフ（頸）が短ければ自己静脈を採取し，前壁もしくは全周にパッチを付加することもある．門脈枝も再灌流後緊急時にはクランプをかけられるように，枝を払い，カフ（頸）を作成しておく．胆管も多孔で近接している場合は形成し，1孔吻合できるようにしておく．移植の準備が整ったところで，グラフトを保存液中で5％アルブミンなどでフラッシュし，put inに備える．

6 ｜ 肝静脈吻合

❶ 左葉グラフト移植の場合

ドナー左・中肝静脈共通幹との吻合を開始する．通常，4-0非吸収糸（RB-1針）を用いて，吻合血管の3時と9時方向に支持糸をかけて，3時方向の糸を結紮したのちに，後壁をintraluminal法にて，縫合を進める（図6）．後壁が見やすいように，前壁中央に1針4-0吸収糸を支持としてかけるとよいこともある．9時方向にかけた支持糸を越えて，前壁側を1針縫合したあとに，9時方向にかけた支持糸を結紮，次に支持糸と3時方向から縫合に用いてきた糸とを結紮する．9時方向から直径の1/4程度の距離を縫合したあと，3時方向から，over and overにて前壁縫合を行い，9時方向からの糸と前壁で結紮し，静脈吻合を終了する．growth factorは置かない[4]．

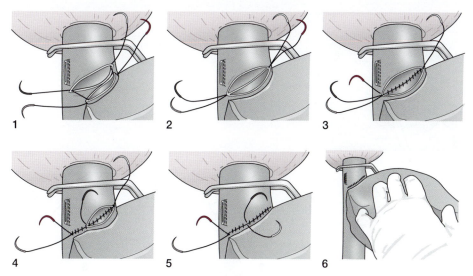

図6 拡大左葉グラフトでのドナー左・中肝静脈とレシピエント IVC 吻合

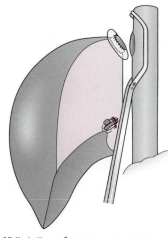

図7 右葉グラフトの際の IVC 部分クランプでの implantation
肝細胞癌陰性のレシピエントでは，摘出肝より門脈臍部などを剝離し，グラフト右肝静脈前壁，もしくは全周にパッチを縫着し，吻合径を拡大することもある．また V5，V8 の再建を伴う場合は，別途検討する．

❷ 右葉グラフト移植の場合

右肝静脈にかけたサテンスキー鉗子の背側で，一回り大きなサテンスキー鉗子をレシピエント IVC にかけ直し，グラフト右肝静脈と連続縫合を行う（図7）．右肝静脈には摘出肝より採取したパッチを付けることがある．自施設では2点支持にて 4-0 非吸収糸（RB-1 針）にて吻合している．静脈吻合終了後はグラフト背側に柄付きガーゼを挿入し，グラフト位置を調整し，門脈吻合へ移る．

右下肝静脈の吻合も存在する場合は，左葉グラフトと同様なクロスクランプを行う．右肝静脈吻合後に右下肝静脈吻合部位のアライメントを評価し，別の吻合孔をパンチアウトで作成する．

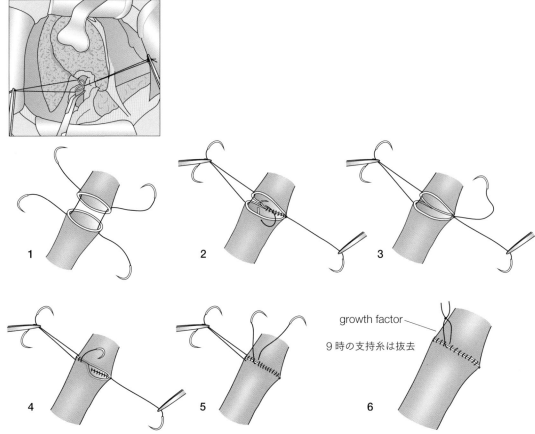

図8　門脈吻合の手順

V5, V8の再建方法は各施設でさまざまであるが，バックテーブルで前述のように血管付加を行う．レシピエント側の吻合には自己中肝静脈を残存させての吻合や，自己静脈グラフト，同種凍結血管グラフト，人工血管などの工夫を行うが，詳細は本項では省略する．

7│門脈吻合

次に，門脈吻合に移る．グラフトをOmni-Tract®のSweet heart型レトラクターで固定．門脈吻合に先立ち，ポッツ鉗子を開放し，良好な門脈血流，血栓のないことを確認する．また捻れが生じないように胆管との位置関係を参考に方向を定める．門脈吻合は5-0非吸収糸（1本，C-1針）の連続縫合で行う．3時と9時方向に支持糸を置き，後壁はintraluminal法で，前壁はover and overにて吻合する．前壁吻合終盤で，ブルドッグ鉗子を肝側門脈にかけ，門脈本幹のクランプを解除し，血液にて門脈内腔をフラッシュしたあとに，ヘパリン入り生理食塩水にて腔内をフラッシュする．前壁吻合が終了した時点では結紮せずに，門脈本幹の血管鉗子を外し，先に血流を再開して門脈を膨らませ，連続縫合糸を吸収させる．growth factorは吻合径の1/3程度確保することが多い．9時方向の支持糸は抜去する（図8）．

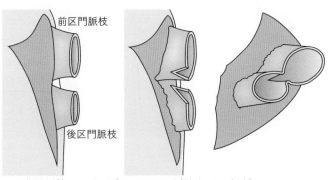

a　右門脈枝の一穴形成のイメージ(縫合系は省略)

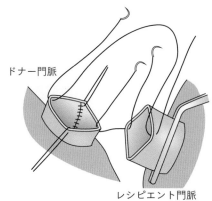

b　レシピエント門脈との吻合

図9　二穴の門脈形成の手順

　吻合終了後，下大静脈にかかるサテンスキー鉗子(頭側，尾側の順番)，肝側門脈のブルドッグ鉗子の順でクランプ解除し，門脈血による再灌流を行う．グラフト再灌流後，移植肝の色調，触診に加え，最終的には超音波ドプラにて門脈，静脈の良好な血行(速度，方向，波形)を確認する．温生理食塩水にて洗浄後，止血を確認する．小孔からの出血であれば，出血部位にタコシール®などを貼付し，圧迫することで，止血を得ることもある．

　右葉グラフトで門脈が2穴の場合は形成を要する(図9)．形成系は5-0非吸収糸で結合縫合，外結紮で行うことが多い．

8｜肝動脈吻合

　顕微鏡下に後壁法にて8-0非吸収糸を用いて，レシピエント肝動脈と端々結節縫合する．レシピエント肝動脈の質が不良の場合は，右胃大網動脈を用いることもある．右肝動脈を吻合に使用する場合は，総胆管より剝離することになる．グラフト側が複数肝動脈の場合，未吻合動脈から十分バックフローがある場合は，一動脈吻合のみで終了することも多い．吻合終了後，超音波ドプラ肝動脈の血流が良好であることを確認する．

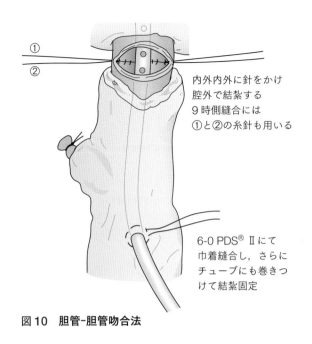

図10 胆管−胆管吻合法

9 | 胆道再建

　左葉グラフトの場合を述べる．ドナー左肝管の3時，9時方向に各々6-0吸収糸をかけ，軽く足側に牽引する．吻合はサイズマッチによるが，グラフト左肝管とレシピエント左肝管，もしくはレシピエント総肝管で行うことが多い．左肝管を吻合に使用する場合は，吻合に先立ち，レシピエント右肝管を6-0吸収糸にて連続縫合閉鎖しておく．レシピント側胆管の3時，9時方向に各々6-0吸収糸をかけ，軽く牽引する．胆管スプリントには2mmのRTBD用のチューブを用いており，レシピエント左肝管口から探触子を彎曲して挿入．十二指腸上縁近くの総胆管12時付近より管外に出し，探触子は切離する．断端両孔にモスキートペアン先端を挿入し，後壁吻合の間は尾側に引いておく．まずレシピエント側の3時，グラフト側3時に6-0吸収糸を用い，内から外に向けてかけて，胆管外側で結紮する．グラフト側胆管の9時，レシピエント側の9時の6-0吸収糸は結紮せず，各々右頭側方向，右尾側方向に牽引し，また助手が用手的またはツッペルなどにてアライメントを合わせる．

　胆管後壁を3時から9時へ向かい，すべて内外の運針，結節縫合で各々胆管壁を取り，外で結紮する．9時付近では支持糸としていた吸収糸を用いる．後壁吻合が終了した時点で，前述したスプリントチューブをグラフト胆管に挿入する．チューブ刺出部はチューブ周囲にかけた6-0吸収糸によるタバコ縫合を結紮したあと，チューブ周囲に糸を回して固定する．吻合部前壁も3時から，また9時から6-0吸収糸を用いた結節縫合を進めて，外結紮する（図10）．

　吻合終了後，チューブより生理食塩水およびairにてleak testを行い，針穴以外の漏れがないことを確認する．胆汁漏れがなければ，追加縫合は行わないことが多い．チューブはさらに，十二指腸の漿膜筋層にて，Witzel式に4-0吸収糸にて瘻孔

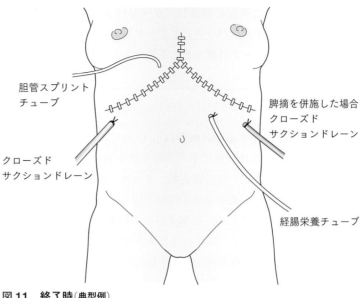

図11 終了時(典型例)

化する．胆道再建終了時点でも超音波ドプラにてすべての血管のフロー速度，方向，波形が妥当であることを確認する．

10 経腸栄養チューブ留置

Treitz 靱帯より約 30 cm 部より，肛門側に向けて 9F チューブキットを用い，腸管内に 40 cm 程度挿入し，Witzel 法にて留置する．刺入部は腹壁に内腔側より固定するが，固定部を起点として捻れが生じないように必ず 2 点で腹壁と固定する．術前状態が良好な場合，経鼻とすることもある(図11)．

11 ドレーン挿入・閉腹

閉腹操作に移る前に，16 G 生検針にて移植肝より肝生検を行う．生理食塩水で洗浄し，腹腔内の止血を十分再確認する．左葉グラフトの際は閉鎖吸引式ドレーンを右横隔膜下から肝門へ留置し，3-0 ナイロン糸で皮膚に固定する．右葉グラフトの場合は Winslow 孔から肝切断面にも 1 本留置，脾摘併施の場合は左横隔膜下にも留置することがある．左葉グラフトの右側への変位による血管系の捻れなどの問題を予防するために，鎌状間膜を腹壁固定しグラフト肝固定(hepatopexy)を行う．閉腹前に超音波ドプラにてすべての血管のフロー速度，方向，波形が妥当であることを確認する．肋弓下切開創-筋膜，腹膜を 0 号吸収糸連続縫合にて 2 層に縫合し，Scarpa 筋膜を含む皮下組織を 4-0 吸収糸にて結節縫合し，皮膚はステイプラーにて閉鎖する．胸腹部 X 線撮影を再度行い，X 線非透過性物の遺残なきことを確認して手術を終了する(図11)．

なお，可及的外科的な止血を行っても剝離面などからの oozing が続く際は，麻酔

科医，集中治療医と相談し，ガーゼパッキングにて全身状態の改善を待ち，48〜72時間後に再手術，パッキングガーゼ除去術を行うことも考慮する．この場合，胆道再建せずにチューブ外瘻などで閉腹することも考慮する[5]．

C 術後管理

　詳細は割愛するが，術後はICUにて集中治療医とともに管理する．少なくともICU管理期間は朝夕にドプラ超音波を施行し，正常な波形を確認する．異常を察知したら，造影CTや血管造影，また再手術も辞さない24時間体制で行う．右葉グラフトに比べ，左葉グラフトの場合はレシピエント標準肝容量に対し30％台となることが多い．そのため，右葉グラフト肝移植に比べ，ICUでの水分バランス管理，止血管理などが慎重で，緻密な管理が必要となることが多い．集中治療医との密な連携が重要となる．もちろん同日手術した生体肝ドナーの管理にも注意が必要である．

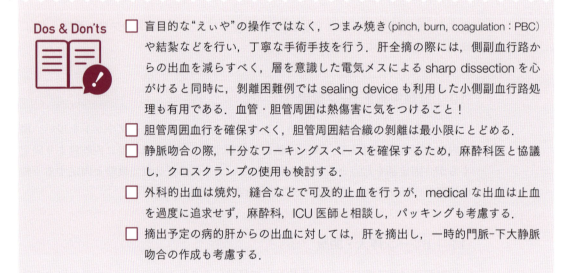

Dos & Don'ts

- 盲目的な"えいや"の操作ではなく，つまみ焼き（pinch, burn, coagulation：PBC）や結紮などを行い，丁寧な手術手技を行う．肝全摘の際には，側副血行路からの出血を減らすべく，層を意識した電気メスによる sharp dissection を心がけると同時に，剝離困難例では sealing device も利用した小側副血行路処理も有用である．血管・胆管周囲は熱傷害に気をつけること！
- 胆管周囲血行を確保すべく，胆管周囲結合織の剝離は最小限にとどめる．
- 静脈吻合の際，十分なワーキングスペースを確保するため，麻酔科医と協議し，クロスクランプの使用も検討する．
- 外科的出血は焼灼，縫合などで可及的止血を行うが，medical な出血は止血を過度に追求せず，麻酔科，ICU医師と相談し，パッキングも考慮する．
- 摘出予定の病的肝からの出血に対しては，肝を摘出し，一時的門脈−下大静脈吻合の作成も考慮する．

文献

1) Eguchi S, et al：How to explant a diseased liver for living donor liver transplantation after previous gastrectomy with severe adhesion(with video). J Hepatobiliary Pancreat Sci 8：E62-4, 2014
2) 江口　晋：生体部分肝移植手術；拡大左葉グラフトを用いたレシピエントの手術手技．消化器外科 37：1489-1502, 2014
3) Eguchi S, et al：Application of endovascular stapler in living-donor liver transplantation. Am J Surg 193：258-259, 2007
4) Takatsuki M, et al：Technical refinement of hepatic vein reconstruction in living donor liver transplantation using left liver graft. Ann Transplant 20：290-296, 2015
5) Eguchi S, et al：Packing procedure effective for liver transplantation in hemophilic patients with HIV/HCV coinfection. Surg Today 50：1314-1317, 2020

〔江口　晋〕

VI章

腹腔鏡下・ロボット支援下肝胆膵手術

1 肝切除術【動画】..................308
2 総胆管嚢腫切除【動画】..................322
3 膵頭十二指腸切除術【動画】..................332
4 膵体尾部切除術【動画】..................345

1 肝切除術

重要ポイント
- [ ] チームの力量を見極め，徐々に適応拡大する．
- [ ] "術者の手"である手術器具を熟知する．
- [ ] 出血は未然に防ぐ．
- [ ] 肝両離断面が見えるよう展開する．
- [ ] 脈管は"うら"をとる．

A はじめに

　肝腫瘍に対する腹腔鏡下肝切除術(laparoscopic liver resection：LLR)は根治性と低侵襲性を提供する外科治療として急速に普及している．近年では肝系統的切除の定型化も進むなか，ロボット支援の導入も始められ，高難度肝胆膵手術に携わる外科医にとって習得すべき技術となった．本術式の安全な施行と質の向上のためには，症例と術式の適切な選択のもと，基本技術の習得がまず必須であり，その経験の蓄積が適応拡大へとつながる．本項では，安心・安全なLLRを行うための術式横断的な基本手技とそのコツについて述べる．

B 適応と術式

　鏡視下手術の利点は，体壁破壊の縮小や拡大視効果からの緻密な手術によってもたらされる患者の術後早期回復であるが，その反面，尾側視野ゆえの死角，アクセス縮小ゆえの動作制限などの克服が課題である．

　安全なLLRを施行するうえで，腫瘍の大きさ，局在，形状から適応を選別すること，そして術式が腹腔鏡下で技術的に可能であり具体的な手術計画が立てられることが重要である．術式は，肝部分切除からさまざまな系統的切除まで多岐にわたり難易度も異なるが，それに対して手術チームが対応できる力量を有しているか，自ら見極める必要がある．また，術式に限らず，主要肝静脈根部・下大静脈・肝門および横隔膜を含む周囲臓器などへの浸潤，高度の圧排，塞栓などのない腫瘍が適応となるが，これら脈管への侵襲がある症例ではLLRの適応判断ついて慎重でなければならない．

　患者条件は，全身状態が耐術可能であること，そして肝切除量に耐えうる肝予備能を有し，腹水や明らかな出血傾向のないことである．

1 | 肝非系統的切除（肝部分切除）

　肝の表面や辺縁に局在する境界明瞭な単純結節型腫瘍で，大きさは4 cm以下で，肝下領域（Couinaud分類におけるS2，S3，S4b，S5，S6）に局在する腫瘍においてLLRは施行しやすい．一方で，肝部分切除術においても肝頭背側領域（S1，S4a，S7，S8）では難易度が高くなる[1]．

2 | 肝系統的切除

　腫瘍が比較的大きい，境界不明瞭，肝深部の局在，複数病変が領域内にある場合などで肝予備能が許す場合に肝系統的切除が行われる．肝系統的切除では，肝部分切除に比し視野展開をはじめとするスタッフ間での協調動作，1つひとつの手技の精度，トラブルシューティングに至るまで，明らかに高い技術と工夫が要求される．また肝頭背側領域での系統的切除は難易度が高くなる．よって十分な経験を積み，徐々に適応拡大していくべきである．

　一方，肝系統的切除においても腫瘍径が10 cmを超える場合は，術野や動作の制限から腹腔鏡下手術は技術的に困難なことが多い．

C 手術器具の準備

　手術計画で必要となる器具を過不足なく準備することは，出血やトラブルの回避・対処のうえでの基本である．

1 | 術野確保

　肝の頭背側を含めて死角の少ない術野を得るため，本術式ではフレキシブルスコープはほぼ必須である．最近は5 mm細径のフレキシブルスコープも開発されており，径5 mm以上のトロカールであればどこからもアクセスできる．モニターは患者の頭側直上に設置する．一方，近年ではICG蛍光法もLLRに応用されているが，現状では硬性鏡のみの対応であり，必要に応じて通常のフレキシブルスコープも準備する．

2 | エネルギーデバイス

　肝切除に必要な作業である「組織の切離」「脈管の露出」「凝固止血」などのすべてを1本の器具でまかなえる"all in one"はいまだにない．よって"術者の手"である手術器具の特徴や機能を十分に理解し，どの作業に向いているかを認識し，複数の器具をバランスよく選択・準備して使用していくべきである（図1）[2]．

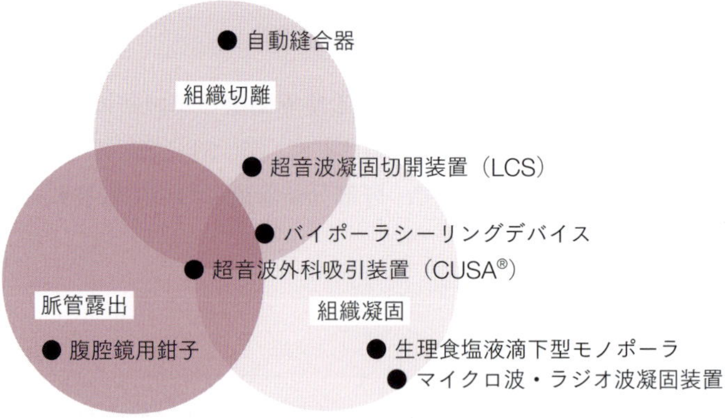

図1 肝切除に必要な作業と手術器具の機能
手術器具の特徴や機能を十分に理解し，複数の器具をバランスよく選択・準備し使用する．

（組織切離）
- 自動縫合器
- 超音波凝固切開装置（LCS）
- バイポーラシーリングデバイス
- 超音波外科吸引装置（CUSA®）

（脈管露出）
- 腹腔鏡用鉗子

（組織凝固）
- 生理食塩液滴下型モノポーラ
- マイクロ波・ラジオ波凝固装置

3 | アプローチ

　LLRには，完全腹腔鏡下手技，用手補助下手技(hand assisted laparoscopic surgery：HALS)，腹腔鏡補助下手技(laparoscopy assisted surgery，以下Hybrid)などのアプローチがあり，本術式の発展に貢献してきた[3]．また最近ではロボット支援下手術も応用に至っている．HALSでは片手を挿入するハンドポート〔LapDisk®(Ethicon社)〕，Hybridでは直視下手技のための開創具〔Alexis® Wound Protector/Retractor(Applied. Medical, USA)〕やKent鉤(高砂医科工業，東京)などの開窓器などが用いられるため，これらを必要時すぐに使用できる準備は欠かせない．ロボット支援手術については紙面の都合上，他書に譲る．

D 基本的な手術手技

1 | 体位

　左肝あるいは右肝前下領域での切除では通常の仰臥位，両上肢は90°外転位とする．

　右肝頭背領域での切除では陰圧式固定具(マジック・ベッド，日興ファインズ工業)と体支持器を用いて左半側臥位とする(図2)．右上肢は手台に，両下肢の間にはクッションを置いて帯固定するとともに背部および骨盤部の3～4点を支持器にて固定する．

　いずれの体位においても手術台を頭高位，左右高位と傾斜させ，しっかりと固定されているか再確認する．加えて，必要時あるいはトラブル時に最も短時間でHybridあるいは通常開腹に移行できるよう，あらかじめKent鉤のアタッチメントを適切な場所に設置しておく．これは体位取りの時点でおろそかにしない．

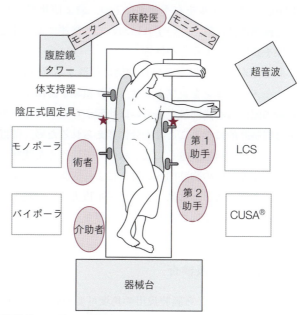

図2 体位と手術機器の配置（左半側臥位）
右肝頭背側領域での切除では陰圧式固定具と体支持器を用いて左半側臥位とする．必要時はすぐにConversionできるよう，開創器支持器（★）を手術台レールの適切な場所に設置しておく．

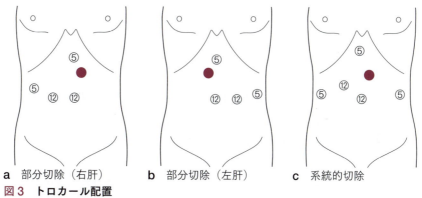

a　部分切除（右肝）　　b　部分切除（左肝）　　c　系統的切除

図3 トロカール配置
良好な術野展開と切離面に合った器具操作ができるように，トロカールを配置する（●：Pringle用）．
⑤は5 mm，⑫は12 mmトロカール．

2｜トロカール配置

　動作制限を克服するためにトロカール配置は熟慮が必要である．重要な点は，離断面を両側に鉗子などで開き，術野の中心を内視鏡がとらえることができ，さらに離断のためのエネルギーデバイスが良好に視認でき，切離面に合った操作が可能であるようにトロカールが配置されることである（図3）．

　肝部分切除では概ね臍部からのカメラポートのほか，腫瘍を取り囲むように同心円状に術者2か所，助手1〜2か所の計4〜5か所のポートを配置する．外側区域切除を含む系統的切除の場合は臍部からのカメラポートのほか，メインデバイス用の

12 mm トロカールを右季肋部に1つ，およびサポート用の5 mm トロカールを心窩部と両側腹部に置く．いずれにおいても後述する Pringle 法を行う際は肝切除の術野確保を妨げないよう心がける．

肝切除がより頭側あるいは背側に位置する場合は，カメラも含めてトロカールのフォーメーションをシフトさせ，操作領域を確保する．また肝頭背側での切除や肝の授動の際には心窩部最上あるいは肋間からのトロカール追加も有用である．肋間ポートは経胸腔的になることは十分に考えられるため，留置の際はあらかじめ経皮的超音波や気腹後の横隔膜越しに肺下縁の呼吸性移動を観察し，肺損傷をきたさぬよう注意する．また気腹の胸腔内への流入により気胸をきたすことがあるが，バルーン付トロカールを用いるとともに，トロカール抜去時に胸腔内の脱気を行いつつ横隔膜の縫合閉鎖を行うことで胸腔ドレーンは不要なことが多い．

3 | 術中超音波検査

12 mm ポートから腹腔鏡用の角度可変型超音波探触子を用いて，腫瘍の局在や周囲脈管，他病変を検索する．術者がカメラモニターと超音波システム画面の両者を見ることができるよう，術者から見て同方向かつ隣り合わせに配置するのがよい．内視鏡下の超音波探触子の取り扱いには慣れが必要であり，必ず習得をしておかなければならない．肝の全領域をスキャンするとともに，解剖学的ランドマークとなる肝静脈や肝門部の確認を行う．

4 | Pringle 法

出血時あるいは間欠的な Pringle 法を用いる際は，右側腹部トロカールから肝十二指腸靱帯背側に鉗子を通し，肝胃間膜背側に達する．そして小網を開放し，任意のトロカールから腹腔内に挿入した綿テープを右側腹部からの鉗子で把持する．これを Winslow 孔へ誘導し肝十二指腸靱帯をテーピングする（図 4a）．テープの両端を把持し，適切な位置に設けた 5 mm トロカールから体外に引き出したあとにトロカールを抜去する．そして長さ 20 cm 程度に切っておいたネラトンカテーテル（13 Fr）を用いてルンメル式ターニケットとして再び 5 mm から腹腔内へ誘導する（図 4b）．

症例により癒着など何らかの理由でこれらが難しい場合は，はじめに小網を開放し，10 cm 程度に切っておいたネラトンカテーテルに綿テープを結び，小網から肝十二指腸間膜背側，そして Winslow 孔へ誘導することで同様にテーピングを行うことができる．また，体内でのクリップや，腸鉗子などによる肝十二指腸靱帯の血行遮断なども行われている．

なお，血行遮断の際には十二指腸などがテープに巻き込まれていないことを常に確認する．さらに，遮断解除の際も確実に血流が再開できるよう十分にターニケットを緩める．

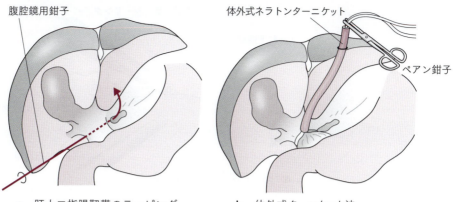

a 肝十二指腸靱帯のテーピング　　**b** 体外式ターニケット法

図4　Pringle法
a：右側腹部トロカールより，肝十二指腸靱帯背側から肝胃間膜背側に鉗子を通し，肝十二指腸靱帯をテーピングする．
b：適切な位置に設けたトロカールからテープを体外に引き出したネラトンカテーテルを用いて，ルンメル式体外ターニケットとする．

5 │肝授動

　肝頭背領域に及ぶ切除では肝授動が必要である．まず重要なのは肝静脈根部へのアプローチであり，不慮の損傷をまねかぬよう，左右肝静脈根部外縁を示す解剖学的指標としての左右下横隔静脈の確認が大切である．

❶ 右肝

　右側高位とし，エネルギーデバイスを用いて肝円索から肝鎌状間膜，右冠状間膜を切離する．右下横隔静脈の下大静脈合流部を確認し，右肝静脈根部前面を露出する．さらに肝頭側において右三角間膜を外方に切離する（図5a）．次に肝下部下大静脈右縁で後腹膜を切開し，肝尾側において右三角間膜を外方に向かい切離する．肝被膜とGerota筋膜との間は，的確な層であれば多くの場合に鈍的剝離が可能である．腹腔鏡用ツッペル鉗子あるいはスポンジを把持した鉗子などを用いて，肝を愛護的に挙上・圧排しつつ授動を進め，右副腎まで達するが，右副腎周囲は出血しやすいので慎重に剝離する（図5b）．

　右副腎と肝との癒着が強固な場合には凝固を細目に行うほか，難しい場合は無理な剝離は避け肝実質切離のあとに行ってもよい．さらに，右副腎を剝離後に短肝静脈および右副腎静脈をクリッピング後，切離する．これにより肝部下大静脈右側面が露出される．右下肝静脈がある症例で，必要であればテーピング後，クリップあるいは自動縫合器で切離する．また症例によっては右肝静脈根部のテーピングも背側から可能である．

❷ 左肝

　左側高位とし，肝円索から肝鎌状間膜，左冠状間膜を切離し，左下横隔静脈を目安に左肝静脈根部前面を露出しながら左三角間膜を切離する（図6a）．外側区域を腹側へ

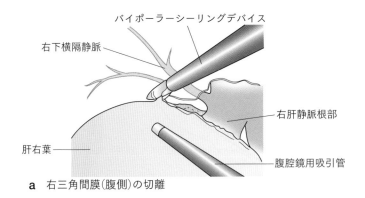

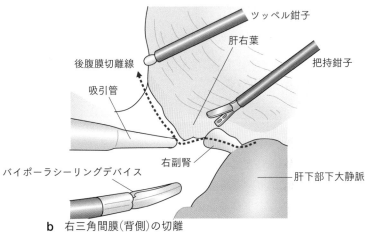

図5 右肝授動
a：右下横隔静脈の下大静脈合流部を確認し，右肝静脈根部前面を露出しながら右三角間膜を外方に切離する．
b：ツッペル鉗子などを用いて，肝を愛護的に挙上・圧排し授動を進める．

挙上し肝胃間膜を肝付着部で切開し，アランチウス（Arantius）管を確認する．これを下大静脈近くで切離し頭側に牽引すると左・中肝静脈共通幹の背側が確認できる（図6b）．

6│肝門脈管処理

　肝門部での脈管処理にはグリソン（Glisson）鞘を開放し，切除側肝動脈・門脈および胆管をそれぞれ露出し処理をする個別処理法と，グリソン鞘結合織を温存しながら動・門脈・胆管を同時に処理する一括処理法がある．われわれは，肝門部脈管の豊富な走行変異もそれぞれ確認でき，手技も安定していることから，腹腔鏡下肝葉切除における脈管処理は，主に個別処理で行っている．また，区域切除や亜区域切除などにおける2次分枝以後のグリソン脈管処理はグリソン一括処理にて行っている．

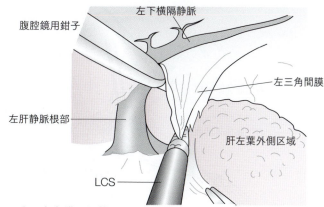

a 左三角間膜の切離

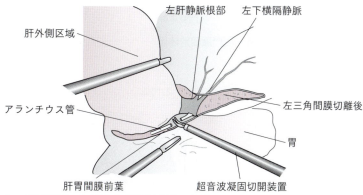

b 肝胃間膜の切離と左肝静脈根部の露出

図6 左肝授動

a：左下横隔静脈を目安に左肝静脈根部前面を露出しながら左三角間膜を切離する．

b：アランチウス管を下大静脈近くで切離すると，左・中肝静脈共通幹の背側が確認できる．

❶ 個別処理

a）右肝切除

　肝床より剥離された胆囊を左側に牽引しつつ総肝管右側において肝十二指腸間膜を開くと，総肝管の背側に右肝動脈の拍動を視認できる．メリーランド型鉗子を用いて胆囊動脈切離部から頭側に右肝動脈を剥離・露出し，血管テープにてテーピングする．さらにテープを腹側へ牽引し，剥離していくことで門脈の右側前壁に達する．門脈壁を十分に露出させいくと，右門脈前後枝の分岐部および左右門脈分岐部が確認できる．さらに右門脈後壁へと剥離すると，尾状葉突起部への門脈枝も確認でき，10 mm径の直角鉗子先端を背側から頭側に挿入することで右門脈を確保できる．門脈左右分岐が通常の2分岐型であれば右門脈にてテーピングし，3分岐型では右門脈前後区域枝をそれぞれテーピングする（図7a）．

　右肝動脈は二重にクリッピングし，ハサミで切離する．右門脈は糸による結紮のあとにクリッピング後，切離する．あるいは太い門脈の際には自動縫合器を用いることもできる．自動縫合器を用いる際は，安全に挿入できる十分な"頸"があることが重要

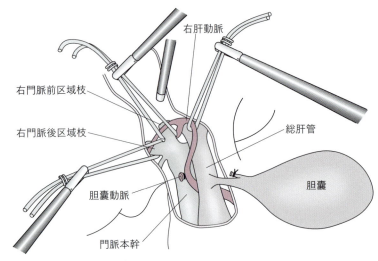

a　右肝動脈・右門脈個別確保

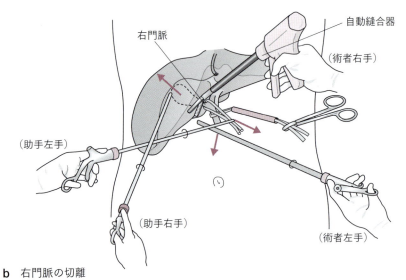

b　右門脈の切離

図7　肝門脈管処理（右肝切除）（つづく）

a：右肝動脈と，門脈左右分岐が2分岐型では右門脈，3分岐型では右門脈前後区域枝にてそれぞれ確保する．
b：自動縫合器を用いる際はテープ牽引を利用して十分な"頸"を確保し，自動縫合器の先端が肝やほかの組織に迷入しないよう用いる．

で，テープ牽引を利用した剝離と尾状葉枝の切離などにより十分に確保しておく．また，自動縫合器の先端が肝やほかの組織に迷入しないような角度で用いる（図7b）．実質切離が進んで十分な"頸"がとれるようになってからでもよい．

　一方，肝管の合流にはバリエーションがあるため，肝離断の最終段階で右肝管を肝門板とともにテーピング後に切離する（図7c）．自動縫合器，クリップあるいは結紮のどれを用いるかは，肝管の太さ，長さ，位置による．径は太いが肝管左右分岐部より十分に"頸"がとれていれば，テープ牽引を用いてできるだけ末梢側にて自動縫合器で切離する．

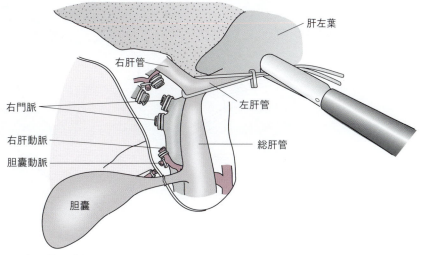

c 右肝管の確保

図7 （つづき）
c：肝離断の最終段階で右肝管を肝門板とともにテーピング後に切離する（図では門脈は前後枝でクリッピング切離されている）．

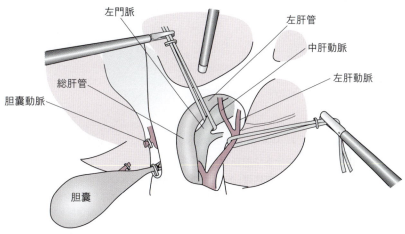

図8 肝門脈管処理（左肝切除）
左・中肝動脈，左門脈を確保し門脈左右分岐部，門脈左尾状葉（Spiegel 葉）枝を確認する．

b）左肝切除

　肝十二指腸間膜を切開し，固有肝動脈からの左肝動脈および中肝動脈を剝離後テーピングする．左肝動脈背側を肝門方向に剝離を進めると門脈左枝前面に達し，さらに剝離し門脈の左右分岐部および門脈左尾状葉（Spiegel 葉）枝を確認する．尾状葉を温存する場合は，その末梢側にて左門脈を十分に剝離しテーピングする（図8）．

　左・中肝動脈は二重にクリッピングし，ハサミで切離する．左門脈は糸による結紮のあとにクリッピング後，切離する．左門脈が大きい場合は自動縫合器による切離も可能であるが，その際は自動縫合器を挿入するためのスペースを確保し，門脈左枝の

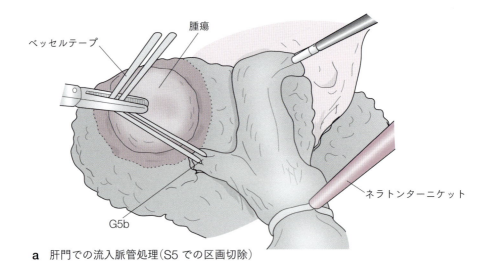

a　肝門での流入脈管処理（S5での区画切除）

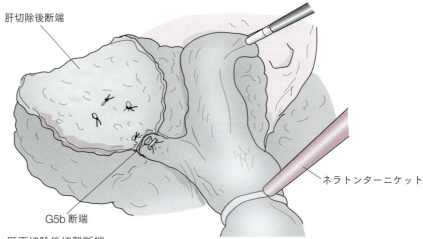

b　区画切除後切離断端

図9　肝門脈管処理（グリソン鞘一括処理）
a：グリソン鞘確保の際は，積極的にテーピンを用いることが安全確実な脈管処理を行うコツである．
b：肝門脈管グリソン鞘一括先行処理によって得られた阻血領域を切除した．

"頸"をできるだけ長くとる．通常，門脈Spiegel葉枝は切離せず温存できる．右肝管と同様，左肝管の合流にはバリエーションがあるため剝離・テーピングのみにとどめ，肝離断の最終段階で適切な方法で切離する．

❷ グリソン鞘一括処理

　腹腔鏡による尾側視野からの肝門部の視認は良好である．肝門部血行遮断を行いながら肝門のグリソン枝を吸引管あるいは超音波外科吸引装置（CUSA®）により剝離し，流入血行先行処理を行うことで，肝区画切除[4]を含む各系統的切除を行う．このときに脈管は積極的にテーピング確保することが安全確実な脈管処理を行うコツである（図9a）．最近では，ICG蛍光染色法がLLRに積極的に応用されるようになった．その1つの役割として肝系統的切除における門脈還流領域の描出がある．肝門脈管先

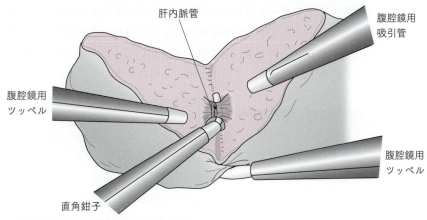

a 体軸に沿う肝実質離断での術野展開

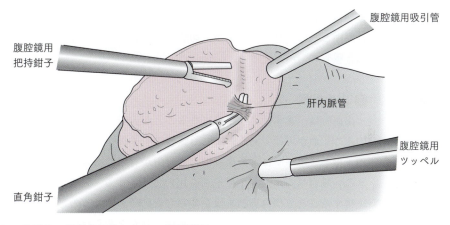

b 半球状の肝部分切除における術野展開

図10 術野展開
a：肝の両離断面が"観音開き"になるような術野展開を心がける．
b：尾側からの切離とともに左右側からも切離し，少しずつ深くに展開を広げる．

行処理によって得られた阻血領域を非染色領域(negative staining)としてとらえる(図9b)．あるいは超音波ガイド下に肝内脈管を触接穿刺して色素を注入することで得られた染色領域(positive staining)を同定することも可能となった[5]．

7 肝実質切離

❶ 術野展開

　安全な肝実質切離においては，まずブラインド操作のない良好な術野展開が大切であり，万が一出血をきたした場合の対処も可能となる．そのためには鉗子など用いて肝を把持・圧排しながら肝の両離断面(残肝側面，切除肝側面)ができるだけ"観音開き"になるような術野展開を常に心がける(図10a)．この離断面の展開は肝切離が体軸に沿う(区域切除，葉切除など)場合は比較的得やすいが，切離面が体軸に沿わない(半球状切除や亜区域切除などにおけるS5/S8，S6/S7境界など)場合は，スコープや切離デバイスを

挿入するトロカールの変更や追加，術中超音波による確認などを行いながら切離面を見失わないようにする．半球状の部分切除においては尾側からの切離とともに左右側からも切離し，少しずつ深くに展開を広げるべきである（図10b）．一定の狭い範囲のみの切離ではブラインド操作が増え，出血をまねくことになるからである．

❷ 肝切離と脈管処理

　超音波により判断された切離線，あるいは流入脈管の先行処理によって出現した阻血線をマーキングする．肝離断を開始するが，肝表面はLCSのみなどで切離可能なことが多い．肝深層はメリーランド型鉗子によるclamp crushing法やCUSA®を用いて肝離断を行う．肝硬変により易出血性の実質では前凝固を用いて未然に出血を制御しながらCUSA®により離断する[6]．径1mm未満のグリソン枝，あるいは計3mm未満の肝静脈枝はLCSあるいはバイポーラシーリングデバイスなどで凝固後に切離可能であるが，径1mm以上のグリソン枝，あるいは3mm以上の肝静脈枝は原則としてクリッピング後に切離する．肝内脈管処理の際，直角鉗子などで切離すべき脈管の"うら"をとる．

❸ 出血制御

　出血時は，まず慌てず冷静になることが大切である．出血が小さければ電気的凝固のみで止血が可能であるが，肝静脈枝の引き抜きや引き裂きの場合などは生理食塩液滴下型モノポーラによる深みのある凝固が有用である．一方で，電気的凝固で止血できない場合は，止血剤やガーゼを用いて圧迫する．可能であれば背側から肝を挙上・圧排することで出血抑制をはかるのも有効である．このとき，術野展開が適切であるか，手が足りているか，トロカールは十分かをあらためて考えてみる．しばらく圧迫のあとに洗浄・吸引により出血点を確認するが，過度な吸引による気腹圧低下により術野を失わないよう注意する．中枢背側から圧排して出血量をコントロールしつつ，出血点を再確認し，再び電気的凝固で対処するか，クリップあるいは縫合が必要なのかなどを判断する．対処が難しい場合は再び圧迫し，前記を繰り返すことで打開策が生まれることも少なくない．また，同時に複数の出血に見舞われるとたちまち制御が困難になるので注意する．制御が困難な出血に対してはHALSやHybrid，開腹移行によるリカバリーを念頭に置き，時機を逸せず導入できる判断が重要である．

❹ 大きな脈管の処理

　主肝静脈やグリソン1～2次分枝などは自動縫合器による切離が簡便である．それを用いる際は縫合器先端が十分に確認でき，肝実質に迷入しないような角度で用いること．さらには肝のテーピングによる牽引などを用いて特に頭側への自動縫合器の挿入を安全確実に行うことが大切である（図11）．

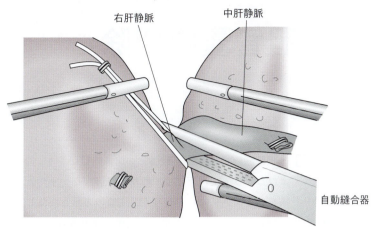

図11 大きな脈管の切離
主要肝静脈など大きな脈管では，テープ牽引により適切に自動縫合器が使用できるように術野を確保する．

8 | 標本摘出と閉創

　切除肝は，腫瘍による腹腔内播種や腹壁の汚染を回避するため必ず袋に回収する．体外への摘出は恥骨上横切開のほか，既往手術創や切除肝が小さければ臍部ポート創も利用できる．Winslow孔や肝切離面などに閉鎖式ドレーンを留置し閉創する．

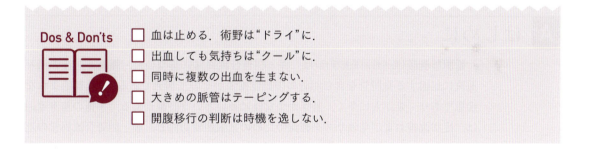

Dos & Don'ts
- ☐ 血は止める．術野は"ドライ"に．
- ☐ 出血しても気持ちは"クール"に．
- ☐ 同時に複数の出血を生まない．
- ☐ 大きめの脈管はテーピングする．
- ☐ 開腹移行の判断は時機を逸しない．

文献

1) Ban D, et al：A novel difficulty scoring system for laparoscopic liver resection. J Hepatobiliary Pancreat Sci 21：745-753, 2014
2) Otsuka Y, et al：Laparoscopic hepatectomy for liver tumors：proposals for standardization：J Hepatobiliary Pancreat Sci 16：720-725, 2009
3) Kaneko H, et al：Evolution and revolution of laparoscopic liver resection in Japan. Ann Gastroenterol Surg 25：33-43, 2017
4) Takasaki K, et al：Highly anatomically systematized hepatic resection with Glissonean sheath cord transection at the hepatic hilus. Int Surg 75：73-77. 1990
5) Otsuka Y, et al：Intraoperative guidance using ICG fluorescence imaging system for safe and precise laparoscopic liver resection. Minerva Surg 76：211-219, 2021
6) Kaneko H, et al：Laparoscopic hepatectomy for hepatocellular carcinoma in cirrhotic patients. J Hepatobiliary Pancreat Sci 16：433-438, 2009

〈大塚由一郎〉

2 総胆管嚢腫切除

重要ポイント

- ☐ 総胆管嚢腫切除術は，開腹では比較的行いやすい手術であるが，腹腔鏡下およびロボット支援下では，非常に難度が高い手術となる．手術に臨む際には，疾患の手術適応だけではなく，術者の力量を加味した判断が必要である．
- ☐ 総胆管嚢腫では，拡張胆管の圧排による慢性炎症や右肝動脈・胆嚢動脈の走行変異により，右肝動脈を胆嚢動脈と誤認する場合があり，必ず critical view of safety（CVS）を描出してから胆嚢動脈を切離する．
- ☐ 拡張胆管の過不足のない切除が重要であり，術中胆道造影や胆道鏡を適宜用いながら切除部位を決定しなければならない．
- ☐ 成人例においては，悪性病変の併存の可能性があり，拡張胆管および胆嚢からの胆汁漏出を最低限に抑えるべきである．
- ☐ 肝管−空腸吻合を腹腔鏡下に行う場合は，術後胆管狭窄をきたさないように，少なくとも前壁または後壁のどちらか一方は結節縫合で吻合したほうがよい．

A はじめに

　総胆管嚢腫（先天性胆道拡張症）は，膵・胆管合流異常に基づいた，膵液と胆汁の相互逆流に起因する総胆管を含む胆管の限局性拡張がその主病態である[1]．比較的まれな疾患であり，東洋人に多く，若年かつ女性に多いという特徴がある．手術の基本原則は，症状改善および発癌リスク軽減のための拡張胆管切除と，膵・胆管合流異常の遮断を目的とした胆道再建である．

　したがって，腹腔鏡下手術を始めとした低侵襲手術の非常によい適応と考えられるが，総胆管嚢腫切除は術後肝内結石や吻合部狭窄などの吻合部関連晩期合併症の確率が高いと報告されている[2]．膵内胆管剥離や術中胆道造影など開腹手術では容易な手術操作も，低侵襲手術では格段に難度が上がり，胆管−空腸吻合が最も難度の高い手術手技といえる．

B 適応

　先天性胆道拡張症における戸谷Ⅰa型，Ⅰc型，Ⅳ-A型が狭義の先天性胆道拡張症（総胆管嚢腫）とされており，これらが拡張胆管切除の適応となる．戸谷Ⅳ-A型は，肝門部胆管内腔の病変の確認や狭窄部の形成が必要であり，戸谷Ⅰ型と比較して術後長

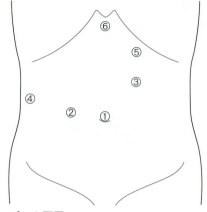

図1 ポート配置
臍部(①)は12 mmポートを用い，カメラポートとしている．②，③に12 mmポートを，④，⑤に5 mmポートを挿入するが，肝管空腸に難渋する場合は⑥に12 mmポートを追加する．

① ：12 mmポート（カメラポート）
②，③：12 mmポート
④，⑤： 5 mmポート
⑥ ：12 mmポート追加
　　　（胆管空腸に難渋する場合）

期合併症の頻度が高いため，基本的に戸谷Ⅰ型を手術適応とする．しかし，戸谷Ⅳ-A型と診断されても，狭窄および肝内胆管拡張が軽度な症例は，鏡視下手術でも対応可能であり，術者の経験および内視鏡手術の技量を勘案し，低侵襲手術の適応としてよい．

一方，膵管癒合不全を併発している症例や膵炎・胆管炎併発例は，膵内胆管剝離時に膵管損傷のリスクが高く原則適応外と考えられる．経験の積み重ねにより，徐々にその適応を拡大していったほうがよいであろう．

総胆管嚢腫成人例では悪性病変併存の可能性が高く，悪性疾患併存例に対する総胆管嚢腫切除術は禁忌である．術前の悪性病変の有無の確認は重要であるが，術前画像検査のみでは確認しえない病変もあり，術前内視鏡的逆行性胆管膵管造影および胆汁細胞診も必須の検査と考える[3]．

C 腹腔鏡下総胆管嚢腫切除術の手術手技

1 体位・ポート配置

初めに，Cアームを用いた術中造影の施行を想定して，あらかじめCアームの挿入が可能かどうかを執刀前に確認し，テーブル位置を調整しておく．患者は仰臥位，頭高位とし，術者は患者左側に立ち，スコピストは術者左側に位置する．臍部をカメラポートに設定し，左肋弓下および右前腋窩線上に5 mmポートを，左右鎖骨中線上に12 mmポートを留置している（図1）．なお，臍部創から直視下に空腸-空腸端側吻合を行うため，臍部は2.5〜3.5 cm大の切開を置き，ラッププロテクター™を留置し，12 mmポートを挿入したE・Zアクセス®を装着している．

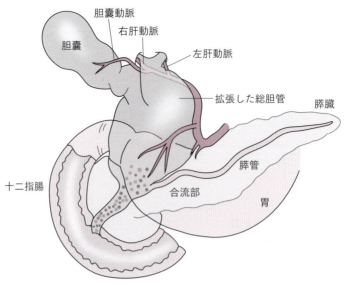

図2 Calot三角の解剖
総胆管囊腫では胆囊管も拡張している場合が多く，Calot三角が足側より圧排され，右肝動脈と胆囊動脈が並走し誤認しやすい．

2 胆囊剝離

　初めに，直針ナイロン糸を用いて肝円索を腹壁側に牽引し，術野を展開する．その後，助手は胆囊および十二指腸をそれぞれ頭側，足側に牽引し，肝十二指腸間膜を展開する．術者は総胆管左側に沿って肝十二指腸間膜腹側の漿膜を剝離，下縁は十二指腸上縁に沿って右側に切離していき，上縁は胆囊内側縁に向かい切離線を延長させる．Calot三角を十分展開し，CVSを確認したあとに胆囊動脈を切離する．

　総胆管囊腫では拡張胆管の圧排による慢性炎症の惹起や，右肝動脈および胆囊動脈の近接により，右肝動脈を胆囊動脈と誤認する可能性があるため，CVSの確認は必須である（図2）．また，総胆管囊腫は右肝動脈の走行変異が，他疾患と比べ多いとの報告もある[4]．術前画像検査による右肝動脈の走行把握も，術中損傷予防の点から重要であろう．胆囊動脈切離後，胆囊を胆囊床から剝離するが，胆囊管は切離しないでおく．また，あとの操作のため，胆囊底部の漿膜はできるだけ肝臓側に残しておく．

3 総肝管切離

　胆囊を右側に牽引し総胆管に緊張をかけ，3管合流部より肝臓側にて総肝管をテーピングする．総肝管に沿って剝離をすれば右肝動脈を巻き込むことはないが，前述のように解剖学的変異が多いため，術中も右肝動脈をしっかりと確認するべきである．拡張胆管が十分切除側に入ることを確認し，総肝管十二指腸側は結紮にて，総肝管肝臓側は血管クランプ用クリップにて把持し，切離している．なお，総胆管囊腫成人例は，術前検査で悪性所見がなくても術後病理検査にて悪性疾患が見つかることが少な

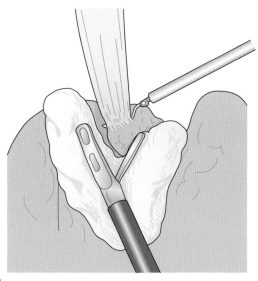

図3 膵内胆管剥離
助手に肝側胆管断端を牽引させ，膵頭部をガーゼなどで愛護的に背側足側に圧排しつつ，フック型電気メスなどの鋭なデバイスで少しずつ膵内胆管の剥離を行う．

くない[3]．可及的に胆汁を漏出させない配慮が必要である．

　戸谷Ⅳ-A型もしくはその疑診例の場合は，この段階で術中胆道鏡を行い，肝内胆管の膜様狭窄および索状物の有無を確認し，これらを切除する必要がある．胆道鏡や腹腔鏡での観察が難しい場合は，硬性尿管鏡を挿入し肝内胆管内腔を確認するとよい．また，戸谷Ⅳ-A型では吻合口を大きくとって肝管-空腸吻合を行う必要があるため，肝門部胆管側壁の切開を加えておく[5]．

4 | 拡張胆管剥離

　肝側胆管断端を牽引しつつ，拡張胆管を周囲組織より剥離していく．拡張胆管腹側は肝十二指腸間膜漿膜が胆管に付着したままとなり，剥離面は拡張胆管左側および背側が主体である．剥離層としては，腹腔鏡下胆摘における漿膜下層内層をたどって剥離していくことで，他脈管の損傷や出血などの可能性を軽減することができる．この層を保っている限りは，右胃動脈や上十二指腸動脈などの脈管切離の必要はない．

　カメラポートが臍部に位置しているため，拡張胆管背側の剥離に難渋することがあるが，その際は，カメラポートと術者の立ち位置を変更することで対応可能である．

5 | 膵内胆管剥離，拡張胆管摘出

　後上膵十二指腸動脈より十二指腸側に入ると膵内胆管の剥離となる．ここでは，助手に肝側胆管断端を牽引させ，膵頭部を背側足側に圧排しつつ，フック型電気メスにて膵内胆管の剥離を行っていく（図3）．また，術後膵液瘻予防のためにも，膵の圧排は愛護的に行う必要があり，ガーゼなどを介して圧排したほうがよい．十二指腸側に

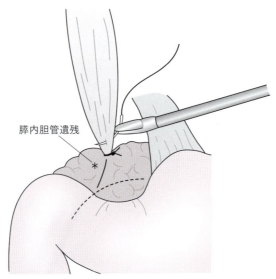

図4 膵内胆管断端処理
自動縫合器や金属クリップを用いると，術後MRIでのフォローが行いづらいため，二重結紮にて処理する．また，narrow segmentがはっきりしない症例は深追いせず，ある程度の膵内胆管遺残（＊）は許容する．

動画1

剝離が及ぶにつれ，膵臓の展開が難しくなるが，その際は膵頭部授動を追加している．膵内胆管十二指腸側は，狭小部（narrow segment）を確認し，残存側はエンドループ®および4-0モノフィラメント吸収糸刺通結紮の二重結紮にて処理し，切除側はクリップをかけ膵内胆管を切離，標本を摘出する【動画1】．

6 │ 術中胆道造影

　症例によってはnarrow segmentが判別困難な場合もあり，術中造影を行い十二指腸側の切離線を決定する．小児例では内腔を確認し主膵管との流入部を確認することがあるが，成人例では悪性疾患併存の可能性があるため，極力内腔の露出や胆汁の漏出は避けるようにするべきである．

　初めに胆囊からの胆汁流出予防のため，胆囊管にクリップをかける．その後，膵内胆管剝離部の十二指腸側に金属クリップをかけマーキングとする．造影カテーテルは総肝管に直接刺入できる位置にて腹壁を貫通させ，直接拡張胆管に刺入，可及的に胆汁を吸引する．造影カテーテルは胆管と一緒に結紮し，さらに鉗子にて把持しておくと，カテーテル逸脱を防ぐことができる．カテーテル留置後は，体位を平坦とし，Cアームにて術中造影を施行，マーキングクリップと膵胆管合流部との位置を把握したあと，膵内胆管の剝離を追加する．なお，narrow segmentの明らかでない症例に関しては，膵内胆管の完全な切除は不可能であり，必要以上の追求は膵管損傷の危険性があるため，ある程度の膵内胆管残存は許容している（図4）．

7 │ 空腸-空腸吻合

　空腸起始部から30 cmの空腸にマーキングを行い，肛門側空腸の直動静脈を約10 cm，腸管壁に沿って切離し犠牲腸管とする．その後，E・Zアクセス®を外し臍部創から空腸を挙上，直視下に空腸起始部から約40 cmのところで自動縫合器にて切離する．肛門側断端のステイプラーを埋没し，犠牲腸管を切除したあと，肛門側断端から50 cmの部位にて直視下に空腸-空腸端側吻合を行う．吻合法は4-0モノフィラメント糸を用いた層々吻合にて行うが，吻合に時間がかかると腸管浮腫により腹腔内への還納が困難になる場合があり，手慣れた方法で行うのがよい．

8 │ 空腸挙上

　再度腹腔鏡下操作に戻り，横行結腸を頭側に挙上し，横行結腸間膜に小孔を開ける．横行結腸間膜は，透見される十二指腸下行脚の腹側・右側に切開を加え，そこから鈍的剝離を行うと横行結腸間膜腹側に達することができる．足側からの操作のみで難しい場合は，一度鈍的剝離部にガーゼを置き，横行結腸を足側に戻し，頭側からガーゼを確認すると容易に貫通させることができる．その後，腸間膜に捻れのないことを確認し，肛門側空腸断端を後結腸経路にて挙上する．最後に胆囊床に残存している胆囊漿膜をオーガンレトラクターにて把持し，横隔膜にフックをかけ，術野の展開を行い，肝管-空腸吻合に移る．

9 │ 肝管-空腸吻合

　肝管-空腸吻合は頻回の縫合結紮手技が必要となるため，左鎖骨中線上12 mmポートをカメラポートとし，臍部ポートを術者左手用とする，コアキシャルセッティングを基本とする．加えて，術者右手のポート位置が胆管の運針軸に合っていない場合は，右手鉗子用にポートを追加する．

　空腸の腸間膜対側やや腹側に，肝管径の2/3程度の小切開を開け，空腸側の吻合口とし，吻合を開始する．肝管-空腸吻合は，5-0モノフィラメント吸収糸の結節縫合にて行う．肝管径にもよるが，鏡視下の肝管-空腸吻合においては，連続縫合による術後吻合部狭窄が懸念されるため，前壁もしくは後壁の少なくとも一方は結節縫合にて吻合を行うべきである．

　肝管に対して9時方向から外内，内外の順で肝管および空腸に針をかけ，この糸を結紮せずに助手に把持させておく．第2針目は8時方向に内外，外内の順で針をかけたあと，初めに8時方向の糸から結紮を行い，続いて9時方向の糸を結紮する．このようにすることで，第2針目の運針が行いやすくなり，結紮時の肝管の裂傷も避けることができる(図5a)．8時方向の縫合糸は一端のみ切離し，もう一端は助手左手鉗子にて把持牽引させる．この操作により吻合面が挙上され，運針の手助けとなる(図5b)．次の運針も肝管から空腸に向かい，内外，外内の順で針をかけ，結紮後縫合糸の一端を残し，糸を切離，次の運針の準備を行う【動画2】．後壁は反時計回りにこ

動画2

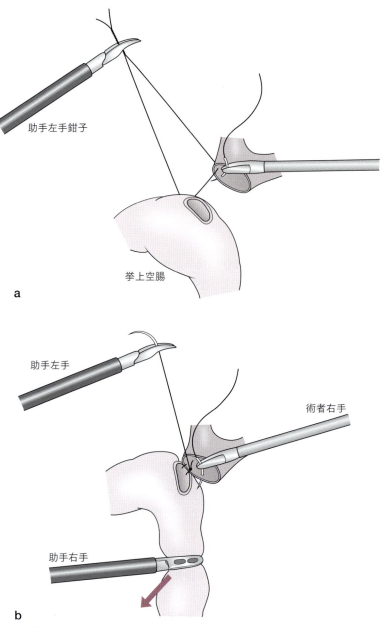

図5 肝管-空腸吻合
9時方向から運針し,この糸を結紮せずに助手左手鉗子に把持させ,第2針目をかけ第2針目の糸から結紮を行う(**a**).それ以降は,結紮糸の一端を助手左手鉗子にて把持挙上させると,次の運針が容易になる.この際助手は右手鉗子にて空腸断端を牽引(矢印方向)し,針先を見やすくさせるのが要点である(**b**).

の操作を繰り返していき,最後に3時方向は,外内,内外の順で運針し結紮,後壁を終了する.

運針時の肝管裂傷の予防として,鉗子を回して肝管と腸管を縫合するよりも,肝管,腸管をそれぞれまっすぐに刺入するような運針を心がけること,そして針の両端を持った瞬間に肝管に裂傷をきたすおそれがあるため,肝管運針時は針先端を左手鉗子

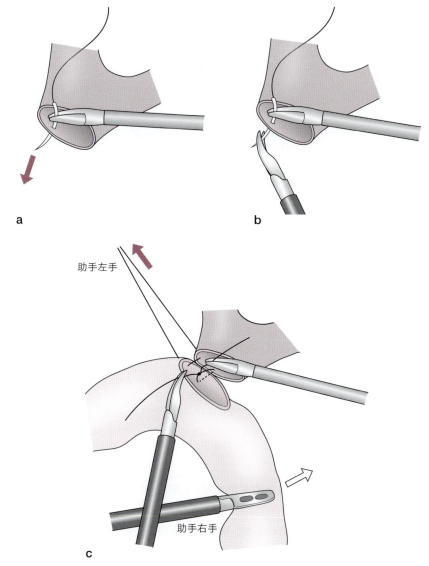

図6 肝管裂傷を予防するコツ
① 肝管壁の運針軸に合った右手ポートを留置する.
② 肝管の運針は，鉗子を回転させず肝管壁に垂直に刺すように行う．また，最初の数針は肝管と腸管を一緒に運針しないこと(**a**).
③ 運針時に針先を左手鉗子で把持すること(拝み持ち)は極力避ける(**b**).
④ 結紮時，特に最初の結紮に注意する．術者は腸管を肝管に寄せるように結紮する．また助手の働きも重要で，左右の鉗子を術者の結紮と協調して矢印の方向(左手：色矢印，右手：白矢印)に進めていく(**c**).

で取りにいかないこと，などが挙げられる．また，助手右手は空腸断端を把持し，針の先端を確認しやすいよう適宜腸管の位置を変えると，術者が運針しやすくなる(図6).

後壁を終了したあと，RTBDチューブを用いて6 cmの長さのロストステントを作成する．チューブ先端より2 cmの部分にてバイクリル®ラピッドを結紮しておき，末端のほうを腸管内に挿入したあと，バイクリル®ラピッドを牽引しつつ胆管内に先

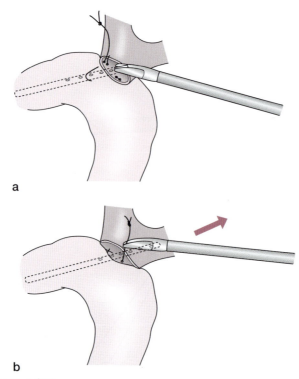

図7 ロストステント挿入
6 cm長のロストステントの先端より2 cmの部分にてバイクリル®ラピッドを固定し,長い末端の方を先に腸管内に挿入する(**a**).ほぼ完全にロストステントを挿入したあと,固定糸を矢印方向に牽引し,肝管内に先端を誘導する(**b**).

端を挿入し,後壁の糸(固定用に1端残しておく)と結紮し,ロストステントを固定する(図7).

続いて前壁に移るが,前壁は時計回りに縫合を行っていく.後壁と同様結紮糸を一端残して牽引し次の糸を運針,結紮しているが,ロストステントをガイドとして運針すると後壁をかける心配がない.また,径が大きい場合は連続縫合でもよいが,その際も助手左手で運針後の糸を牽引し,術者が縫合しやすいように心がけるのがコツである.

10 ドレーン留置・閉創

最後に挙上空腸断端を肝十二指腸間膜漿膜もしくは肝円索に1,2針縫合し固定する.これは肝管-空腸吻合部を軸として空腸が捻れることを予防するためである.また,挙上空腸の横行結腸通過部も2針空腸と固定し,空腸の脱出を予防している.

腹腔内を洗浄し,出血および遺物遺残のないことを確認後,ドレーンを留置する.ドレーンは右前腋窩線上に5 mmポートより導出し,肝管-空腸吻合部背側に留置し,手術を終えている.

D　ロボット支援下総胆管嚢腫切除術

　2022年に保険収載された術式であるが，高難度新規医療技術に該当するため，その導入には適切な指導体制および医療安全体制の確保が必要である．該当症例の希少性を考えると一般的な普及には時間がかかるものと考えるが，肝管-空腸吻合において腹腔鏡下手術に対する優越性の報告が散見され，腹腔鏡下手術の弱点を補完しうる有用な手術手技である[3]．ロボット支援下手術の今後の普及に期待したい．

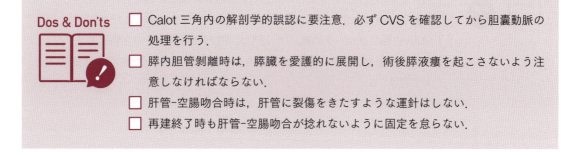

Dos & Don'ts
- □ Calot三角内の解剖学的誤認に要注意．必ずCVSを確認してから胆嚢動脈の処理を行う．
- □ 膵内胆管剝離時は，膵臓を愛護的に展開し，術後膵液瘻を起こさないよう注意しなければならない．
- □ 肝管-空腸吻合時は，肝管に裂傷をきたすような運針はしない．
- □ 再建終了時も肝管-空腸吻合が捻れないように固定を怠らない．

文献
1) 日本膵・胆管合流異常研究会，他：先天性胆道拡張症の診断基準2015．胆道 29：870-873, 2015
2) Ohtsuka H, et al：Long-term outcomes after extrahepatic excision of congenital choladocal cysts：30 years of experience at a single center. Hepatogastroenterology 62：1-5, 2015
3) Morikawa T, et al：Laparoscopic and robot-assisted surgery for adult congenital biliary dilatation achieves favorable short-term outcomes without increasing the risk of late complications. Surg Today 52：1039-1047, 2022
4) Mori Y, et al：Congenital biliary dilatation in the era of laparoscopic surgery, focusing on the high incidence of anatomical variations of the right hepatic artery. J Hepatobiliary Pancreat Sci 27：870-876, 2020
5) Todani T, et al：Management of congenital choledochal cyst with intrahepatic involvement. Ann Surg 187：272-280, 1978

〈森川孝則，海野倫明〉

3 膵頭十二指腸切除術

> **重要ポイント**
> - ロボット支援下手術の場合1番アーム，4番アームは上前腸骨棘，肋弓とそれぞれ緩衝しやすいため，体型に応じて調整する．
> - 横行結腸の授動は十分に行い，副右結腸静脈は確実に処理を行う．
> - 動脈をテーピングする場合には，十分にスペースを確保して行う．
> - SMA右側アプローチの際には，IPDA, IPDVの存在に十分注意する．
> - 膵–胃(膵腸)吻合を行う場合は緊張を低減させるため，胃(腸管)を膵臓側に寄せて行う．

A セットアップ

- 使用機材：da Vinci Xi™.
- 体位：仰臥位，開脚位，両手開き．
- 手術台：頭高位12°逆トレンデレンブルク体位．
- エネルギーデバイス
  - VIO dv 2.0(daVinciビジョンカート搭載ジェネレーター)基本設定 Effect 3.
  - 右手 Valleylab™ Force Triad 基本設定 マクロモード60.
  - 左手(1番アーム)ロングバイポーラもしくはフェネストレイテッドバイポーラ．
  - 右手(3番アーム)メリーランドバイポーラ．
  - 4番アーム；TIP-UPフェネストレイテッドグラスパ．

B 適応

　ロボット支援下膵頭十二指腸切除術を施行するには，学会の定める施設基準，また術者基準を満たす必要がある．詳しくは日本肝胆膵外科学会，日本内視鏡外科学会のホームページをご覧いただきたい．導入当初は良性〜低悪性度腫瘍症例で，かつ炎症のない，やせた症例で行うことが望ましいと考えている．われわれの施設でも良性〜低悪性度腫瘍症例から開始し，現在では膵癌に対しても行っているが，原則，門脈に接している症例は適応外としている．

　なお，膵周囲の血管解剖は複雑であり，さまざまな解剖変異を認める．また，血管解剖のみならず，弓状靱帯狭窄(celiac artery stenosis)や門脈輪状膵などにも注意をする必要がある[1]．

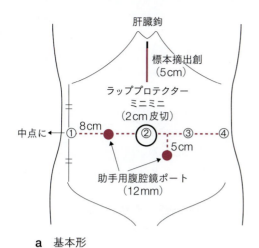
a　基本形

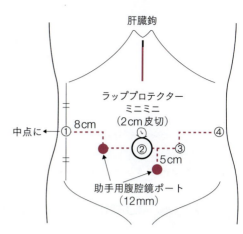
b　体型が小さい場合

図1　基本的なポート配置

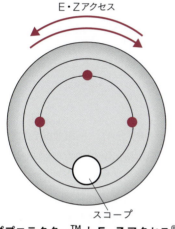

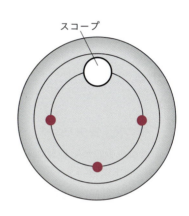

図2　ラッププロテクター™とE・Zアクセス®

C 手順

1 ポート挿入

　ロボット支援下膵頭十二指腸切除術における基本的なポート配置を図1aに示す．はじめに8 mm HASSON CONE(トロカール)を臍部に挿入する．このトロカールは2番アームに装着し，主にカメラ用ポートとして使用する．本トロカールは通常，臍部から挿入するが，体型が小さい場合はターゲットからの距離を確保するために臍下から挿入する(図1b)．HASSON CONEを直接挿入する場合は，air leakを防止するために腹壁にかけた糸でしっかりと固定する．当科ではE・Zアクセス®を装着後，ラッププロテクター™ミニミニへトロカール(図2)を刺入している．これにより腹壁からのair leak防止，スコープの微調整が可能となる．ラッププロテクター™ミニミニの装着は，臍であればHASSON CONEと同じ切開の大きさで，また臍下でも2 cmの皮膚切開で可能である．

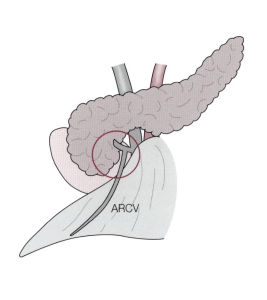
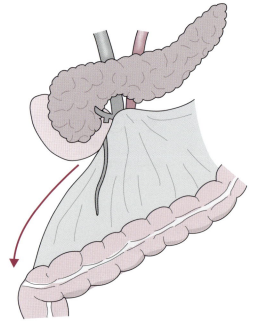

a　ARCVは先に切離　　　　　　　　　　　b　肝彎曲部を越えるところまで十分に授動

図3　横行結腸の授動

　その後，臍(HASSON CONE)の右側16 cm(1番アーム)，左側8 cm(3番アーム)，左側16 cm(4番アーム)の位置に8 mm Bladeless Obturator(トロカール)をそれぞれ挿入する．助手用ポートとして臍の右側8 cmおよび，2番アームと3番アームの中点から4〜5 cm足側に12 mmトロカールをそれぞれ挿入する．体型が小さい場合はポート間距離を小さくして対応する．ポート挿入後，心窩部に肝臓鉤(ネイサンソンフックレバーレトラクター)を挿入し，肝臓を挙上する．このとき，肝虚血に注意して軽めの挙上とする．また，肝円索の下垂防止にエンドクローズ™を用いて2-0絹糸で腹壁に固定する．

　1番アームと4番アームは上前腸骨棘，肋弓とそれぞれ干渉しやすいため，それぞれの肋弓と上前腸骨棘の中点に挿入する．

2｜大網切離〜横行結腸授動

　胃を4番アームで把持，スコープからの距離を確保するため，できるだけ頭側に誘導する．助手の右手で大網を足側に牽引，さらに術者左手(1番アーム)で大網を頭側右側に牽引し，大網を面で展開する．十分に面が形成されたのちに，超音波凝固切開装置もしくはvessel sealerで患者左側に向かって大網の切離を行う．大網が胃側に過剰に残ると，大網が下垂し，術野の妨げとなるので，胃大網動静脈のアーケードから1 cm程度離したラインで大網の切離を行う．左側の切離は左胃大網動静脈(LGEA and V)の右側までとし，LGEA and Vは温存する．その後，右側に向かって切離を行う．網囊右縁を突破後，横行結腸間膜を足側に向けてtake down(授動)する．この

とき，注意する血管が副右結腸動静脈(ARCV)である(図3a)．ARCVを残したまま授動を継続すると思わぬ出血をきたし，さらにはARCVからの出血を鏡視下で止血することは時に困難である．そのため，ARCVは同定後，確実に先に処理しておく．ARCVを処理後，授動を継続，肝彎曲部を越えるまで十分に行う(図3b)．十分に授動をしておくことにより横行結腸が術中頭側に流れ込み，視野の妨げになることを防止できる．腹腔内脂肪が多い症例では特に意識しておく必要がある．

なお，胃大網動静脈をロボット用鉗子で把持すると出血し，血腫を形成することがあるので絶対に血管を把持しない．

また，ARCVから出血を認めたときは，まず圧迫で出血をコントロールする．

3 | 膵頭部授動【動画1】

動画1

❶ Kocher の授動

開腹手術と同様である．手順2で述べた通り，横行結腸間膜を十分に足側に授動，十二指腸水平脚を同定する．その後，助手もしくは4番アーム(tip-up grasper)で十二指腸を愛護的に腹側に牽引する．このとき，腸管壁を同じ箇所で長時間牽引すると，十二指腸壁を損傷し，十二指腸液が腹腔内に漏出し感染することがあるので，注意が必要である．十二指腸外縁に沿ってTreitz筋膜を切開，十二指腸および膵頭部を背側から遊離する．良性〜低悪性度腫瘍の場合は下大静脈前面の膜を一枚残して剥離を行うが，膵癌の場合は下大静脈(IVC)壁を露出させておく．

❷ 膵頭部背側授動(左側からの授動)

当科でも腹腔鏡下十二指腸切除術導入時は開腹術に準じて右側からKocher授動術を行っていたが，現在は左側からの授動を行っている．本方法は鏡視下手術のcaudal viewを利用しており，良好な視野を保つことができる．また十二指腸を把持することなく膵頭部背側を完全に剥離することが可能である(図4a)．このときTreitz靱帯を確実に切離することが重要である．Treitz靱帯を切離することで十二指腸〜空腸起始部の可動性が良好となる．なお，Treitz靱帯は右横隔膜脚からSMA(上腸間膜動脈)左側を走行し，空腸起始部〜duodenojejunal flexureに付着にしている(図4b)[2]．そのため，十二指腸側に沿ってTreitz靱帯を切離する場合，前方からのアプローチのみですべて切離するのは難しいため，前方，後方双方向から切離を行う必要があることを認識しておくべきである．

a) 第1空腸動脈(1st JA)露出

空腸前面の腸間膜を剥離，1st JAを同定後，根部に向かって全貌を露出させる．膵癌症例など，必要な場合はSMA左側まで露出させておく(図5a〜c)．

b) Treitz靱帯切離

Treitz靱帯を扇型に展開し，空腸壁に沿って腹側から可能な限り切離を行う(図5d, e)．空腸起始部を右側に翻転，十二指腸上行脚と水平脚下縁の腹膜(後腹膜)を切開

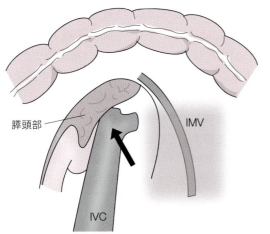
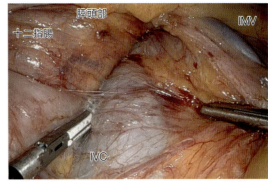

a　左側からの膵頭部授動

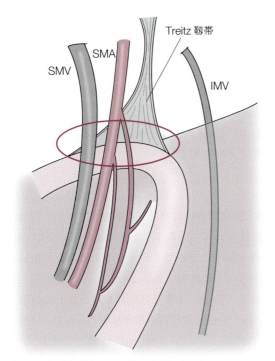

b　Treitz 靱帯は十二指腸に広範に付着

図4　膵頭部背側授動

すると十二指腸がさらに右側に牽引される．十二指腸を患者右側に牽引すると十二指腸に付着する残りの Treitz 靱帯を確認することができるので，これをすべて切離する（図5f）．

c）膵頭部背側授動

　十二指腸背側の IVC を確認し，良性〜低悪性度腫瘍の場合は IVC 前面の膜を温存，膵癌の場合は IVC 壁を露出させる層で剝離を行う．IVC 前面の層を確認できれば，層に沿って頭側，右側の剝離を行えば膵頭部および十二指腸の授動は終了する．

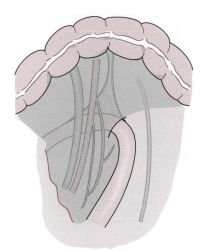

a 横行結腸間膜を頭側に翻転

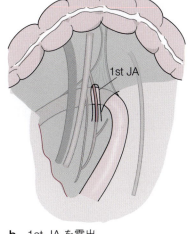

b 1st JA を露出

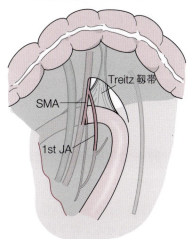

c 1st JA, SMA 左側, Treitz 靱帯露出

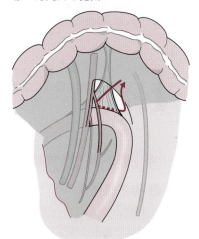

d Treitz 靱帯腹側から切離

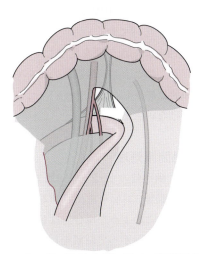

e 1st JA, SMA 左側, Treitz 靱帯露出

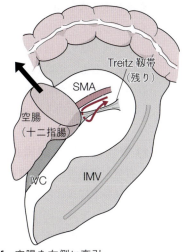

f 空腸を右側に牽引
Treitz 靱帯背側から切離

図 5 1st JA 露出と Treitz 靱帯切離

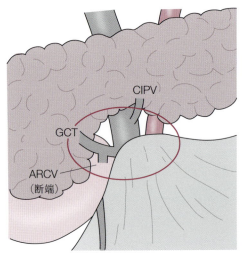

図6　横行結腸間膜授動
膵下縁ではwindowは広く開けておく．CIPVは確実に処理する．

十分に背側の剥離を行ったあとガーゼを挿入する．横行結腸間膜を足側に戻したのちに十二指腸右側に沿って剥離を行うと，膜一枚切離するだけで膵頭部の授動は完了する（図4a）．

動画2

4 ｜膵下縁，胃切離，膵上縁操作，肝十二指腸間膜処理【動画2】

❶ 膵下縁操作

　手順2でARCVも切離され，横行結腸も授動されているので，SMV周囲の露出は容易である．膵下縁でSMV前面を十分に露出させる．膵下縁では通常CIPVが膵実質からSMVに流入しており，出血の原因となるのであらかじめ切離をする（図6）．よほど太くない限りはvessel sealerで問題ない．CIPVを切離したのち膵下縁を広く剥離し，トンネリングのためのwindowを広げておく．

　その後SMV右縁に沿って横行結腸間膜と膵前面の間を剥離しておく．GCTの切離は必ずしもこの時点で行う必要はないが，膵と上腸間膜静脈の間を完全に遊離できるので切離しておいてもよい．なお，頭側に膵からのdrainage veinが複数残存しているので膵頭部のうっ血を気にする必要はない．

❷ 胃切離〜膵上縁操作〜肝十二指腸間膜処理

　右胃大網動静脈，右胃動静脈を切離後，幽門輪の1〜2cm口側で胃の離断を行う．その後膵上縁操作に移る．このとき，総肝動脈(CHA)を露出させるが，脂肪，リンパ節に覆われて時に同定が難しいことがある．このような場合，はじめに胃十二指腸動脈(GDA)をメルクマールとして露出し，根部に向かって剥離を行うとCHAの同定の際に迷うことがない（図7a）．CHA前面のリンパ節と神経外側の層を剥離し，No.8を郭清する．膵上縁は対象疾患によって必要な郭清を行う．神経外側の層に沿って剥離を行えば容易にCHAのテーピングが可能である．なお，テーピングの際には鉗子

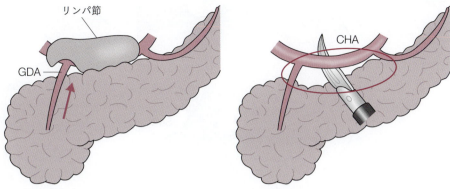

a　GDAをメルクマールにCHAを同定　　b　血管確保は十分にspaceを開けて

図7　膵上縁操作

で十分にwindowを広げることは，過度な緊張による血管損傷を避けるためには重要である（図7b）．

　GDAも同様にテーピングを行う．GDAからはASPDAなどの枝が出ていることがよくあるため注意が必要である．なお，GDA根部付近から分枝が出ている場合には，GDAの処理に十分な距離をとることができないため，それぞれ処理を行う．GDA切離の際には必ず根部側は結紮を行い，その後ヘモロックさらにはヘモクリップの脱落防止目的でリガクリップを用いて処理を行う．なお，GDA切離前には鉗子でGDAを挟み，クランプテストを行う．引き続き固有肝動脈（PHA）を確認，これをテーピングし，右肝動脈を確認する．次に，門脈を確認，膵頭側から上腸間膜静脈（SMV）前面を剝離，その後，先に剝離しておいた膵下縁からトンネリングを行い，膵のテーピングを行う．さらに，総胆管と門脈の間の剝離後，総胆管をテーピングし，本工程を終了する．

　血管テーピングの際には開腹と異なり触診での確認ができないため，血管周囲の剝離は十分に行いwindowを広げたあとに行う．

5 ｜ SMA右側アプローチ【動画3】

動画3

　右側アプローチによる切離ラインを図8に示す[3]．ラインAが一般的だが，悪性腫瘍に対してはラインBもしくはラインCを選択されることが多い（図8a）．しかしラインCを右側からのみで行うのは困難な場合があるので左側から行うこともある（図8b）．

❶ 膵離断まで

　空腸を右側に引き抜き，自動縫合器で切離する．助手のドベーキー鉗子もしくは4番アームで門脈を愛護的に把持しこれを左側に牽引する．術者が門脈右縁に沿って剝離を行うと，門脈は次第に左側に展開され，第1空腸静脈（1st JV）が露出される（図9a）．さらに，1st JVもしくはSMVに流入する下膵十二指腸静脈（IPDV）も同定できる（図9b）．1st JVおよびIPDVはSMV周囲操作の際に不意の出血源となる静脈で

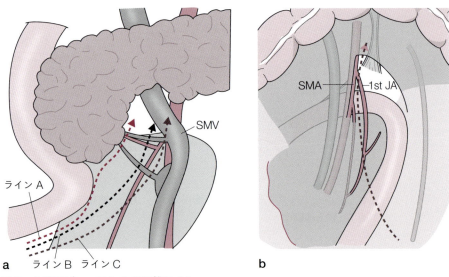

図8 右側アプローチによる切離ライン

あることを意識しておく．この静脈を認識していないと出血源を推定することができず，止血に難渋するので留意する．IPDVを切離すると，SMVはさらに左側に授動され，SMA右縁が露出される（図9c, d）．膵鉤部を右側に，SMVを左側に展開し，SMAと膵鉤部の間を切離する．このとき1st JAおよびIPDAを同定することができる．IPDAは1st JAから分岐することが多いが，SMAから直接分岐している場合や，両方認めることもあるので術前CTで確認する．切離ラインに関しては症例に応じて適切なラインで行い，IPDAおよび1st JAの処理を行う．剝離が膵下縁まで進んだら膵の離断に移る．

本操作の際には適切な緊張でのSMVの牽引が重要である．SMVの牽引の際は助手のドベーキー鉗子もしくは4番アームで行うが，牽引が困難な場合はSMVをテーピング後にテープを牽引するのもよい方法である．

また，膵とSMAの間の組織は易出血性であるため，あらかじめソフト凝固などで焼灼を行い，その後，剝離を行うと出血を予防することができる．

❷ 膵離断から標本摘出まで

膵離断はさまざまな方法があるが，われわれは自動縫合器での離断もしくはハーモニックで膵実質を離断し，膵管をメッツェンバウム剪刀で離断するいずれかの方法を用いている．膵を離断，膵頭部を右側に牽引するとSMA右縁と膵の境界が明瞭に確認できる．膜を1枚1枚切離するイメージで剝離すると，膵頭部とSMA右縁の間隔が徐々に広がっていく．IPDAは複数本認めることがあるので，本操作の際にもSMAからの分枝を認めることがある．また，replaced right hepatic artery（rRHA）症例の場合，rRHAから膵頭部への動脈枝があるので注意する．頭側には必ずdrainage vein（ASPDV）が存在することを念頭に置きながら切離を行い，標本を摘出する．

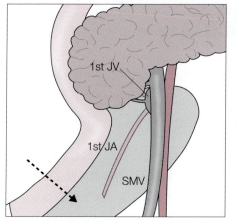
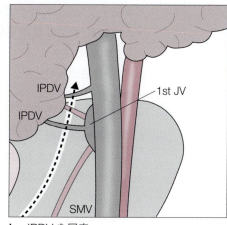

a　1st JV を露出　　　　　　　　　b　IPDV を同定

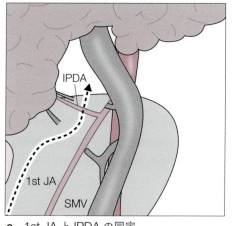
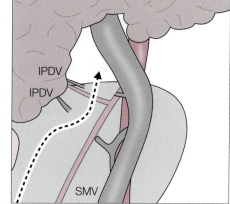

c　1st JA と IPDA の同定　　　　　d　IPDA の切離

図9　**1st JA と IPDA の同定**

❸ 標本摘出

　いったん DaVinci を roll out し，膵前面の直上で約5cm の小切開を置き標本を摘出する．なお，臍部の切開創を延長して標本を摘出している施設もある．再建に関しては当科では胃-膵吻合を基本としている．再建準備として胃漿膜切開，挙上空腸盲端に対する漿膜筋層連続縫合，また胆管-空腸吻合の際の空腸側の吻合孔開放は小切開創から行っておく．自動縫合器で膵を離断した場合は膵管周囲のステイプルを外しておく．

6│再建

❶ 膵-胃吻合

　筆者らの施設では以前は膵-腸吻合を行っていたが，膵-胃吻合の場合，縫合不全が生じたとしても胃十二指腸断端から距離があり，出血のリスクが少ないと考え，現在 soft pancreas に対しては膵-胃吻合を行っている．ロボット支援下 PD の適応症例は soft pancreas が多いため，膵-胃吻合が基本となっている．

準備するものは以下の通りである．
- 膵実質貫通-胃漿膜筋層縫合：3-0非吸収性モノフィラメント糸TE弱彎針（片針にして20 cm）．
- 膵管-胃粘膜吻合：4-0非吸収性モノフィラメント糸RB-1針（片針にして12 cm）．
- 膵管チューブ（6 Fr）．

a）胃漿膜切開剥離

　膵断端背側はできるだけ剥離し，授動しておく．はじめに胃後壁の漿膜を剥離する．前述の通り，本操作は小切開創から行う．胃体部後壁に膵離断面に合わせた大きさで胃漿膜にマーキング後，これに沿って電気メスで漿膜のみを剥離する（図10a）．節つき膵管チューブの金属針側を，膵管開口部に対応する胃粘膜に刺入する．このとき，胃内腔に確実に入っていることを触診で確認する．チューブはロストステントとして最終的に留置するので，胃内にある程度残るように調節し，金属針を胃上部前壁から導出させる（図10b）．

b）膵実質貫通-胃漿膜筋層縫合

　3-0非吸収性モノフィラメント糸TE弱彎針を片針20 cmの長さにして使用する．膵管の頭側で膵実質の背側から腹側に向かって針を貫通させたのち，胃漿膜欠損部から約1 cm口側の漿膜筋層に短軸方向に縫合し，再び膵実質を腹側から背側へ刺通させ，針糸を把持しておく（図10b）．同様の手技を合計3針行う（中央は膵管をまたぐ）．留置した針が門脈に刺さり出血を生じることがあるので，門脈前面にはガーゼを留置しておく．

c）膵管-胃粘膜筋層縫合

　4-0非吸収性モノフィラメント糸RB1針を片針12 cmの長さにして使用する．基本的に後壁3針，前壁3針の合計6針で行うが，膵管孔が大きい場合は適宜追加する．また，連続縫合で行うこともある（図10c, d）．このとき，膵にかかる緊張をできるだけ軽減させるために，胃壁をできるだけ膵断端に近接しておくことが重要である（図10c）．われわれは4番アームで胃壁を膵に近接させている．膵管頭側（1時）から運針を行い，結紮は行わずにヘモロックを糸にかけ腹腔内に留置しておく．その後3時，5時方向にも同様に運針後，頭側（1時）から結紮を行う．結紮の際にも緊張がかからないように胃を膵離断面に寄せておく．後壁をすべて結紮後，3時方向の糸で膵管チューブの固定を行う．引き続き前壁の運針を頭側（11時）から3針行う（図10d）．

d）膵実質貫通-胃漿膜筋層縫合

　最後に留置していた4-0非吸収性モノフィラメント糸を胃漿膜欠損部から肛門側の漿膜筋層に短軸方向に運針する（図10e）．このとき，膵断端が胃に覆われやすいように漿膜剥離部から余裕を取って（1 cm以上）運針する．すべて縫合後に頭側から順次結紮を行うが，このとき膵が胃に確実に覆われるように行う（図10f）．なお，強く結紮を行うと糸が切れることがあるので無理な緊張をかけてまで結紮は行わない．緩ん

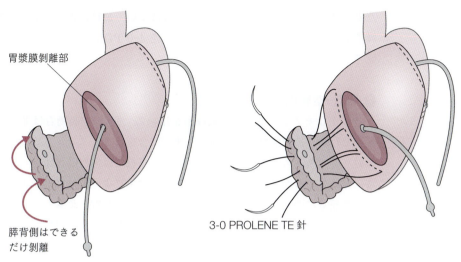

a 電気メスで漿膜のみを剝離

b 膵実質貫通-胃漿膜筋層縫合

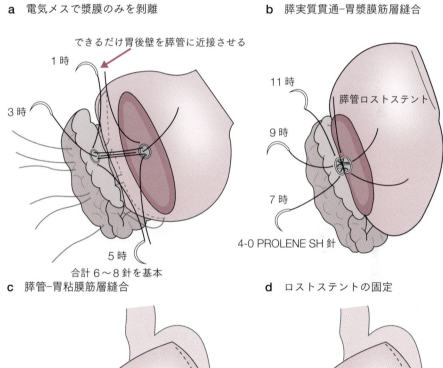

c 膵管-胃粘膜筋層縫合

d ロストステントの固定

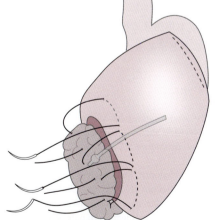

e 膵実質貫通-胃漿膜筋層縫合

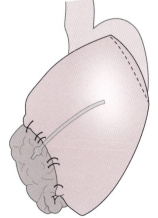

f 膵-胃吻合完成

図10 膵-胃吻合

だ場合はラプラタイを追加し，補強すればよい．最後に胃体部前壁から導出していた膵管チューブを切離し，導出部分の胃壁を 4-0 PDS® で Z 縫合閉鎖して膵-胃吻合を完了する．

❷ 胆管-空腸吻合

　糸は 4-0 モノフィラメント吸収糸を用いる．胆管-空腸吻合は非拡張症例では結節縫合で行い，拡張症例では後壁のみ連続縫合を行う．ステントに関しては非拡張症例に対してロストステントを留置している．当科では開腹時に十分バイトを確保するように努めているが，鏡視下手術では拡大視効果により十分にバイトが確保されているような錯覚に陥る．そのため，挿入している鉗子の幅と比較し，バイトが本当に十分に確保されているかを確認する．結紮の際には胆管壁が裂けないように腸管を胆管壁に寄せるようにして結紮を行う．

❸ 胃-空腸吻合

　胃-空腸吻合は前結腸経路で行っている．空腸を挙上させ，小開腹創から体外へ出し，胃-空腸吻合を行う．

7｜閉創，ドレーン挿入

　腹腔内を洗浄，最後にドレーンを 3 本挿入（胆管-空腸吻合部背側，胃-膵吻合部左側・右側）し，閉創，手術を終了する．

Dos & Don'ts
- ☐ 鏡視下手術は触覚がないため，開腹手術以上に術前の解剖把握を行っておく．
- ☐ 胃十二指腸動脈切離の前には必ずクランプテストを行い，肝動脈の血流を確認する．
- ☐ 胃大網動静脈をロボット用鉗子で把持すると出血し，血腫を形成することがあるので絶対に血管を把持しない．
- ☐ 温存する腸管，血管はロボット用鉗子で把持することは極力避けるべきである．
- ☐ ドレーンの挿入に難渋することがあるが，ブラインドでは挿入しない．

文献

1) Nakata K, et al：Study Group of Precision Anatomy for Minimally Invasive Hepato-Biliary-Pancreatic surgery (PAM-HBP Surgery). Precision anatomy for safe approach to pancreatoduodenectomy for both open and minimally invasive procedure：A systematic review. J Hepatobiliary Pancreat Sci 29：99-113, 2022
2) Nassar S, et al：Ligament of Treitz：Anatomy, Relevance of Radiologic Findings, and Radiologic-Pathologic Correlation. AJR Am J Roentgenol 216：927-934, 2021
3) Nagakawa Y, et al：International expert consensus on precision anatomy for minimally invasive pancreatoduodenectomy：PAM-HBP surgery project. J Hepatobiliary Pancreat Sci 29：124-135, 2022

（仲田興平，中村雅史）

4 膵体尾部切除術

> **重要ポイント**
> ☐ 腹腔鏡下/ロボット支援下膵体尾部切除術は，拡大視効果や caudal view を活かした解剖認識，気腹圧による出血量の低減，多関節機能を有するロボットアームによる安定した視野展開と精緻な手術操作といった利点がある．
> ☐ 安全に完遂するためには，膵周囲の解剖を十分に把握し，良好な術野展開のもとランドマークとなる構造を的確に認識しながら手術を進めることが重要である．

A 適応

膵体尾部の良性・低悪性度腫瘍，悪性腫瘍が対象となるが，膵癌においては① 上腸間膜静脈/門脈直上レベルの膵切離で腫瘍からの十分なマージン確保が可能であり，門脈合併切除再建を要せず，脾動脈根部まで十分な距離がとれること，② 腹腔動脈・上腸間膜動脈周囲神経叢への浸潤が疑われないこと，③ 副腎以外の他臓器浸潤を伴わないこと，を適応条件とする．脾・脾動静脈温存術式はリンパ節郭清を必要としない膵体尾部の良性・低悪性度腫瘍を適応とする．

B 体位と器具の配置

1 腹腔鏡下膵体尾部切除術

体位は開脚頭高位で，上半身を軽度左側高位とする．術者は患者右側，助手は患者左側，スコピストは脚間に立つが，手術の状況に応じて術中に位置を変更する．患者の頭側にメインモニター・サブモニターを設置し，それぞれ術者・助手に正対する（図1a）．

2 ロボット支援下膵体尾部切除術

左腕を体の高さよりもやや低くなるように手台を調整することで，ロボットアームとの接触リスクが軽減される．側板は頭部右側と右大腿骨転子部を支えるように装着し，さらに足底部にも側板を装着しておく．すべてのポート留置後，12°の右下頭高位体位にする（図1b）．

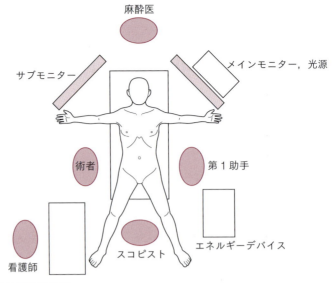

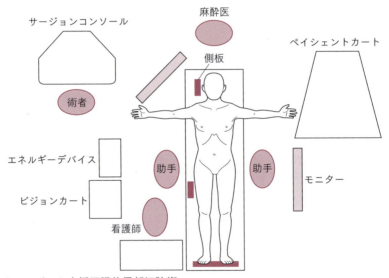

図1 患者，術者，助手，機器の配置
b：ペイシェントカートは患者左側からロールインする．
〔Da Vinci Xi Surgical System, Intuitive Surgical, Inc. より〕．

C ポート配置

1 腹腔鏡下膵体尾部切除術

　臍部にスコープポートを挿入し，12 mm ポートを2本，5 mm ポートを2本使用した5ポートを基本とする（図2a）．術者ポートの位置は重要であり，膵上下縁の軸に合うように使用するポートや術者の位置を適宜変更する．気腹圧は8～10 mmHgに設定する．

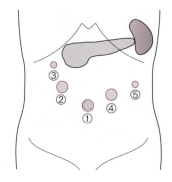
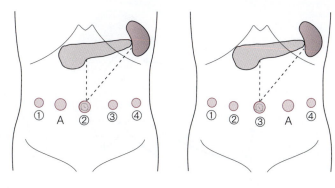

a　腹腔鏡下膵体尾部切除術　　　b　ロボット支援下膵体尾部切除術

図2　ポート配置

a：臍部スコープポート（①）．右肋弓下鎖骨中線に5 mmポート（③），臍部と5 mmポートの間に12 mmポートを挿入する（②）．臍左側の鎖骨中線に12 mmポート（④），その外側やや頭側に5 mmポートを挿入する（⑤）．大柄な患者では，術者の鉗子が膵尾部・脾門部に届かず操作が困難となることがあるので，やや左寄りに術者ポートを配置する．

b：臍から膵下縁までの距離が約10 cmであれば臍をスコープポートとする．アシストポート（A）の位置の違いによりポート位置を決定し，脾臓をターゲッティングする．

2 ロボット支援下膵体尾部切除術

　臍と膵下縁までの距離を事前に術前画像で測定し，スコープポートの位置を決定する．距離が10 cm未満の場合は，ロボットアームの角度が急峻になってしまうため，膵下縁からスコープポートまでの距離が約10 cmとなるよう臍下にスコープポートを置くようにする．標本摘出も同ポートから行うことから最初から約2～3 cmの小切開を置き，シールキャップ付き開創器を装着する．患者の体格に基づきポート位置を決定するが，気腹圧10～12 mmHgに気腹した状態で①，③，④ポート，アシストポートの位置を決定する．アームの干渉を防ぐためにポート同士は8 cm以上離すようにする．基本的な位置として臍レベルの高さで横一列に並ぶように配置するが，ロボットアームの可動性や体との接触を考慮し①，④ポートは腸骨稜と約3 cm離して設定する（図2b）．すべてのポートを挿入したあと，12°の右下頭高位にし，ペイシェントカートとドッキングする．

D 手術の手順

　腹腔鏡下/ロボット支援下手術ともに，以下に示すような手順で行う．

1 脾合併切除（図3a）

　①網嚢開放～胃脾間膜切離，②膵上縁処理，③膵下縁処理，④トンネリング・膵切離，⑤内側から外側へ膵背側切離～脾切除．

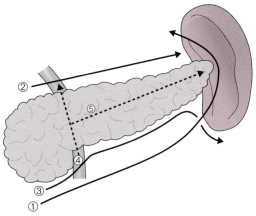

a 脾合併切除

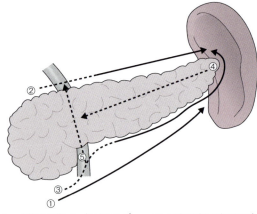

b 脾温存術式（外側アプローチ：膵尾部脱転先行）

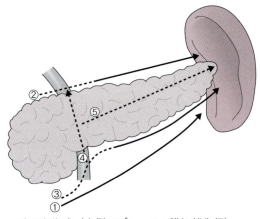

c 脾温存術式（内側アプローチ：膵切離先行）

図3　手術手順
a：① 網嚢開放〜胃脾間膜切離，② 膵上縁処理，③ 膵下縁処理，④ トンネリング・膵切離，⑤ 内側から外側へ膵背側切離〜脾切除.
b：①〜③はaと同じ．④ 膵血管温存し膵を尾側より脱転，⑤ 膵切離．
c：①〜③はaと同じ．④ 膵切離，⑤ 血管温存しながら内側から外側へ膵切除．

2 ｜ 脾温存術式（外側アプローチ：膵尾部脱転先行）（図3b）

① 網嚢開放〜胃脾間膜切離，② 膵上縁処理，③ 膵下縁処理，④ 膵血管温存し膵を尾側より脱転，⑤ 膵切離．

3 ｜ 脾温存術式（内側アプローチ：膵切離先行）（図3c）

① 網嚢開放〜胃脾間膜切離，② 膵上縁処理，③ 膵下縁処理，④ 膵切離，⑤ 血管温存しながら内側から外側へ膵切除．

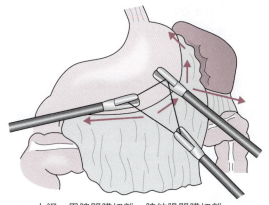
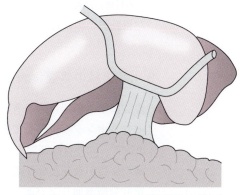

a　大網〜胃脾間膜切離，脾結腸間膜切離

b　膵上縁の視野展開の1例(肝臓鉤を使用)

図4　大網切離〜膵上縁の視野展開
a：胃体中部大彎，胃体上部大彎，大網を把持した3点支持で大網を展開する．
b：膵体部付近の操作で左胃動脈の右側で胃体部を中心に圧排挙上．膵尾部から脾門部付近の操作では左胃動脈の左側で胃穹窿部を圧排挙上して術野展開する．

E 手術の実際

1 腹腔内検索および洗浄細胞診

　腹腔内を観察し，肝転移，腹膜播種の有無を検索する．症例に応じてダグラス窩洗浄細胞診を行う．肝円索が垂れ下がり視野の妨げになる場合は，腹壁より穿刺したナイロン糸で吊り上げる．

2 大網切離〜膵上縁の視野展開

① 胃体中部大彎，胃体上部大彎，大網を把持した3点支持で大網を展開する(図4a)．超音波凝固切開装置や vessel sealing system などのエネルギーデバイスを用いて，胃大網動静脈を温存しつつ大網を切離して網嚢を開放する．結腸脾彎曲部へと切離を進め，結腸脾彎曲部を十分に脾下極から授動する．

② 続いて，左胃大網動静脈を切離し，胃脾間膜を脾上極付近まで向かう．左胃大網動静脈はクリップあるいはエネルギーデバイスにて十分にシーリングしてから切離する．胃脾間膜切離の途中で2〜3本の短胃動静脈を認めるため，胃壁寄りで慎重にシーリング後に切離する．脾上極に進むにつれて胃脾間膜はその幅が狭くなる．展開が困難な場合には無理に切離を試みず，次の操作に移る．

③ 腹腔鏡下手術では，術者は患者の左側に移動する．右胃大網動静脈の立ち上がりが認識できるくらいまで大網切離を患者右側に進め，膵体尾部前面を広く露出する．胃体部後壁に網嚢後壁が癒着していることが多いため，可及的に剥離しておく．また，十二指腸球部背側と膵頭部前面を剥離して胃十二指腸動脈を同定する．

④ 胃を挙上して膵上縁の視野展開を行う．各施設の推奨方法で胃を牽引，圧排して術野を展開する(liver retractor やペンローズドレーンによる圧排，organ retractor や糸に

よる胃壁の穿刺・牽引など）．この際，胃がたわまないように助手が胃を十分に広げ，左胃動脈が膵に対して垂直になるように展開すると良好な術野が得られる（図4b）．

3 | 膵上縁の処理（総肝動脈と脾動脈のテーピングおよび門脈の露出）

① 腹腔鏡下手術では，術者は再び患者の右側に立つ．助手の鉗子で膵の下縁をガーゼやスポンジで圧迫して膵を足側方向に展開する．状況に応じて助手右手または4番アームで胃膵間膜を牽引するなど，牽引・圧排の場所を適宜変更すると膵上縁の展開が良好となる（図5a）．
② 総肝動脈前面リンパ節を含む軟部組織を膵上縁に沿って切開し，総肝動脈を露出してテーピングする（図5a）．膵上縁の腹膜切離は脾動脈根部を越えたところまで行う．総肝動脈から固有肝動脈に沿って剥離し，右胃動脈を温存して頭側に向かい尾状葉尾側まで漿膜切開する．このラインがリンパ節郭清の右側縁となる．上腸間膜静脈前面のトンネリングが必要な場合には，この過程で門脈を確認しておく．総肝動脈のテープを頭側に牽引し背側の組織を剥離すると，胃十二指腸動脈の分岐部との背側に門脈前面が露出される．
③ テーピングした総肝動脈を牽引し，総肝動脈周囲リンパ節を腹腔動脈右側に向かって郭清していく．その際，左胃静脈に注意する．左胃静脈は門脈もしくは脾静脈へ合流するが，不用意な牽引操作により損傷すると出血の原因となるため，門脈流入部もしくは膵上縁で結紮またはシーリングして切離する．
④ 左胃動脈リンパ節は左胃動脈前面の胃膵ひだを観音開きにして郭清する．郭清を背側に進めると，右横隔膜脚を同定でき，先の工程で固有肝動脈側から尾状葉尾側へ向かったリンパ節郭清ラインと連続させることでリンパ節郭清の頭側上縁となる．腹腔動脈左側リンパ節と脾動脈根部リンパ節を郭清して脾動脈根部を同定する．膵切離に先立って脾動脈をクリップもしくは結紮し，脾臓への血流を遮断しておく．脾動脈の切離幅が十分に確保できる場合はこの時点で切離する．

4 | 膵下縁の処理

膵下縁で，中結腸静脈の位置から想定される上腸間膜静脈の部位より右側から結腸間膜前葉を膵尾側に向かって切離し，上腸間膜静脈を露出させる．次に上腸間膜静脈から脾静脈合流部に向けて膵下縁背側の結合織を剥離して膵下縁に十分なスペースを確保してから，膵頸部と上腸間膜静脈・門脈との間を頭側に向かって愛護的に剥離を進めてトンネリング行う．腹腔鏡下手術で術者右手鉗子の角度が合わない場合には，臍部もしくは左側12 mmポートを使用する．この際，尾側膵から上腸間膜静脈や脾静脈に流入する小静脈（cento-inferior pancreatic vein）があるため慎重に切離する．また，上腸間膜動脈から膵に分枝した背側膵動脈がこの領域を走行している場合があるため，クリップや結紮などで確実に処理を行う．これらの脈管を処理することで，良好な視野でのトンネリング操作を行うことができる．トンネリング後に膵実質にテーピングする（図5b）．

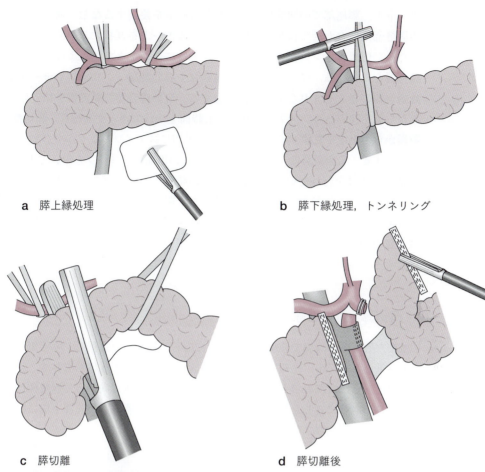

図5 膵上縁，膵下縁の処理および膵切離
a：助手が膵を尾側に展開し，膵上縁の漿膜を切開して総肝動脈，脾動脈を確保する．
b：膵尾側の後腹膜切開に先行して脾結腸間膜を切離しておくと，脾下極の展開が良好となる．結腸脾彎曲部が脾臓に近接している場合には，授動時の結腸損傷に注意する．また，脾下極と周囲組織との生理的癒着は脾被膜損傷の原因となるので早い段階で外しておく．上腸間膜静脈と脾静脈の合流部を視認しながら頭側に向かって愛護的に剝離を進めてトンネリングを行い，自動縫合器が余裕をもって挿入できるスペースを作成する．
c：膵の長軸に直交するように自動縫合器を誘導する．軸を合わせるため切離部位に合わせて自動縫合器を挿入するポートを選択する．
d：尾側膵切除断端を腹側，外側に牽引しながら，膵体尾部を内側から外側に向けて切離していく．

5 膵切離

① 必要に応じて術中超音波検査で腫瘍と膵切離ラインの関係を確認し，腫瘍から十分なマージンを保ち自動縫合器を用いて膵実質を切離する．膵切離に用いる自動縫合器の選択や切離前の膵実質圧挫方法，切離速度は各施設で推奨する方法で行う．当施設では5分間の着脱式腸鉗子を用いた膵実質の圧挫を行ったあと，5分間での自動縫合器の閉鎖，その後5分間での膵切離を基本としている．

② 膵にかけたテープを牽引しながら膵切離ラインが捻れずに膵の長軸に直交するようにトンネリング部に自動縫合器を誘導する（図5c）．門脈直上での切離には臍部

ポートを，膵尾部での切離には臍部左側ポートを使用するなど，軸を合わせるため切離部位に合わせて自動縫合器を挿入するポートを選択する．術後膵液瘻を防ぐため，切離ライン近傍の膵被膜および実質に裂傷をきたさぬよう，慎重に自動縫合器を挿入する．また，胃十二指腸動脈や総肝動脈，クリップやテープ類が自動縫合器に巻き込まれないように注意する．自動縫合器で膵実質を徐々に圧縮しながら膵を挟み込む．ステイプリングも時間をかけてゆっくり行う．膵切離後に，断端からの出血や被膜・実質に損傷がなく適切にステイプリングができていることを確認する．自動縫合器による膵切離部からの出血はクリップを用いて止血する．

③ 脾動脈の切離を行っていない場合は，この時点でクリップして切離する．切除側膵切離断端を左側腹側に牽引し，脾静脈を上腸間膜静脈流入部で確保する．下腸間膜静脈が脾静脈に流入する場合にこれを温存する際には，流入部より脾臓側で脾静脈を確保する．脾静脈は自動縫合器を用いるか，結紮・クリップしたのちに切離する．

6 | 尾側膵・脾の切除

切離した脾静脈の背側で腫瘍の後方進展に応じて剥離層を選択し，膵背側の剥離層を左側へ進める(図5d)．尾側膵断端を脾側にめくり挙げるように牽引して，膵上下縁の切離ラインと膵背側の層との連続性を保ちながら，尾側へ向かって剥離操作を進める．脾背側の腹膜に達したら脾を腹側に持ち上げて，脾背側腹膜を脾上極に向かって切離していくと尾側膵・脾が完全に後腹膜から遊離される．

7 | 臓器の回収

切除標本を回収バッグに収納し，臍部創を必要最小限延長して体外に摘出する．

8 | ドレーン留置・閉創

腹腔内を生理食塩水で洗浄し，出血や異物遺残の有無を確認する．閉鎖式ドレーンを膵断端近傍を経由して先端が左横隔膜下に位置するように留置する．ドレーンは位置がずれないように吸収糸を用いて，2～3針周囲組織と固定しておく．続いて胃の固定を解除して自然な形に整復する．臍部と12mmポート創は筋膜を縫合して閉創する．

F 膵癌に対する後腹膜一括郭清

膵癌ではリンパ節郭清のみならず，膵周囲剥離面(dissected peripancreatic tissue margin：DPM)確保のため膵後方の後腹膜郭清も確実に施行する必要がある[1]．

① 脾結腸間膜を切離して結腸脾彎曲部を授動する際に，腎前筋膜(Gerota筋膜)を露出する．続いて，膵から離れた部位でGerota筋膜および内部の脂肪組織を切開して

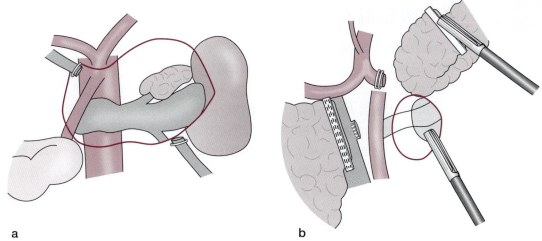

図6 膵癌に対する後腹膜郭清
a：Treitz 靱帯左側からのアプローチ．横行結腸を頭側腹側に牽引し，Treitz 靱帯左側の漿膜を切開・剥離することで左腎静脈前面を同定し，膵後方切離層とする．
b：膵切離後，尾側膵断端を把持・展開し，上腸間膜動脈前壁から左壁にかけて膵背側へ伸びる結合織を切離しつつリンパ節郭清を行う．さらに背側・尾側へ向かって剥離を行うと，上腸間膜動脈，左腎静脈，腹腔動脈根部が連続して露出され，先の工程で露出した適切な後方剥離層へ安全に到達する．

左腎被膜を露出しておくことで，後方剥離面外側縁の到達点とする．

② 横行結腸間膜を尾側に牽引し，膵下縁で腫瘍の局在に応じたマージンをとりながら結腸間膜前葉の漿膜切開を左側へ進めると，十二指腸空腸移行部（Treitz 靱帯付着部）が透見される．空腸起始部のすぐ頭側で Treitz 靱帯を切離すると，神経線維に覆われた上腸間膜動脈左側面が露出される．周囲神経叢を温存する層で上腸間膜動脈左側の剥離を根部に向けて進め，リンパ節郭清を行う．上腸間膜動脈根部と腹腔動脈根部は一連の神経叢で覆われており，上腸間膜動脈左側の剥離面から連続して腹腔動脈根部周囲の郭清を行う．Treitz 靱帯切離部位の背側で左腎静脈を同定する．

動画1

③ 腫瘍の後方進展を伴う場合は，横行結腸を頭側腹側に挙上したのち，空腸起始部から左側に向けて横行結腸間膜を切開する．途中で下腸間膜静脈に遭遇するのでこれを切離すると良好な視野が展開される（図6a）．切開した結腸間膜の頭背側で脂肪組織を剥離すると上腸間膜動脈尾側で左腎静脈前面に到達する【動画1】．頭側の剥離を左横隔膜脚に沿って，背側切離面上縁を左副腎頭側まで行う．結腸間膜にできた欠損孔は内ヘルニア予防のため，最後に縫合閉鎖する．

動画2

④ 左腎静脈を連続して露出することで正しい背側剥離層を保ちながら，左側へと後腹膜を郭清する（図6b）【動画2】．左副腎を切除する場合では，左副腎静脈を左腎静脈頭側の流入部でクリップして切離し，左副腎背側の層に入って剥離を進める．左副腎を温存する場合では，左副腎静脈の表面から連続して左副腎表面を露出し，外側では先に露出した左腎腹側の被膜面と切離面を連続させる【動画3】．腎門部では左腎動脈が左腎静脈前面に蛇行している場合があり，損傷しないように注意する．

動画3

G 脾・脾動静脈温存術式

　　脾温存膵体尾部切除術には脾動静脈温存手術と脾動静脈を切除する術式（Warshaw手術）があるが，本項では前者の手術手技に関して概説する．

① 大網切離は左胃大網動静脈の手前までとする．脾動静脈温存術を企図した場合でも，途中でWarshaw手術に移行する可能性（腫瘍が脾動静脈に近接し，腫瘍被膜の損傷や腫瘍残存の可能性がある場合，腫瘍や膵尾部が脾門部に広範に接して出血リスクが高い場合，炎症に伴い血管の同定や膵からの血管剝離が困難である場合，など）や，温存した脾動静脈の術後閉塞の可能性に備えて左胃大網動静脈を温存する．

② 脾合併膵切除と同様に膵下縁をガーゼやスポンジで圧排して膵上縁が腹側を向くようにして，膵上縁から脾動脈の確保を試みる．通常，膵切離ラインが腹腔動脈分岐部より左側である場合には総肝動脈のテーピングや上腸間膜静脈/門脈上のトンネリングは不要であるが，脾動脈が根部付近で膵実質背面深く走行し埋没している場合は直接脾動脈を確保することが困難なことが多い．その際には先に総肝動脈周囲を剝離してテーピングし，テープを牽引しながら膵上縁を総肝動脈から剝離していく．剝離を脾動脈根部まで延長して脾動脈を確保する．

③ 脾動脈の確保後，術者はテープを把持・牽引，助手は膵実質を対側に牽引し視野展開する．膵実質と脾動脈の間を少しずつ剝離し，脾動脈を全長にわたり露出する．脾動脈からの小動脈分枝は結紮や熱損傷に十分注意してエネルギーデバイスでシーリングを行ったのちに切離する．剝離が進むたびに尾側でテーピングをやり直し，さらに脾動脈の剝離を進めていく．

④ 脾静脈は大部分が膵背側を走行しているが，膵尾側になるにつれて次第に膵上縁を走行するようになることが多い．膵下縁の膵実質に沿った切開ラインを膵上縁からの切離ラインと連続し，膵尾部上縁で脾静脈を確認し，膵尾部実質を授動することで遊離した血管を剝離してテーピングを行う．

続いて膵実質を腹側・頭側に翻転しながら埋没している脾静脈を同定して，膵実質から流入する細い側枝を逐次処理しながら切離予定線まで剝離を行う（図3b）．流入枝の損傷を回避するため，膵実質からの脾静脈剝離の際には静脈背面で剝離を行う（図7a）．脾門部への膵実質癒着や腹腔内脂肪により膵尾部での血管走行の視認が難しく，外側からのアプローチが困難な場合は，内側から外側へ向けた血管剝離を行うが（図3c），血管剝離の最終段階で脾門部の解剖認識に難渋する可能性があるため，血管損傷に注意する．

⑤ 膵切離後は周囲との結合織が乏しく可動性が大きくなる．そのため，膵実質に残った血管の剝離長が長いと取り回しが困難となりやすく，血管損傷や出血につながる．これを避けるためには膵切離前に脾動静脈を十分に膵実質から剝離しておく（図7b）．

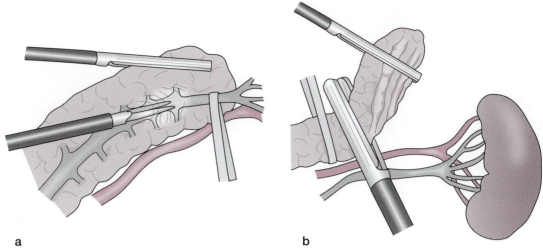

a　b

図7　脾・脾動静脈温存尾側膵切除術
a：脾静脈は半周以上にわたり膵実質内に埋没し，かつ多数の流入枝を伴う．
b：膵切離．膵切離後は可動性が大きくなるため，膵切離前に脾動静脈を十分に膵実質から剥離しておく．

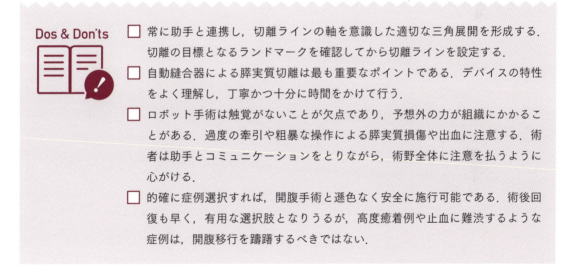

Dos & Don'ts

- 常に助手と連携し，切離ラインの軸を意識した適切な三角展開を形成する．切離の目標となるランドマークを確認してから切離ラインを設定する．
- 自動縫合器による膵実質切離は最も重要なポイントである．デバイスの特性をよく理解し，丁寧かつ十分に時間をかけて行う．
- ロボット手術は触覚がないことが欠点であり，予想外の力が組織にかかることがある．過度の牽引や粗暴な操作による膵実質損傷や出血に注意する．術者は助手とコミュニケーションをとりながら，術野全体に注意を払うように心がける．
- 的確に症例選択すれば，開腹手術と遜色なく安全に施行可能である．術後回復も早く，有用な選択肢となりうるが，高度癒着例や止血に難渋するような症例は，開腹移行を躊躇するべきではない．

文献

1) Strasberg SM, et al：Radical antegrade modular pancreatosplenectomy procedure for adenocarcinoma of the body and tail of the pancreas：ability to obtain negative tangential margins. J Am Coll Surg 204：244-249, 2007

（中川顕志，長井美奈子，庄　雅之）

索引

欧文索引

A6, A7独立分岐タイプ　41
Arantius管→「アランチウス管」を見よ
Artery-first　237
Blumgart変法　131
　──による膵-空腸吻合　132
Braun吻合　248
Cアーム　323
Calot三角　243, 324
caudate process（CP）　202
　──の切除　203
Caudo-peripheral approach　69
CIPV（centro-inferior panceatic vein）　63, 255
combined pattern　52
ConventionalなPD　239
Couinaudの肝区域　36
Cranio-dorsal approach　69
Cranio-ventral approach　69
Crush Clamping法　105, 109, 173
CUSA®　105, 186, 320
cystic plate　67
deadly triad　147
distal pancreatectomy（DP）　252
　── with en bloc celiac axis resection（DP-CAR）　253
dorsal type　72
DP-CAR　260
Frey手術　263
GelPort®　283
Glenn手術　271
Glisson鞘→「グリソン鞘」を見よ
groove領域　56

hand assisted laparoscopic surgery（HALS）　310
hanging maneuver　157, 184, 187, 289, 290
hilar plate　67
Hjortsjo's crook　211
IABOカテーテル　150
ICG蛍光法　70, 206
inflow control　97
infraportal pattern　51
International Study Group on Pancreatic Surgery（ISGPS）　27
Intraluminal method　246
J字切開　162
Knack and Pitfall　100
Kocher授動術（Kocherization）　15, 224, 234, 235, 272, 335
Laennec被膜　182
Lap-RAMPS　253
laparoscopic liver resection（LLR）　308
laparoscopy assisted surgery（Hybrid）　310
liver hanging maneuver（LHM）原法　98
liver tunnel　208
modified LHM　98
Omni-Tract® リトラクター　295
outflow control　97
P6, P7の独立分岐　39
Pancreaticoduodenectomy（PD）　232
　──, conventionalな　239
paracaval portion（PC）　202
　──の切除　203

　──の切除, 系統的切除を含めた　205
Precision Anatomy for Minimally invasive surgery（PAM）　67
　── -HBP Surgery　66, 71
　──の知見（膵臓）　71
　──の知見（肝臓）　66
Pringle法　39, 97, 297, 312
　──, 肝離断　172
radical antegrade modular pancreatosplenectomy（RAMPS）　252
replaced CHA　71
replaced RHA　71
Rouviere溝　67
Roux-en-Y法　138
Spiegel lobe（Sp）　38, 202
　──の切除　203
superior mesenteric artery（SMA）　73, 237, 339
supraportal pattern　51
surgical windowの設定　206
Treitz靱帯　238
　──の切離　237, 335
U-suture　133
umbilical plate　68
ventral type　72
Warshaw手術　78, 354

数字

1st JA露出　335
1st JV　339
1層縫合PG/Blumgard変法PG　128
2層縫合PG　127

和文索引

あ行

アニマルラボ 4
アランチウス管 68
　── の処理 215
新しい術式
　── を行う際の倫理的留意点 2
　── を導入する目的 3
圧迫止血 148
安全管理委員会からの提言 29
インフォームド・コンセント 4
胃-空腸吻合 20, 248, 344
胃結腸静脈幹 61
胃十二指腸動脈切離 16, 266
胃切離 239, 338
胃粘膜ポケットの作成 126
胃の離断 16
ウォータージェットメス 288
右肝管の処理 170
右肝授動 23, 102
　── と副腎との剝離 165
　── を先行させる標準的右肝切除 161
右肝静脈 43
　── の処理 171
　── のテーピング 168
　── の露出 217
右肝切除 94, 154, 222, 284, 289, 291, 315
右肝脱転 180
右肝動脈
　──, 肝側の剝離 214
　── の起始異常 40
　── の処理 169
　── の剝離 213
　── の分岐, 走行のバリエーション 41
右冠状間膜 35
右胸肋関節脱臼法 164
右後区域グリソンの露出 218
右三区域 222
右側アプローチ 74
右尾状葉の切除 216, 218
右門脈の剝離 214
右葉グラフト 300
　── の移植 301
右葉の脱転操作 9
エネルギーデバイス 309
横行結腸授動 334

横行膵動脈 76

か行

カダバー研修 4
下右肝静脈の処理 167
下膵十二指腸動脈 60, 72
下大静脈
　── の合併切除・再建 115
　── の合併切除の適応 115
　── の周囲の剝離 284
　── の靱帯切離 165
　── の切除再建 111
　── の損傷 148
下腸間膜静脈 62, 76
開胸アプローチ 163
開胸操作の追加 163
開腹 15, 211, 223
開腹操作 8
拡張胆管摘出 325
拡張胆管剝離 325
合併尾側膵切除 253
肝S4a+S5切除 272
肝S4a切除 277
肝S5切除 278
肝移植 295
肝外胆管 50
　── の切除 271
肝外門脈の解剖 38
肝下部下大静脈テーピング 185
肝鎌状間膜の切離 34
肝管-空腸吻合 20, 327
肝管前壁連続縫合 249
肝管裂傷を予防するコツ 329
肝区域切除（術） 190
肝区域の解剖 35
肝左葉・尾状葉の授動 215
肝実質切離 288, 319
肝実質離断 157, 172
肝実質離断面と離断法 186
肝授動 205, 284, 296, 313
肝十二指腸間膜
　── の郭清 223
　── の処理 15, 338
　── のリンパ節郭清 212
肝静脈
　── からの出血コントロール法 112
　── の解剖 43
　── の再建 115
　── の処理 111, 112, 188
　── の切離 218

　── の損傷 148
　── の吻合 300
　── の露出のポイント 112, 113
肝静脈根部
　── のランドマーク 69
　── への3つのアプローチ 69
肝切除 23, 271
　──, 胆嚢癌に対する 270
肝切離 10, 216, 226, 230, 276, 279, 320
肝切離ライン 227
肝臓 34
　──, 手術記録の書き方 6
　── の間膜 34
　── の用語 83
肝臓ハンギング法 96
肝側胆管切離 227
肝脱転 96, 101, 178, 195, 197, 284
肝胆膵外科高難度手術の成績 30
肝中央切除 205
肝頭側の剝離 101
肝動脈 58
　── の解剖 39
　── の走向 59, 71
　── の損傷 150
　── の破格 88
　── の吻合 303
肝内胆管 50
　── の切離 218
肝部下大静脈部 202
肝門個別処理 169
肝門処理 168, 195
　── の実際 91
肝門操作 181
肝門の脈管模式図 89
肝門板 67
　── の一括テーピング 182
　── の処理 187
肝門部から行うグリソンアプローチのためのランドマーク 68
肝門部グリソン鞘 155
肝門部処理 8, 297
肝門部操作 287
肝門部脈管処理 82, 213, 225, 230
　──, 脱転 197
肝門部領域胆管癌 222
肝門部リンパ節郭清 239
肝門脈管処理 314
肝離断 105, 173, 192, 195, 197, 218
　── における肝血流コントロール 96

――のコツ　106
――の終了後　201
肝離断線のマーキング　172
患者体位, 膵-胃吻合時の　126
逆L字切開　162
巨大肝癌　154
挙上空腸の固定　143
近位背側空腸静脈　72
クリオプレシピテート　147
グラフト肝摘出　293
グラフト再建　121
グリソン鞘　48
　――の一括確保　287
　――の一括処理　82, 318
　――の走行　83
　――の剥離　291
空腸間膜リンパ節郭清　237
空腸起始部神経叢　237
空腸起始部の処理　17
空腸挙上　327
空腸-空腸吻合　327
空腸切離　237
ケースレポート　29
形成外科医　150
経腸栄養チューブ留置　305
結節縫合　139
固有肝動脈の走行　71
個別処理　88, 315
後下膵十二指腸静脈　61
後区域肝動脈北回り　42
後区域切除　195
後区域のセグメンテーション　37
後上膵十二指腸静脈　61
後上膵十二指腸動脈　60, 273
後腹膜一括郭清, 膵癌に対する　352
後方アプローチ　74
高度技能専門医申請ビデオ撮影の準備　22
高度技能専門医制度　29
高難度術式　3

さ行

サイトビジット　29
左胃静脈　62, 76
左外側区の授動　215
左肝管切離　10
左肝授動　101
左肝静脈　44
左肝切除　91, 178, 210, 216, 218, 286, 290, 292, 317

左肝脱転　179
左肝動脈の起始異常　39
左三区域　210
左三区域切除　217, 219
左腎静脈　65, 77
左腎動脈　65
左側アプローチ　74
左尾状葉の下大静脈からの脱転　180
左門脈切離　213
左門脈テーピング　182
左葉グラフト移植　299, 300
左葉のセグメンテーション　37
再建に要するグラフトの確保　114
臍静脈板　68
三角間膜の切離　35
止血　174
直達法　84
手術関連死亡　31
手術記録の書き方　6
手術計画　66
手術症例調査書　29
主膵管の同定と切開　265
十二指腸側胆管の切離　223, 273
十二指腸乳頭部胆管　48
出血時対応　250
出血制御（法）　156, 320
術後管理　143
術前シミュレーション　66
術前門脈塞栓術　222
術中偶発症への対処　146
術中大量出血　147
術中胆道造影　326
術中超音波検査　165, 312
小腸の作成　138
上腸間膜静脈の露出　255
上腸間膜動脈
　――, 右側アプローチ　339
　――, 周囲郭清　237
　――周囲の処理　18
　――へのアプローチ法　73
上腹部横切開　264
上腹部正中切開　264
静脈グラフト　114
新規術式　3
腎静脈の位置　78
腎動脈下枝の走行パターン　78
スケッチ　12, 14
膵-胃吻合　124, 341
膵外神経叢　63
膵下縁
　――の操作　338

　――の処理　350
膵管　57
膵管-胃粘膜吻合　124, 129
膵管-空腸粘膜吻合　133
膵癌
　――のリンパ節郭清の範囲　26
　――に対する後腹膜一括郭清　352
膵-空腸吻合　19, 246, 268
膵実質-胃漿膜筋層吻合　127, 128
膵実質貫通-空腸漿膜筋層密着縫合　133
膵周囲の癒合筋膜　56
膵-消化管吻合　124
膵-消化管吻合後のアウトカム　131
膵上縁
　――の処理　350
　――の操作　338
　――の剥離と総肝動脈, 脾動脈の確保　255
膵切離　18, 126, 132, 260, 351
膵前面の露出　265
膵臓　56
　――, 手術記録の書き方　13
　――の区域　56
　――の血管　58
膵体尾部切除（術）　27, 252, 345
膵体部の剥離　261
膵-腸吻合　131
膵トンネリング　132, 255
膵頭十二指腸切除（術）　27, 232, 332
膵頭十二指腸の授動　264
膵頭部
　――の出血予防操作　266
　――の授動　335
　――の芯抜き　267
　――の背側授動　335, 336
　――の露出　235
膵内胆管　48
　――の剥離　325
膵背側の切離ライン　77, 79
膵離断　239, 244, 256, 340
生体肝移植　282
切離ライン, SMA右側アプローチ　75
先天性胆道拡張症　322
前下膵十二指腸静脈　61
前区域切除　191
前区域のセグメンテーション　36
前上膵十二指腸静脈　61
前上膵十二指腸動脈　60

前方アプローチ
　——,右肝切除の　154
　——,上腸間膜静脈の　74
創の延長　284
総肝管切離　16, 278, 324
総肝動脈
　——周囲の郭清　16
　——の切離　260
　——の走行　71
総胆管の切離　212
総胆管囊腫切除　322

た行

大膵動脈　76
大網切離　235, 334
大網切離〜膵上縁の視野展開　349
第1空腸静脈（J1V）　62, 339
　——の走行パターン　72
胆管　46
　——の解剖　43
　——の浸潤　211
　——の切除再建,胆囊癌に対する
　　　　　　　　　　　　　　270
　——の切離　8, 137
　——の走行　181
　——の組織解剖　50
　——の損傷　150
　——の動脈支配　49
　——の破格　89
胆管（肝管）-空腸吻合術　137
胆管-空腸吻合　11, 246, 344
胆管口の一穴化　138
胆管後壁結節縫合　248
胆管枝の合流形態　51
胆管分離限界点　54
胆汁外瘻チューブ　142
胆汁リークテスト　174
胆道
　——の肉眼解剖　46
　——の発生異常　53
胆道癌切除　54
胆道系の血流　49
胆道再建　137, 220, 228, 278, 304
　——を伴う肝切除,尾状葉切除　210
胆囊　50
　——の組織解剖　50
胆囊管　50
胆囊癌に対する肝切除・胆管切除再建
　　　　　　　　　　　　　　270
胆囊床切除　280

胆囊剥離　324
胆囊板　67
短肝静脈の処理　167
端々吻合　119
致死的3徴候　147
中央二区域切除　199
中肝静脈　44
　——の露出　173, 216
　——の起始のバリエーション　41
テーピング　179, 212
トロカール配置　253, 311
ドナー肝切除　282
ドレーン留置　20, 130, 330
戸谷 I 型　322
戸谷 IV-A 型　322
動門脈処理　181

な行・は行

内側区域切除　197
バイクリルラピッド®　329
バックテーブル　300
背側膵動脈　60, 76
ビデオ
　の画角　24
　　——の上手な撮り方　22, 23
ビデオカメラの位置　24
ビデオ審査　22
引き算法　85
脾温存術式　348
脾合併切除　347
脾静脈　62, 76
　——の取り扱い　122
脾動静脈温存尾側膵切除術　80
脾動静脈の切離　257
脾動脈　60, 75
　——の走行パターン　77
　——の分岐パターン　77
脾・脾動静脈温存術式　354
尾状突起枝（G1c）　67
尾状葉　38
　——の切除　202
　——の単独全切除　204
尾状葉突起部　202
尾側膵・脾の切除　352
標準的アプローチ,右肝切除の　161
標本摘出　340
フィブリノゲン濃縮製剤　147
フレキシブルスコープ　309
プレートシステム　47
プロクターの招聘　4

部分切除,肝部下大静脈部の　203
副右結腸動静脈　335
腹腔鏡下肝切除（術）　308
　——,ICG蛍光法を利用した　70
腹腔鏡下膵体尾部切除（術）
　　　　　　　　　　252, 345, 346
腹腔鏡補助下手技　310
腹腔鏡補助下での肝右葉授動　283
腹腔動脈合併尾側膵切除　260
腹腔動脈の切離　262
ヘパリン　149
閉腹操作　11, 20
ポート挿入　282, 333
ポート配置　333, 346, 347
傍大動脈リンパ節サンプリング　234

ま行

慢性膵炎　263
脈管処理　320
無漿膜野の剥離　34
メルセデスベンツ切開　296
門脈
　——の解剖　35, 38
　——の破格　89
門脈右枝の処理　170
門脈合併切除　223, 244, 257
門脈狭窄　149
門脈血栓　149
門脈後区域枝独立分岐　38
門脈再建　18
門脈浸潤　223
門脈切断　119
門脈切離再建　8, 118
門脈損傷　149
門脈剥離手技　90
門脈尾状葉枝の損傷と修復　225
門脈吻合　302
門脈輪状膵　63

や行

幽門輪温存膵頭十二指腸切除術　125
用手補助下手技　310

ら行

ラーニング・カーブ　4
リークテスト　188, 228
リンパ節郭清　8, 279
　——の範囲,膵癌における　26

── の範囲, 胆嚢癌における　271	ロストステント　329	ロボット支援下膵頭十二指腸切除術
レシピエントの手術　295	ロボット支援下膵体尾部切除術	332
連続縫合　141	345, 347	ロボット支援下総胆管嚢腫切除術　331